WAC BUNKO

2021年中国の真実

ならず者国家・習近平中国の自滅が始まった!

宮崎正弘
石平

WAC

はじめに――コロナ災禍と文明の黄昏

中国の隠蔽とＷＨＯの中国贔屓

日本のメディアも国連ＷＨＯ（世界保健機関）の統計を使わず、コロナ災禍の感染者、死者数は米国ジョンズ・ホプキンズ大学の速報を借用している。

迅速かつ正確だからだ。同大学ははやくから伝染病統計に重点を置いてきた。ＷＨＯは信用できないというのは世界的常識となった。

「ＷＨＯの大失敗は中国中心主義だからだ」「ＷＨＯは情報共有や基本的な任務に失敗した。米国はＷＨＯへの拠出金を停止する」（トランプ大統領）。

「中国のだましに協力してきたのがＷＨＯだ」（マルコ・ルビオ上院議員）。

かくして中国発表の数字を世界は信用していない。否、中国人も信頼を置いていない。四月七日に米有力シンクタンクのAEI（アメリカン・エンタプライズ・インスティテュート）は、「中国の推定死者数は十三万六千人だろう」と報告した。

米国の世論は「中国を排除せよ」とオクターブをあげ、今回のコロナ被害はもちろんのこと、過去のWTO（世界貿易機関）の規則違反（ダンピング輸出、政府補助金など）もこれから裁判に訴えると息巻いている。この激越な反中国ムードは到底おさまりそうにない。

中国への損害賠償請求が世論を形成するのも訴訟社会ゆえにである。

新流行語の「SOCIAL DISTANCING」（距離を置け）は欧米の合い言葉となってスーパーの買い物の列も二メートル間隔となった。なにしろチャールズ皇太子、そしてジョンソン英首相までが感染した。

米国論壇での主な議論は「DISTANCING FROM CHINA」（マルク・ティーソンAEI研究員）となった。

一方、元凶の中国は四月八日、武漢市の封鎖を解いた。

習近平が視察におもむき、「コロナは退治した」と奇妙なキャンペーンを張りだして諸外国に「マスク外交」を展開し始めてから一カ月後のことだった。

中国全土から医者を、あげくに軍医までかき集めて武漢に動員したため、逆に上海などで医者不足が起こり、入院患者がクスリ不足、インシュリン欠乏で死亡するケースも多数報告されている。地方では医者が住民に襲われ、殺害される事件もおきた。広州ではアフリカから来た貿易商が病原菌を運んだ等と噂が飛び、町を歩く黒人らも強制隔離された。

中国への反感は米国だけに限らない。

中国人を狙ったテロ、中国商店焼き討ち、チャイナタウン襲撃の可能性が高まったとしてインドネシア当局は警戒態勢に入った。過去にもインドネシアでは反中国暴動がおこり、ジャカルタのチャイナタウンが襲撃された。近年の例はベトナムで起きた反中国暴動だった。何人かの中国人が殺害され、間違えられて台湾人も犠牲となり、およそ八千名の在越中国人が逃げ帰った。

ロシアでは国境閉鎖措置以後も、感染者が増え続け、無菌とされたカムチャッカ半島にも感染が認められた。北極海に面するムルマンスクからモンゴル系ブリヤート人が多いウラン・ウデまでロシアは中国との国境をすべて閉じている。ロシアは貿易の継続で表向きの中露友好関係を維持しているが、ビジネスはともかく民族感情として昔から中国が嫌い。いまでもロシア人は中国をキタイと呼んでいる。キタイはタタールの訛りである。

疫病は文明を崩壊させる

世界が震撼し不安のどん底に落とされた武漢コロナという未曽有の災禍で明らかになったこと。

都市の文明にこれほど脆弱なアキレス腱があり、生活があっという間に脅かされ、文明が崩壊の危機に陥ることを私たちは改めて強く認識したのではなかったか。

都市封鎖措置によって、交通アクセスが失われると、人の移動が難しくなる。自動車の乗り入れも禁止されて都市は忽ち死んだようになる。人通りがない交差点で信号だけが点滅している。広告塔のネオンだけが煌めいている。あとは寂寞として子供の遊ぶ声も大人のお喋りの音も聞こえない。

資本主義の象徴、繁栄のシンボルだったニューヨークが曠野の光景に変わった。北京も巴里もマドリッドも、ミラノもロンドンも都心が曠野と化し、不安は沈潜し、恐怖心理が次の恐怖を増幅させる。ヘラクレスの言った「死に神と戦え」という警句を思い出した。

筆者が考えたのは文明の崩壊である。

ローマ帝国はなぜ滅びたのか。

世界史の教科書で教わった原因は蛮族の侵入だった。あれほど強い兵士と軍事力に恵まれ、往時は「すべての道はローマに通じる」と、天下無双の軍事力を誇ったほどのローマ帝国が、繁栄に酔ううちに、軍事訓練も防衛努力も怠り兵隊は傭兵に任せるようになった。亡国の始まりだった。

傭兵は金の切れ目が縁の切れ目、給与がもらえなくなれば戦う意思もなく、或いは平然と雇用主を裏切る。傭兵に防衛を任せるというのは精神の弛緩の最たるものである。主権を、国あげて守ろうとする気概が薄まり、国民意識は稀釈化し、団結心が喪失されれば、日常生活を律するモラルは崩壊する。加えてローマの末期には疫病がはやり、医学は未発達であり、滅亡を早めた。

これをいまのイタリアに当てはめると、蛮族の侵入に対していかに無防備であったかが歴然となる。

イタリアの死者は短時日裡に中国のそれを越えた。四月下旬にスペインもフランスも死者が二万を超え米国では四万人を突破した。

イタリア人がはたと気がつくと、中国人が四十万人。皮革製品のメッカ、プラト市は中国人移民に乗っ取られていた。まして北部と南部の対立、シチリアの無関心。イタリアは国民国家としての団結心がとぼしく、ナショナリズムより地域対立というローカリズムが鮮明だった。防疫体制は不十分であり、あのラテン特有の性格がものごとをすべて楽天的にとらえていた。

基本的にはEUの規則の縛りが事態を深刻にした。赤字財政はGDPの三%以内と決められ、予算の自由を失うと、イタリアは医療費予算をばっさりと削減した。このため医者、看護師の数が激減していた。そこへコロナ災禍、医療側の対応が遅れ、医療の崩壊を招いた。

ついでアメリカに当てはめると、もっとはっきりする。

国柄だったWASP（白人、アングロサクソン、プロテスタント）というコアを自らが破壊し、大量の移民がくればコアパーソナリティは失われ、社会の価値観は多様化という美名の下、じつは分裂する。かたちを変えた蛮族の侵入によって国柄が変色した。

価値観、宗教、所得格差によるアメリカの分裂は激甚（げきじん）であり、ましてLGBT容認の軍隊は戦闘力を失う。黒人やヒスパニックの多い軍隊は忠誠心、愛国心よりも、学生ローンの重圧から授業料免除のための軍隊経験が動機である。士気は低い。

米国はベトナム戦争以後、アフガニスタン、イラクで苦杯をなめ、シリアには出兵せず、アジアの防衛も掛け声だけは勇ましいが、中国と正面からことをかまえる気力は失せている。空母の乗組員にコロナ感染が拡大し、グアムへ帰港したまま、戦力としては当面使えない。

ましてNYにおける疫病の大流行は、貧民街とユダヤ原理主義者の集中するブロンクス地区、くわえてホームレスが集中しているハーレム。米国の保険制度は富裕層と一般層とは扱う病院まで異なり、国民皆保険という日本のような理想のシステムは達成不可能な状況である。だから感染は瞬く間に拡がり、死者数が膨張した。社会制度の諸矛盾が伝染病を拡大させた遠因になる。

中国歴代王朝も疫病で滅びた

中国の歴代王朝は疫病の蔓延という直接・間接の原因で潰(つい)えた。

王朝末期には必ず新興宗教、末法思想が蔓延し、宋はあきらかに蛮族の侵略で滅び、元は新興宗教白蓮教の勃興、民衆の叛乱により北へ去った。清朝は新興宗教の教祖＝洪秀全の大平天国による社会の疲弊が間接原因となって衰滅へ向かい、辛亥革命によって真綿で首を絞められた。

中国をつねに襲う洪水、干ばつ、疫病、そして蝗害。農作物は不作となり、飢饉は農民の反乱を頻発させる。

ざっと世界史を比較してみても、シュメールもバビロニアもヒッタイトもトラキアも農業不振、疫病によって滅亡が早まった。シュメールとバビロニアは文字を持ち、ハンムラビ法典、バビロンの虜囚などで歴史に記載があるが、文字のないトラキア、ヒッタイトは考古学的考察から衰滅の原因を探るしかない。

ヒッタイトはインド・アーリア族がアナトリア半島に流れ込み、人類初の「鉄の文明」を構築した。トラキアは現在のブルガリアを中心とした「黄金の文明」だった。いずれもが蛮族の侵入により滅亡した。

日本の場合は、むしろカルタゴの滅亡に似ている。

世界史で明瞭な滅亡原因を明記されているのはカルタゴである。地中海の通商国家として栄え、ローマと三回にわたってポエニ戦争を戦った、繁栄する経済大国がなぜ滅亡したのか。

猛将ハンニバルがアルプスを越えてローマに迫った。なんとローマは陥落寸前だったのだ。ところが「平和主義者」がつどうカルタゴ議会は、進軍をとめさせた。愚かな平和主義、妥協主義者によって無思慮の停戦がなされ、その後、力を貯め込んだローマは、カルタゴの殲滅戦争に挑んだ。その前にカルタゴは非武装化させられていた。兵士も市民も殺され生き残った女性は奴隷に売られ、カルタゴ市には塩が撒かれた。

非武装国家が保護国に逆らうか、もしくは保護国より経済が豊かになれば覇権国は存立を許さないという歴史の原則を忘れた所為だろう。戦後の日本にあまりにも酷似していないだろうか。

マヤ文明は現在のユカタン半島からグアテマラあたりに存在した高度の文明で、紀元前20～15世紀に栄えた。

絵文字が多数発見されているが、解読が遅れているため具体的にどのような文明があり、歴史が刻まれたのかは不明である。文字の記録が解明されるとエジプトにならぶ古代文明の全容があきらかになるだろう。マヤも、蛮族の侵入で国力が衰微したうえ、気象変動による農業の不振、農民の反乱にくわえて疫病の流行があったとされる。

十四世紀以後のアステカとインカは中米と南米と、地域こそ違え、その民族はわが縄文と同じでシベリアを越えベーリング海を渡って南下した、謂わば縄文人と同じDNAをもつ人たちが構築した。いずれもスペインの火力と、疫病で滅亡したとされるが、最近の学説ではもともとあった地元の熱病の拡がりにより滅亡に至ったともいわれる。

この二つの文明に共通するのは高度の文明力、都市計画、上下水道完備、そして多数の神殿ピラミッドである。それらが疫病の蔓延で消滅した。

日本でも文明の衰滅がいくつか確認されているが、もっとも古くは紀元前五世紀頃、薩摩にさかえた上野原縄文集落。突然の火山の大噴火によって消えた。

豊かな芸術を残した縄文土偶、土器の北海道から東北にかけての縄文文明も渡来人がやってきて混合することで古代には同化し、大和王権による統一に巻き込まれた。

パンデミックで鮮明になった日本文明の危機とは、防疫体制の不備、非常事態宣言の遅れもあるが、さはさりながら、かの「病原菌大国」(中国)に、日本が地政学的距離が近いという不幸である。現在、日本に入り込んで生活しているシナ人は百万近い。かたちをかえての静かな蛮族の侵入である。

国境の壁をつくった米国とは反対に、グローバリズムに陶酔したかのように突進した日本は、固有の文化的価値観を自ら壊し、独立自尊というモラルを忘れ、民族のコアパーソナリティを喪失した。あまつさえ劣化した多くの国民は、国家存亡の危機にという認識さえ出来なくなってしまった。

武漢コロナ以後、欧米は人と人のあいだに距離を置けとし、スーパーの買い物行列の二メートル間隔となった。これがソーシャル・ディスタンシング（ＳＯＣＩＡＬ　ＤＩＳＴＡＮＣＩＮＧ）である。

菅原道真の遣唐使廃止、秀吉の大明征伐、朝鮮通信使。日清、日露戦争からシナ事変へと、シナと関われば、ろくなことはなかった。

日本よ、シナとは適度な距離（ソーシャル・ディスタンシング）を置こう。

さてこの小冊は石平さんと小生の対談第十一弾である。初回は十年前に、ＷＡＣ　ＢＵＮＫＯの編集長をくわえた三人で北京、上海のあちこちを徘徊し、行った先のレストランやホテルで録音し、編集して世に問うた。好評を頂き、版を重ね、気が付けば十年の歳月が流れていた。

しかし初回の提議から、ふたりの問題意識は共通しており、新しい情報をメディアとは異なった視点から見つめ直すという姿勢で一貫している。

おりからのコロナ災禍と世界同時恐慌、私たちは、この未曾有の危機を如何に乗り切ることが出来るのか、この小冊が広く読まれ、幾ばくかの参考となれば望外の幸せである。

令和二年四月

宮崎正弘　識

ならず者国家・習近平中国の自滅が始まった！

目次

取材協力　佐藤克己
装幀／須川貴弘（ＷＡＣ装幀室）

第1章

「武漢ウイルス」は人災・疫病神――「習近平王朝」崩壊

「中国は猛毒を撒きちらして自滅する」の予測的中！

――二〇二〇年になって、世界中が大変なことになっています。中国武漢市で二〇一九年十二月前後に発生したとされる「武漢ウイルス（中国肺炎・中共肺炎）」が猛威を振るい、世界全体で感染者数は三百万人、死者は二十万人を超えました（二〇二〇年四月末時点）。

宮崎　一九一八年のスペイン風邪では五千万人が亡くなりましたが（一説に一億人）、一九五八年のアジア風邪は二百万人、一九六八年の香港風邪は百万人が死亡し、いずれも元凶は中国でした。二〇〇九年の新型インフルエンザは一万六千人が死亡しました。そして、今回の「武漢ウイルス」は、新型インフルエンザを超えたわけです。この勢いが続けば、香港風邪を抜く可能性があって、嫌な予感がします。

イタリアの死者は、四月末で二万七千人を突破。英仏スペインも二万人を超えています。アメリカも五万八千人を突破。

実は、私はこうした事態を予想していました。十三年も前になりますが『中国は猛毒を撒きちらして自滅する』（二〇〇七年、徳間書店）という本を出版しています。二〇〇三年のＳＡＲＳ（急性呼吸器症候群）に始まり、二〇〇五年の鳥インフルエンザ、先の養殖ウナギから発見された発ガン物質騒動を踏まえての予測でした。

石平　しかもサブタイトルが「全世界バブル崩壊の引き金を引くのも中国」ではないですか。すごい予言書ですよ。

宮崎　いまや、日本を含めて欧米諸国では失業率の増大、自動車を始めとする全製造業、観光業界、株価等々が軒並みダウン。まさしく、全世界の経済の崩壊の引き金を引きつつあるのが中国ですが、前掲本、出すのが早すぎたかな（苦笑）。

石平　予言者の予想はだいたい早すぎます。だから予言者の予想を、大半の人は信じません。宮崎さんのこの本を当時読んで、徐々に中国離れを進めていた企業は先見性があって今回も被害を少なくできたでしょうが……。

宮崎　これからでも遅くないから「中国離れ」（チャイナディスタンシング）「チャイナフリー」をめざしていくべきです。泥船からは一刻も早く脱出すべきですから。この経済の点については第２章以降で詳しく論じ合いましょう。

中国での感染のピークはこれから？

宮崎　ところで、今回の「武漢ウイルス」の収束の見通しはいかがですか。石さんはいつごろこの伝染病の大流行は終焉すると思われますか。

石平　世界的に広がってしまった「武漢ウイルス」が今後、どうなるかは正直に言って、予言者ではない私には分かりません。が、欧米諸国が感染者数、死者も右肩上がりに増え始めた三月以降、逆に中国政府が発表した（嘘だらけの）数字を見ると各地方の新規感染者が一斉に減っていきました。武漢市も収束に向かっているとのことで、日本が四月七日に緊急事態宣言を出した直後の四月八日には封鎖を解除しました。だから、これからは、逆に、日本や欧米などの外部の国々から感染が持ち込まれる状況に対処しなくてはというのです。「逆輸入」を恐れると称している。

そこから遡ること、一カ月近く前の三月十二日、中国の国家衛生健康委員会の米鋒報道官は記者会見で「中国での流行のピークは過ぎた」と述べました。そして、今回の「武漢ウイルス」を調査している中国衛生当局専門家チームの責任者である鐘南山氏が「中国以外から流入してくる感染者が問題だ」と発言し、さらに鐘氏は「中国国内や湖北省でのウイルスは制御できている」と強気の姿勢を示しました。しかし、それが本当かどうか私は、実に疑わしいと思っています。

そもそも、武漢での発生を隠蔽し、公表してからも「人から人への感染はあまりない」と言っていた。それを真に受けたのか、中国共産党（中共）のマネーに毒されているかのようなテドロス・アダノム事務局長率いる世界保健機関（ＷＨＯ）も当初、今回のアウトブレイク（悪疫、質の悪い流行病・感染症の突発的発生）を国際的に懸念される公衆衛生上の緊急事態であると宣言しないことを決定していました。もっと早くから注意を促していたら、今回のようなパンデミック（感染爆発）は起こらなかったかもしれない。すべては中共政権の嘘、隠蔽体質が生んだものだという「原点」を我々は忘れてはなりません。

宮崎　中国政府が発表している数字はハッキリ言って作為的です。巧妙に感染者数、死者数を減らしている。トランプ政権は中国発表の数字情報を「信用していない」（ポンペオ国務長官）とする姿勢を貫いていますよね。四月はじめのＣＩＡの大統領への報告では「いまも中国では六千万人が封鎖された地域におり、武漢だけでも死者は五千人以上だろう。事態はもっと深刻なはずだ」としていた。そもそも、武漢には中共傀儡とまで言われるWHOの関係者がちょっと寄った程度。権威ある医療関係者による国際的な調査をまったく受け付けていない。国際的な専門家チームがすぐ武漢に査察に入るべきだったのです。

石平　その通りで、感染者数・死者数等々の減り方が不自然です。中国の各地方がほぼ同じ時期に、同じパターンで減っていきました。

三月一日の数字を見ますと、湖南省も浙江省、安徽省などが一斉に新規感染者がゼロになっている。それは、どう考えてもあり得ない話です。そもそも、宮崎さんもご存じのように中国の各都市はそれぞれ特色があります。経済発展のレベルや、衛生状況、人口数も違うのです。また、感染状況も同じではありません。状況がまったく違う地方が三月に入ると一斉に新規感染者がゼロになるのは、誰が見ても不自然と感じるはずです。

宮崎　反中共の法輪功（中国の気功集団）系の新聞を読んでいたら、「火神山医院」（「武漢ウイルス」に感染した患者を治療する病院で武漢市に急遽建設された）で毎日数百人死んでいると伝えていました。死体置き場、火葬場は死体の山で、火葬装置を何十台か導入したと書かれていました。

　また、習近平執行部に批判的なメディア『財新』が、武漢市に記者を送り込み、取材を続けさせたのですが、武漢市のドライバーから驚きの証言を得てスクープ記事を載せたのです。その記事には「火曜と金曜だけでも数千の遺体を火葬場に運んだ。漢江地区だけでも十一か所に火葬場があるが、そのうちの一か所の火葬場に数千の遺体を運送した」と書かれていました。ちなみに、三月三十日までの当局の公式発表の死者（累計）は二五三五人でしたが。

石平　確かに中国にはクルマ式の走れる可動式火葬装置があります。しかし、この「火神山医院」は患者が全部、治ったとして閉鎖しまったのです。

宮崎　えっ、本当。それは知らなかった。いつ閉鎖されたの。だって三月十日に習近平が視察したばかりだったでしょう。

石平　習近平が視察した、その直後です。十一日に閉鎖宣言を出したのです。ただ内部資料を見て見ますと、事前に閉鎖の時期を決めていました。その閉鎖実行日までに患者を病院から追い出して「空っぽ」にしたのです。

衝撃の中国国内の秘密資料

石平　そんな「バカな？」と思われるでしょうが、日本では考えられないような事が中国では当たり前のように起きるのです。その事について、中国国内の資料から解説します。

深圳にある中山大学公共衛生学部の学部長を務める舒躍龍氏は中国インフルエンザセンターの主任も兼任しており、感染症分野では中国トップクラスの専門家です。この舒氏は、上海の新民晩報（三・一五）や、『第一財経』という雑誌で新型肺炎のコントロールについて語っています。

その内容ですが、「中国が迅速に自国の疫病をコントロールする対策を実行しなければいけない」。そして「我々は新規感染者ゼロを目標にしてはならない」と訴えているのです。

これは大事な点ですが「感染者ゼロを目標にしてはならない」というのは、何を意味するのか。逆に言うと、中央政府が感染者ゼロを目標にしているということへの批判なのです。

舒躍龍氏が北京政府に提言したのは、新規感染者ゼロを目標にしてはいけないという事です。中国では、政府が「目標」「達成数字」を定めると、現場すべてがその「目標」「数字」通りに行動する事になります。

極端な話、「ゼロを目指せ」と上から号令が出れば、新規感染者が発生したかどうかには関係がなく下は「ゼロ」にします。そういう状況を副所長は憂慮したからこそ、政府に対して新規感染者ゼロを目標にしてはいけないと提言したのです。

宮崎 なんたって上からの命令があれば、何百、何千人が死んでいようが、死者数はゼロになる国ですからね。

石平 さらに、彼はこう発言しています。

「いつ収束するかという議論を止めた方がいい。今はそういう時期ではない」「感染者をゼロにして疫病を終わらせるなどとは思わない方がいい」

そして、三番目の提言ですが、これが大事です。

つまり「どこの地方、会社、機関で感染者の症例が発生しても、北京政府は、その責任を追及してはならない」というのです。むしろ、「報告しない者に対して責任を追及しなければいけない」と訴えたのです。

その意味するところは何か。どこかの地方都市や会社などで感染者が発生すると、北京政府は地方政府の責任を追及します。「お前たち（地方政府）のところで、どうして病例が発生したのか」と問いただされるのです。すると地方政府は、各団体、各会社で感染者が発生しても報告をしなくなります。

それは当然でしょう。報告すると、その責任を追及されてしまうのですから、誰でも嫌がります。しかし、これでは本末転倒と言わざるを得ません。でも、実際に、感染者が発生したとなると、地方政府の責任が追及されていきます。現に武漢をはじめ地方政府の幹部たち約四百人が行政処分を受けてしまった。となると地方政府の責任者は困るわけです。「責任が追及されるのが嫌なら、お前たち（地方政府や会社など）のところで感染者を発生させてはならない。だから例え発生しても、発生したと報告するな」という事になるのです。

結果的に、そういう上からの強制命令ともいうべきお達しによって、新規感染者ゼロになっていくのです。だから、本来ならば、そんな提言を舒氏は北京政府にしなくてもいいのです。それを、わざわざこのような提言をしなければならないくらい、北京政府は切羽詰まっている状況にあったというわけです。実際、中国で起きているのは、正直に報告した人が「なにをやっているんだ」と責任を追及され、報告をしない人が、「よくやっている」と褒められるのです。

宮崎 昨年十二月の段階で、最初に武漢で奇病が流行っていると正直に報告した眼科医の李文亮氏（後に感染し二〇二〇年二月七日に死亡）は、デマを伝播したとして十二月末日に衛生当局に呼び出され、「自己批判文」を書かされた上、一月三日には公安局から「あなたの行為は社会秩序を深刻に混乱させ、法律の許容範囲を超えた」と記された「訓戒書」に署名させられ、懲戒処分を受けている。

死後、民衆からの追悼の動きを封じ込めたのはほかならぬ中共・習近平政権。ところが、その後、国際社会からの批判を受けて、態度を豹変。なんと、四月四日に行なわれた政府の公式の追悼集会では、彼を「烈士」扱いにした。

石平 本当に三文芝居が中共は好きなんです。コロコロと舞台を変える。コロナウイルスも「共産党員」か「共産党シンパ」とみなしているから、その犠牲者の数も、経済成長率と同じく党が自由に決定し左右できると思っているのかもしれません（苦笑）。でも、コロナウイルスは勿論、共産党員ではありません。本当の感染者・死者数は、党も多すぎて、もはや把握しきれていない可能性もあります。

ともあれ、このカラクリの背景に何があるのか。簡単です。みんな上の機関、上司から怒られたくない。面従腹背あるのみ！　それだけです。そして自分の出世に響くことは避ける。保身あるのみですから、感染者が次々と発生しても新規感染者の数字に入れなければ、自分の立場が危うくならずに済む。死んでも、死因をコロナではなく別のものにすれば死者数は増えないことになる。これが中国の伝統的な問題解決方法です（笑）。

舒さんは責任ある専門家です。その人がこれではいけないと公言しているのです。事態は深刻だと考えた方がいいでしょう。舒さんの発言はそのように裏読みしないと、中国の置かれている実態は分かりません。みんな正直に報告しなければいけないのに、それが出来ていないのです。

繰り返しになりますが、大事なので強調させてください。今の中共・北京政府は感染者ゼロを目標にしている。だからこそ湖南省も、福建省も、武漢もみんな「本日の新規感染者ゼロ。以上、報告終わり」となるのです。でも、それは、政府が決めた「目標」であって「事実」ではありません。

感染者を「清空」にしろと決定したら右にならえ

宮崎　中国政府が発表している感染者の数そのものに、無症状の感染者を入れていなかったというじゃないですか。三月三十一日になって政府の国家衛生健康委員会は、三十一日午前〇時時点で、ウイルス陽性反応を出しながら、公表数字に含めなかった無症状の感染者が一五四一人に上ると発表しました。酷い話です。

さらに、「サウスチャイナ・モーニングポスト（香港の英字紙）」は、中国の無症状の感染者四万三千人（二月末時点）を統計から除外していたと報じている」（二〇二〇年四月一日）とのこと。この（無症状感染者）数は現在、もっと膨らんでいるのは間違いないでしょう。

石平　さらに、もうひとつ大事な資料があります。それは武漢市の病院資料です。具体的には武漢市当局の上層部が決定した武漢ウイルス対策を、市内の病院に伝達した文章です。

それによると、武漢市全体の方針として三月末までに（街全体を）掃除して社会秩序を回復するという基本方針が示されていたのです。つまり、武漢市は三月末までに武漢ウイルス患者を一掃して、市内のビジネス、生産を復活させろというわけです。

この基本方針に基づいて武漢市の病院は運営方針を決めることになったのです。そして、この資料で重要な点は、三月十一日までに病院にいる武漢ウイルス感染の患者を「清空（せいくう）」すると決定したのです。「清」は掃除を意味します。そして「空」というのは、空っぽにすることです（日本語では「片付けて」の意味）。つまり患者をゴミみたいに掃除して病院から患者を追い出して空っぽにすることを決定したというわけです。ですから、三月十一日までにウイルス感染者の患者がどれだけいるか、そして治っているか、政府当局は一切関知しないということなのです。最初から習近平が視察する直後の三月十一日までに患者を空っぽにすることを決めたのです。「計画経済」ならぬ「計画退院」。こんなことって、普通の国では考えられない措置ですよ。

宮崎　しかし、患者はまだ病院にいたわけでしょう。「計画退院」って、なんだか「計画殺人」みたいだ。

石平　三月十一日までに患者が治っていなかったら、どうやって空っぽにするのか。ひとつの方法が患者をまとめて、別の施設に移送する。もうひとつは治ったことにして、自宅に帰すわけです。

一番、やりやすいのは自宅に帰すこと。どちらにせよ、もう治ったことにした。習近平が武漢市へ視察に行った直後の十一日には、病院での武漢ウイルスに関する診察、治療を一斉に終了してしまったのです。もちろん、実際、十一日までに治った人もいる。しかし、そうでない人も多数いた。しかし治ったかどうかに関係なく、十一日までに空っぽにしなければならない。その日までに治っているかどうかは共産党当局にとっては別問題なのです。

そして、インターネットで暴露された内部通知で分かったことですが、三月二十日までにすべての仕事を正常に戻すことを目標にしていることが示されていました。現場はこの方針通りに行動して対処したのです。

感染者数をゼロにするために地方政府はいろいろな措置を取ります。新たな感染者が発生したことを報告させない状況を作っておく。ようするに、正直に報告した人の責任が追及され、その反面、報告しない人は称賛されて「天下泰平」が約束される。たとえば、自分たちの省で、新規感染者が三人発生しても、その通りに発表したら、ほかの省がゼロなら自分たちの立場がなくなるわけです。だから自分たちの省もゼロにしよう。その方が、無難であると。それが地方政府の考え方です。だから、専門家である舒氏が危機感を覚えて、前述したようにそんな事を目標にしてはいけないと訴えたのです。

舒氏が指摘したことでもう一つ大事なのは、政府はウイルスを全面的に封じ込める対策から防御的な戦略に変えるべきだとした点です。そして防疫上のコントロールは長期戦を覚悟すべきだと訴えています。ウイルスの拡散が常態化することが、普通になり、これが長期間続くとしています。

だから「武漢ウイルス」を完全に封じ込めるという考え方はもう止めるべきだと。今後はウイルス感染が中国のあちこちで拡散する状態となり、その都度、抑え込むということが、普通の生活になる。そういう状況が長期化する。つまり「ウイルスを抑え込む」という事は考えてはいけないのです。発生すれば、その地域で、個別に対策を講じることが現実的な対処方法だと指摘しています。

宮崎　それにしても凄いことやるんだね。

「火事場泥棒」が露見してしまった

石平　問題は、北京政府はどうしてそういうウソをつくかです。その背景に一体、何があるのか、ちょっとここで検証しておきましょう。民主国家に生きる普通の日本人には理解できかねるのが中国の政治なのです。

まず、二月中旬、「武漢ウイルス」感染が拡大している段階ですでに、最高の意思決定機関である政治局常務委員会は、中国国内での生産回復とともに、普通の生活、社会活動に戻る事を強く指示しています。この意向に沿ったカタチで、各地方都市の工場が生産を開始しました。そこで、本格的に生産開始を促したいならば、ウイルスの感染が収束に向かっているとアピールしないといけないわけです。ウイルスが拡大している最中、誰も工場に行って生産を開始しようとは思いません。だから、まだ収束していないという現実を隠蔽する必要があるのです。

中国共産党は生産開始の目標を立てて、正常な社会秩序と、ビジネスの回復を目指して疫病（武漢ウイルス）をコントロールする腹づもりでした。しかし、共産党が考えている疫病のコントロールというのは、単なる数字の抑え込みに過ぎません。「収まりつつある」という、もっともらしい辻褄あわせの数字さえ発表すれば、中国の国民は安心して仕事に戻ると思い込んでいたのです。そして、それからは、国民の目を内から外に向けようと躍起になっています。

たとえば、三月十四日の中国紙『環境時報』に「新型ウイルスの対応に手ぬるい欧米諸国は、感染を広めてしまった。このことを鑑みて対策を改めるべきだ」という社説が載りました。

具体的には中国共産党は国民の自由を的確に制御して、その結果、感染の拡大を遅らせ、世界が対応できるように時間を稼いだというのです。だから、「世界は中国に感謝すべきだ」と。そして、「感染拡大を防いだ中国共産党の統治モデルが、西側諸国の民主モデルより優れている」と自画自賛までする始末です。自分が「中国肺炎」の発生元なのに、その責任を置き去りにしての上から目線の尊大な口ぶりには、正直、開いた口がふさがりません。

この「武漢ウイルス」は、先述したとおり、中国の武漢市から拡散したのは明らかです。その拡散は、少なくとも発生の事実を知りながら一カ月近くも公表を後らせた中国共産党に最大の責任があります。そして公表したあとも、「人から人への感染は（あまり）ない」などとデマを垂れ流し、世界中に迷惑をかけておきながら、感謝しろというのは、本末転倒です。怒りさえ覚えます。

宮崎 中共は、自らが放火して被害を拡大したくせに、せっせと消火に励んでいるというイメージを操作するために、「マスク外交」を展開しています。医療用マスクや防護服などを、日本を含めて世界百二十カ国に援助したとしている。中国のインターネットサービス大手のアリババなども寄贈している。中国共産党系メディアの環境時報（三月三十一日付）は、そうしたマスク外交を自画自賛しています。しかし、その内実は相変わらずお粗末極まれり。

「中国肺炎」の被害が拡大しているイタリア、スペインなどにマスク、医療器機などを「寄付」し、特別チームを派遣したものの、オランダは中国製マスクが不良品だったため六十万枚を突き返した。スペインも迅速検査キットが不良品だったということで返品している。

中国は、東京都の小池知事などから寄贈された日本のちゃんとした医療グッズは自分たちが使って、メイドインレッドチャイナの粗悪品を海外向けに出したのかもしれないね（笑）。

さらに、中国は米国にマスクと医療器機の寄付を申し出て、実際、猫の手も借りたいニューヨーク州は、中国から人工呼吸器一千台の寄贈を受けた。一方で、中国はこのどさくさに紛れて四十億枚のマスクを輸出し、とくに緊急に必要な米国が高値で購入しました。

これだって、中国は自国の国防動員法によって、本来、中国で日本向けに日系企業が作っていた日本向けのマスクを接収して活用している。ほんの一部を日本に寄贈したところで日本人が感謝するのも本末転倒でしょう。こういうふうに堂々たる「火事場泥棒」が横行した。強盗が盗品を被害者に売りつけたり寄贈して感謝しろと迫るようなものですよ。

しかし、フランスのドモンシャラン欧州問題担当大臣は「中国は自国の宣伝のために援助を使っている」と批判している。「一帯一路」に前のめりだったイタリアが欧州の中で一番ひどい目にもあっていることから、欧州の中国離れが強まったのは不幸中の幸いといえるでしょう。

ちなみに三月一日から四月四日までの統計で、中国は十四億五千ドルを、マスク、体温計、保護服など十一品目の輸出で稼いでいます。輸出した国は五十国以上になるのですが、三割がマスクだった。現在、中国の生産能力は一日にマスクを二千万枚、体温計を四十万個、N95フェイスマスクを三百四十万枚です。雨後の竹の子のように、売れると聞けば、異業種からも参入してくるからで、品質管理なんて二の次、契約数量が不足すれば段ボールに石ころでも詰める。

やっとこさ、四月十日になって、中国税関は医療関係十一品目の輸出検査を強化するという。禁輸ではありませんが、製造者の工場査察などで、品質検査を徹底させ、精密度が要求される人工呼吸器などの輸出はライセンス制にするそうです。

日本は台湾を見習え

宮崎 一方で、中国は、WHOへの台湾のオブザーバー加盟を「主権国家ではない」と言い張って、相変わらず執拗に妨害している。

ハッカー部隊をもつ中国は、インフォデミック（SNSによる嘘放送の拡散）でも天才的な力量を誇っています。台湾の水際での武漢ウイルス防御、医療貢献を「政治的トリック」と非難する傍ら、ウィキペディアの「武漢肺炎」の箇所を、なんと、中国のサイバー部隊は「台湾肺炎」と一時書き換えたりもしています。

その台湾はコロナウイルスの防御に関して、水際作戦に成功し、四月末現在、死者はわずか六名（四月十四日）。蔡英文政権は、世界の窮状に「マスクを一千万枚寄付する」と発表しました。米国、イタリア、スペインに七百万枚を既に送付済み。台湾と国交がある十五ヶ国にマスクを寄付するといっています。中国と台湾間の「マスク外交」に関しての文明的格差は勝負あったりというしかないですね。

台湾は一番、水際作戦が成功した国です。何たって台湾はすぐに軍隊を出動させましたから。その一方、日本はウイルス対策の緊急閣僚会議を開催しても当初、防衛省の担当者は呼ばれなかった。日本は変な国ですね。

石平 不思議なのは、台湾の対応がそんなに早かったのは何故でしょうか。早い段階で「武漢ウイルス」の正確な情報を察知していたのですか？

宮崎 それは、台湾人が中国本土に百万人いますから、その人たちが正しい情報を台湾に齎（もたら）したからだと思います。

石平 それで世界中で最も対応が早かったのですね。中国と一番近くて、目と鼻の先にある国なのに奇跡です。

宮崎 そこまで、台湾が中国に対して厳しく見てきた結果とも言えます。

石平 そうですね。中国政府はそういう海外支援を強調する一方、新規感染者の数字を全国的規模で隠蔽しました。そういう「嘘」によって、世界に向けて中国は感染抑制に成功したというアピールが出来るとともに、前述したように自国の経済回復を軌道に乗せることが可能になるというイメージを拡散するといった「一石二鳥」の効果を得ようと躍起になっています。

しかし唯一、中国当局が頭を抱える問題があります。せっかくの海外支援もその中身がそういう風に粗悪品提供ということで露見してしまい、二月中旬以降の段階から生産活動を復活させていると自称したものの、大量の農民出稼ぎ労働者を工場に戻すのが思い通りにいかなかった。

二月二十七日のロイターでは、「中国で多くの地域から新型コロナウイルスの感染拡大に伴う移動制限を緩和する中、東部や南部の製造の集積地では、地方からの出稼ぎ労働者が戻り始め、ラッシュアワーの道路の交通量が増えている。(中略)中国の一部の地域は、新型ウイルスのリスクが後退したとして警戒レベルを引き下げ、移動制限を緩和したり、企業の生産再開を支援したりしている。ロイターが交通運輸省のデータを基に算出したところによると、新型ウイルスの影響で延長されていた春節(正月)の連休が上海市などで終わった二月十日以降、およそ一億八千万人の労働者が都市部などで仕事に戻るため、郷里を離れた」と表向きには報じられました。

中国では感染拡大のリスクが再び高まる

宮崎　しかし、その実態は、まだ「武漢ウイルス」による感染拡大が収まっていない段階から、生産を再開するために、大量の農民出稼ぎ労働者を工場に戻してしまった。

石平　そういうことです。「広東省政府は出稼ぎ労働者の復帰を支援するため、貸し切り列車を手配」（二月二十七日、ロイター）する力の入れようですが、ナンセンスです。ここで、見過ごされた大きな問題が発生します。これまで感染防止対策として人が集まる事を制限してきましたが、今後は、あちこちの仕事場で労働者が集まります。すると、必ずどこかで感染の拡大が再び発生するリスクが非常に高まります。

しかし、帰郷した労働者の間で「武漢ウイルス」が再び広まったとしても、情報隠蔽を行なうので、この数字は表に出てきません。ですから今後、中国で感染が拡大している実態は誰も分からなくなります。何が言いたいか。中国政府は去年の十二月前後の段階で武漢市から始まった「武漢ウイルス」拡大を、現地当局などは情報隠蔽しましたね。

それは周知のとおりです。今度は中国政府の完全なる意思の下、中国全土での情報隠蔽工作が再び行われていくということになるのです。二〇〇三年のSARSの時と同じ過ちを再び、犯そうとしているわけです。

しかも、この情報隠蔽は中国人民に対してだけではなく、世界全体に対しても行われていくわけです。「情報鎖国」下で行なわれた文革の悲劇を再現するようなものだといえるかもしれません。

実体のない工場再稼働

宮崎 中国はどうしても、「武漢ウイルス」が内外に向けて収束したというイメージを作りたいわけです。そのうえで工場はちゃんと再稼働をしたと言っているけれども、実際は工場内の電気をつけて、稼働しているように見せかけているだけです。製造に必要な部品も来ていないのに、どうやって組み立てるのですか。室内の照明を点けて、何も載っていないベルトコンベアを空しく動かしているだけです。

石平 まさに今(三月・四月期)の中国はそういう状況です。北京政府は各民間企業に対して、工場の再稼働をいつまでに、やれという命令を次々と出しています。しかし、原材料が手に入らないうえ、労働者は戻ってきたというものの、まだ十分な数ではありません。加えて、注文もないから、工場稼働は本来なら不可能です。それでも再稼働するのは北京政府がすると決めたからです。何がなんでも、そういうカタチにしなければいけないわけです。

政府は各工場に監視員を派遣して、ちゃんと再稼働しているかどうか確認したいところですが、「コロナ怖し」で現場に行ってチェックすることもままならない。ならば、どうするか。政府当局は電気の使用量だけをチェックするのです。電気の使用量をみれば簡単に稼働しているかどうか確認できるという判断です。それで、工場は仕方がないから、とにかく、機械を回します。もちろん何も生産することなく、仕事することなくただ機械を回して電気を無駄に浪費するだけです。

宮崎　ヨーロッパの人工衛星が中国を撮った写真で、武漢ウイルスが発生した直後、ほとんどの都市や工場地帯で灯が消えていました。それをヨーロッパが発表したら、非常に北京政府が気にかけて、電気をつけるようにしたらしい（笑）。オフィスも無人なのに電気をつけ、スタッフが不在でもパソコンを動かしている。

石平　そうです。ビジネス活動を再開した会社があれば、まだ再開していない会社もある。しかし、政府の命令ですべてオフィスビルに電気をつけるようにしたのです。夜見たらビル全体が明るい。しかも、電気をつけるだけではダメで、ご指摘のとおり、社員全員のパソコンもオンにしておきます。

実は、そこが重要な点です。中国経済の先行きを懸念している北京政府の焦りがあるのです。二月中旬から中国共産党常務委員会は二回、三回立て続けて会議を開きました。表向きはコロナ対策ですが、すべての会議で議論されたポイントは生産再開の時期でした。ようするに三月から本格的に生産が再開されなければ、中国経済は破滅的な事態に陥ると見ていたからです。中国経済が壊滅したら、中国共産党も潰れます。

ですから兎に角、三月ないし四月から企業は生産活動を再開させなければならなかった。そのために、感染者数を捏造（低くする）して、中国国民に「武漢ウイルス」の脅威は峠を越し、収まったという印象を与える必要があったのです。もし、本当の新規感染者・死者の数字を発表して、毎日、何百人もあるいは何千人もまだ新たに感染者が発生している状況が続いていることを公表したら、誰も工場には行きませんし、生産開始は不可能です。

しかし、新規感染者の数を操作することで、庶民みんなが安心して普通の生活に戻り、消費をして、飲食店を利用するようになれば、その結果、工場の生産も回復して、経済全般の立て直しを図ることができるという思惑が共産党当局にはあったのです。各地方はそういう情報操作をして、連日感染者のゼロ行進（更新）を続けています。

宮崎　日本軍によるとされる南京での虐殺数を三十万にするのも三万にするのも三千にするのもゼロにするのも中国共産党が自由に決定できるからね（笑）。

しかし、問題は、まだ収まっていない二月、三月、四月に中国庶民が普通の生活に戻り、労働者が集まって、企業の生産を開始すると、間違いなく再び大規模な感染発生につながります。もちろん、北京政府は様々な予防措置を取ります。いつもより手を洗い、マスクをつけさせます。それでも、人が集まると、感染リスクは急速に高まるのは明らかです。北京政府は、結果的にもう一度、感染拡大に苦しむことになります。

中国共産党にとって、そういう感染被害の発生拡大はもうしょうがないと見ているのでしょう。諸外国は自国の被害の拡大防止に躍起となっていて中国のほうを見ていないからシメシメと思っているのかもしれない。

もう一つ、労働者が工場に戻ってこないと本格的な工場再開とならないので、鉄道だけではなく、強制的に労働者たちをバスで運んでいるという話を聞きました。そういう現場の写真は出回っていませんか。

石平　それは出ています。むしろ、仕事を再開しているという写真として紹介されていて、完全に地方政府のアピールに使われています。

武漢市封鎖＆封鎖解除の裏事情とは

宮崎　武漢の閉鎖が解かれた四月八日に、中国の覚えめでたい朝日新聞の記者などが武漢に入れたけど、ちゃんとした医療関係者はまだ入れていない。ＮＨＫなどで流れる武漢の明るいフリをしている庶民の姿などの映像はすべて中共政府の提供。われわれ日本人はそれを見て、中国はもう収束したなんて早合点させられている。ちゃんと、これは中共提供の映像だと断るべきなのにしないところがひどいね。

石平　だから正確に武漢市でどういう状況なのか誰も摑めません。でも、封鎖が解除された四月八日以降も、武漢に住む人からの内部告発によると、武漢では実際、毎日多くの感染例が確認され無症状感染者も多くいるという。三月二十五日より新型肺炎の治療が自費となったから、感染可能性のある人々の多くが診療に行かずに自由に行動しているとのこと。このままだと「第二の感染爆発」の恐れが高まってくるでしょう。

実際、中国当局も恐れているのか、四月八日以降も、武漢から「北京市への移動は制限」しています。たとえば、「武漢市から北京市に入った場合、2週間の隔離が求められる」。また「武漢と北京を結ぶ国内航空路線の直行便の再開を見送り」とのこと（四月八日付け日経新聞朝刊）。

宮崎　やっぱり武漢はまだ危ない（苦笑）。だって、封鎖解除後も、武漢市内では道路は消毒作業が行なわれている。買い物は一メートル以上の距離を置き、店内に入れるのは十五名とかの人数制限をやっている。入るのに際しても顔面識別、健康証明をスマホで見せ、オッケーが出て入って、そのうえ、消毒される。ビルに入るときも同じで、靴の底まで消毒が義務づけられている。したがって通勤風景も、通常の二、三割程度で、緊急事態宣言以降の東京のＪＲも地下鉄もガラスキになった日本の首都圏の風景と変わらない。人の集まりも禁止されたままで、喫茶店もレストランもほとんどは閉店したまま。人通りは少なく、封鎖期間中の景色と殆ど変わりがない。これで封鎖解除と言われてもナンセンスだよね。

石平 ネット上に武漢市民がアップした情報では、三月のみならず、封鎖解除後の四月以降もあちこちで一定規模の感染が発生していると伝えています。いくつもの「小区」で集団感染が発生しているようです。中国語の「小区」は「住宅団地」という意味合いで、団地で感染が新たに発生している。それは簡単な話で、治っていない患者を病院から自宅へ帰したからです。

宮崎 一月の段階で、武漢市を閉鎖したという事は最悪の場合、武漢市は全滅することも構わないという話です。だから、封鎖する前に共産党幹部五〇万人が武漢市から逃げたでしょう。

石平 逃がす方法が実にずるい。一月二十三日の午前二時に封鎖すると発表して、実際に封鎖したのは午前十時。この八時間で、共産党幹部たちや、その家族・親族が逃げる準備を進めたのです。午前二時に発表されても普通の武漢市民はみんな寝ています。誰も知りません。みんな朝起きてから武漢市が封鎖される事を知ったわけです。一般市民は、その時点でどうするか、考えたところで、手遅れで逃げ出すことが出来ませんでした。

宮崎 逃げた共産党幹部たちも「武漢ウイルス」を持っていたわけだから、中国全土にかなりまき散らしたよね。米国の有力シンクタンクＡＥＩ（アメリカン・エンタープライズ・インスティチュート）の最新レポート（四月七日付）では中国全土の感染者数は二百九十万人と見積もっています（中国の公式数字は八万人程度）。

石平　世界的に広がった原因の一つに、当初、中共政府が情報を隠蔽した事がある。中共がウイルス感染で深刻な事態になったことを発表したのは一月二十日です。習近平が緊急指示を出して、それを翌日の人民日報に掲載しました。しかし二十日までに武漢市で起きていることをこの時点でも公表しませんでした。いずれにしても旧正月（一月二十四日）の前ですから、いろいろな行事、お祭りがあり、人が集まって街中が年末の忘年会みたいな大騒ぎです。そして正月の一～二週間前には多くの武漢市民が中国全土、日本をはじめアジア諸国や欧米諸国など海外旅行に行ってしまった。

忘れてならないのが武漢市は製造業の街ですから、当然、何百万人の労働者が帰省しました。正月の一週間前から帰省ラッシュが始まるのです。ですから、武漢市が封鎖される一月二十三日以前には、約三百万人の武漢市民が中国全国、全世界に散らばってしまった。だから、イタリアでばら撒いた最初の「武漢ウイルス」は、イタリアに旅行した武漢市民が齎したものであり、東京の屋形船で感染者が出たのも、感染源が武漢市からの観光客でした。武漢ウイルスの発生元は、言うまでもなく武漢なのです。この事実を未だに隠蔽したくて、その呼称を使わせないように画策する中共は本当に世界の屑というしかない。

宮崎　日本での最初の感染者は日本に居住していた武漢市民でした。この中国人が武漢市に帰ったところ、家族全員がコロナウイルスに罹っていた。それを見たこの中国人は、中国より日本の医療機関で治療を受けたいと考え、日本に帰って来た。日本の空港で入国する際、解熱剤を飲んで一時的に体温を下げて日本に入国したのです。その中国人が日本における最初の感染者です。

石平　中国人が世界中に「武漢ウイルス」をばら撒いたのは事実です。今この対談をしている段階でも当然、収まっていません。イタリアを中心にヨーロッパ全体、そしてアメリカでも緊急事態が宣言され、日本も四月七日には緊急事態宣言を出して、同様の大変な状況に陥ってしまった。その源をたどせば、全部、武漢市からの入国者です。その問題の根源は中国政府が一月二十日まで情報を隠蔽していたことです。

宮崎　だから、アメリカのオブライエン大統領補佐官（国家安全保障担当）が三月十一日、ワシントンで講演し、中国政府が武漢市の感染を隠蔽したことが原因で「世界の対応が二カ月遅れた」と中国を批判しました。トランプ大統領まで検査しないといけない事態となったのです。英国のジョンソン首相も感染入院した。チャールズ皇太子も感染。もし、先進諸国の首相や大統領が「中国肺炎」で、志村けんさんのように死亡したら大変なことになる。習近平は殺人罪で国際手配されかねない。

石平　実際、この「武漢ウイルス」が人に感染することが分かったのは二〇一九年十一月の段階です。少なくても十一月中旬から一月二十日まで二カ月間、完全に隠蔽した罪は大きい。

宮崎　ただ、中国系の香港の新聞はいち早く伝えていたのです。「武漢で奇妙な病気が発生していて、死者が出ている」という報道が一月十日にありました。当時は台湾総統選挙がさかんに報道されていましたが、香港の「東方日報」が、蔡英文当選より大きく「新型肺炎で死者」という記事を一面トップに扱ったのです。たまたま私は香港に滞在していたので、それを読んで、「あれっ」と思った事を覚えています。

コロナショックはソ連崩壊を招いた「チェルノブイリ」と同じ自滅効果あり

石平 肝心の時期に中国共産党の情報隠蔽に加担したのはWHO（世界保健機関）でした。

宮崎 その通りです。その前にちょっと触れておきたいことがあります。実は同じ中国圏でも北京政府の情報を信じていない地域があることです。それは香港とマカオです。前述したとおり、香港では一月初期の段階から大陸で妙な病気が流行っているという話が流れ始め、すぐに大陸からの入国を制限しました。香港の林鄭月娥（キャリー・ラム）行政長官は中国本土と結ぶ高速鉄道を止め、主要な検問所を閉鎖、本土からの個人旅行客の受け入れを停止したのです。そして北京政府が「ピークを過ぎた」と表明した今でも、香港はいまだに制限を続けています。

四月中旬になっても、香港に乗り入れている航空機は九九％の休便、ほぼ全滅です。「免税天国」として買い物客で溢れた香港の繁華街に、外国人観光客が不在になりました。有名ブランド店舗は閉鎖。世界全体の三月だけの損失は航空業界だけで、五十六億ドルに達しました。

香港空港では到着客に厳重に検査が行われ、体温測定とか、医療検査ばかりか、スマホの消毒検査にくわえて、スマホの中味をチェックし、過去数日間の滞在先を記録する。

このため検査能力は一日四百人（通常、香港國際空港は一日二十万人が利用した）。

そのうえ、「サプライチェーン（製品が、原料の段階から消費者に至るまでの全過程のつながりのこと。供給網）の寸断は、金融チェーンの寸断である」と香港の金融界が悲鳴を挙げています。三月に世界の投資家が香港市場から五百五十億ドルを引き揚げたからで、「一九九七年から九八年のアジア通貨危機の再来であり、『アジア通貨危機2・0』だ。そして前回の規模を遙かに超える規模になるだろう」と専門家は見ています。

大事な点なので、ちょっと話題を拡げますが、香港の債権市場で起債するのはおもに中国企業です。中国の債務は対GDP比で一九九七年は七・八％でしたが、二〇一九年末に、五四・三％となった。あくまでも表向きの数字で、シャドーバンキングや私募債（社債）などを含めると一〇〇％は楽にこえていると推定されます。アジア全体の不良債権は六千億ドルになる懼れがあるとS＆P（スタンダード・プア社）は予測報告を出しました（四月六日）。

中国企業はオンショア市場で五七九億ドル、オフショアで三四九億ドルの起債をおこないましたが、これらの償還期日が向こう十二カ月以内にやってきますし、ほかに不動産における天文学的負債が、いずれ不良債権の巨波に化ける。どうやって支払うのでしょうね。

ウォール街も日本の金融界も身構えています。

マカオといえば、すべてのカジノを閉鎖したままです。中国から年間、約二八〇〇万人がマカオのカジノに行きます。マカオ経済はカジノを閉めたら成り立って行きません。マカオの財政も途端に苦しくなります。にもかかわらず、そのカジノを閉鎖したという事は、マカオ政府がいかに危機感を持っているか。そして、北京政府をいかに信用していないかです。日本政府もマカオを見習うべきですよ（笑）。

北京政府は常に出鱈目を言っている。だから、身内からも信じられていないのです。これに絡んでいうと、経済関係の発表数字が全部、実態と合いません。中国経済はこれまで順調に拡大してきたと言ってきました。ここ数年、中国のＧＤＰ成長率は北京政府の発表によると六％台をキープしています。しかし電力消費量や、貨物輸送の実績などを勘案すると、ウソです。実態は一～二％の低成長か、場合によってはマイナス成長に転落した可能性すらあります。

中国政府の公式発表によりますと、中国のＧＤＰは約九〇兆元で、邦貨換算すると約一五〇〇兆円です。しかし、三割の水増しは常識です。したがって、マイナス成長に陥っていることを勘案すると、今の中国のＧＤＰは約一千兆円で、日本のＧＤＰの二倍弱ぐらいの規模だと私は計算しています。

このように、北京政府は、いつでも本当の事を公表せず、嘘のデータを発表している。彼らの出す、ほとんどの数字はインチキだという事が分かっている。今回の「武漢ウイルス」の感染者・死者数の発表も同じです。

こうした中、今年二月の中国での新車販売台数が前年同期比で約八割ダウンですよ。中国で良く売れていたトヨタですら七割減です。それはまったく信じられないほどの落ち込み方です。中国政府にとっては、こういう数字は絶対にあってはならない話です。それでも公表せずにはいられなかった。中国政府のバラ色の経済統計などのこれまでの発表数字が当てにならないことや、いかに自国の経済状況が深刻かということは、中国国民もみんな分かっているのです。中国国家統計局は、四月十七日に、二〇二〇年一月～三月期のＧＤＰは実質で前年同期比六・八％減だと発表しましたが、本当は二ケタ以上のマイナスでしょう。

私は旧ソ連時代に起きた「チェルノブイリ原発事故」（一九八六年）と同じことが、今回の「コロナショック」によって中国で起きるかもしれないと考えています。どういう事か。当時、ソ連はウクライナでのこの事故を隠蔽しようとしました。が、爆発によって生じた大量の放射能は欧州にまで運ばれ、その観測データが異常な値を示したことから隠すことができなくなった。やがて、この事故が明らかになるにつれて欧州は無論のこと、ソ連の人々は、クレムリンに対して不信感を深めていったのです。それが、五年後のソ連体制崩壊（一九九一年）の導火線となりました。

コロナショック、「武漢ウイルス」問題が習近平強権体制にとってチェルノブイリ原発事故と同じような役割を果たすことになる可能性は極めて大きい。

石平　同感です。

「チャイナファースト」のために動くテドロスWHO事務局長

宮崎　それで、WHOですが、その事務局長のテドロス・アダノム氏はエチオピア政府の保険大臣と外務大臣を務めたあと、二〇一七年から現職に就任しました。出身国のエチオピアは中国の「一帯一路」プロジェクトに絡んで多額の支援を受けています。アディスアベバからジブチまでの約七〇〇キロメートルに鉄道を中国が全面支援して建設して完成させました。今ではジブチに中国軍兵士一万人が駐屯して、大きな軍事基地になっています。その基地の隣には中国人のショッピングモールや中国ハイテク村も建設しました。面白いのは、この中国企業が建設した鉄道駅の表示が、すべて中国語なのです（笑）。エチオピアはアムハラ語なのに、その表記・表示は小さい。いかにエチオピアのために建設したのではないことが分かります。中国のやっていることは、まさしく「チャイナファースト」そのものです。

石平　「アメリカファースト」のトランプもびっくりですね（笑）。

宮崎　それから余談ですが、これまでエチオピアでは「武漢ウイルス」の感染者がなかったのですが、一カ月ほど前に初めて感染者が国内に出たというのです。ところが、それが、エチオピアに居た日本人によるものだったと言われています。非常に作為的です。

また、巷間言われているところでは、テドロス氏は中国からたっぷりおカネをいただいているらしい。だから、中国に都合のいい事ばかり発言しています。一月二十八日、北京でテドロス氏は習近平と会談して、「中国が『病原体を特定し、直ちにその遺伝子配列情報を共有した』ことが、他国の速やかな診断に役立った。『彼らは発生源をたたいたことで感謝されるべきだ。実際のところ世界のほかの地域を守っているのだ』」（一月二十八日付、新華社）とノーテンキなことをしゃべっている。

そして「武漢ウイルス」が深刻な事態になったと、しぶしぶ認めて、一月三十日にWHOが緊急事態宣言を発出します。しかし、その記者会見で、中国の対応を「過去に例がないほど素晴らしい」と中国を褒めちぎりました。そしてさらにパンデミック（世界的な大流行）宣言をしたのが三月十一日でした。中国寄りの事務局長だから、WHOの対応が遅く、そのために世界各国の対策が後手に回ってしまった原因となったのです。

石平 一番、理解が不可能なのは中国政府が人口千百万人の武漢市を封鎖したのは一月二十三日、この時点でもWHOは緊急事態を宣言しませんでした。それは常識から考えておかしいでしょう。宮崎さんが今、話されたように一月三十日になってやっと宣言をした。

宮崎 その前にテドロス事務局長は、「武漢ウイルス」は中国以外世界各国に拡散しているものの、各国が海外旅行を制限する必要まではないとひっくりかえるようなことを言っていた。

石平 その言い方は、いまとなっては犯罪的な言い方ですよ。それを信じてみんな中国（人）に対して入国制限しない国があったわけですから。日本もそう。入国制限を牽制するその発言は中国共産党に加担するだけではなくて、世界の人たちに対する犯罪行為だと思います。そこのところは、厳しく追及しなければいけない。

宮崎 彼に対する罷免要求の署名運動が起きたのも当然。もっと早い段階で、中国人の観光客の入国制限をしていれば、イタリアとかスペインとかで、数万人単位での感染者、死者が発生することはなかったはずです。

トランプ大統領がWHOへの拠出金を、そういうWHOの対応を検証するまでの間、見合わせるとしたことは当然じゃないですか。

「コロナ撲滅」のための合言葉は「集近閉(習近平)はダメよ!」

石平 それにしても、何で、ヨーロッパやアメリカでは感染があんなに多いのでしょうか。日本の対応も結構、遅れたでしょう。中国人のシャットアウトも日本の対応があれ程、遅れたのに、日本よりは早く中国人を拒絶したヨーロッパやアメリカが日本より酷い状況なのはどうしてでしょうか。

宮崎 「新型コロナウイルスによる感染症に対してBCGワクチンが有効ではないか」

という仮説が浮上していますね。日本人は半ば強制的にBCGをやらされる。アメリカやイタリアやスペインはそうじゃないからあんなに死者（万単位）が出たんじゃないかと。同じ欧州でもポルトガルはBCGの予防接種を実施していて死者は数百人程度。
　そのほかの理由としてよく言われているのが、イタリア人はよくハグをして、キスをするお国柄。マスクをつける習慣もなかった。兎に角、イタリア人は親戚など多数集まって、おしゃべりをするのが大好きです。それで飛沫感染が拡大したと考えられます。それと、イタリアのトイレはすごく汚い。中国並みと言われています。それからもうひとつ、イタリア人は頻繁には風呂に入りません。日本人はほぼ毎日、風呂に入りますよね。余談ですが、中国の毛沢東は生まれて死ぬまで入浴しなかったという説がありますが、普通のイタリア人もシャワーを浴びるのは週に一回です。

石平　今でもですか。

宮崎　今でもです。それから、日本人はほとんど体臭がないけれども、多くのヨーロッパ人は、男も女もきつ～い体臭を持っているじゃないですか。このため、香水をつけるでしょう。それが、今回の「武漢ウイルス」感染拡大にどれぐらい影響したか、ハッキリとは分かりませんが、日本人との衛生観念は相当、違ったものがあると思う。衛生観念の欠如がヨーロッパのアキレス腱であり、その弱みにいきなり突っ込まれた格好ですね。アメリカもマスクをする習慣がなかった。そのことも拡大した一因でしょう。

石平 そういう話なら、江戸時代でも日本人の衛生感覚はヨーロッパとまったく違って進んでいた。

宮崎 日本は温泉に恵まれているし、川の水がきれいだし、その川でも入浴ができるじゃないですか。

石平 私も日本に来てから、毎日、風呂に入っていますが、しかし、武漢ウイルス騒動が起きる前には、そんなに丁寧に手は洗ってこなかった。習近平が放ったウイルスのお蔭で、毎日五〜六回必ず手を洗うようになりました(笑)。うがいも。

密接、密集、密閉の「三密」を避けるようにと言われていますが、それより「シュウキンペイはダメよ！」というのが流行っている。

いまや「習近平」の「習」は「集」で、人の集まるところは×。「近」は人と人とが「近すぎる」と×。「平」は「閉」で、閉鎖的なところは×と言い回すことによって、コロナウイルスを遠ざけるおまじないみたいになっている。「シュウ・キン・ペイはダメよ」と(笑)。

宮崎 「習近平」はデビューしたときは、「集金兵」(カネ集めの兵隊)とからかわれましたが、いまでは「臭菌弊」「臭菌屁」「囚緊塀」とか、いろいろなマイナスイメージを増幅する漢字を当てて書くといいかもね(笑)。

いずれにしても、WHOに犯罪的な責任があるのは事実です。国連の主要な関係機関は、最近中国色が濃くなってきました。UNESCO(ユネスコ、国連教育科学文化機関)もそうです。世界遺産の決め方が、中国寄りで、みんな「おかしい」と言っています。

国連には現在、十五の専門機関がありますが、そのトップに中国人が目立ってきました。たとえば、国連食糧農業機関(FAO)は二〇一九年八月、国際民間航空機関(ICAO)は二〇一五年八月、国際電気通信連合(ITU)は二〇一五年一月、国連工業開発機関(UNIDO)は二〇一三年六月から、それぞれ中国人がトップに就任しています。

そして最近、注目されたのが今年四月、世界知的所有権機関(WIPO)の事務局長選挙でした。中国人女性とシンガポール特許庁長官の争いになったのですが、最終的にシンガポールが勝利して、世界中が安堵したことがありました。中国人がトップになると中立性が疑われる事例が相次ぎます。知財の泥棒が知財の保護者になる? カフカの不条理の世界というしかない(笑)。

世界ICAOは台湾の総会参加を認めていません。また、ITUは中国が推進している「一帯一路」の連携強化を公言してはばからないのです。そして、WHOも「武漢ウイルス」の抑え込みに成功している台湾の参加を認めないのです。これは、中国に配慮した結果だと思います。中国に言われたとおりのことを、各機関のトップがやっているからです。これらの機関の事務局長は「中国の代理人」みたいなものです。

石平　それで思い出しましたが、習近平が北京で二〇一五年九月三日の抗日戦争勝利記念日に、大規模な軍事パレードをやりました。この軍事パレードにユネスコのトップが出席をしていたのです。ユネスコというのは教育、文化を世界中で普及させる事が目的であるはず。それを担当する国連のトップが、中国の軍事パレードに参列するなんてとても信じられない光景でした。

宮崎　当時、韓国の朴槿恵大統領や、共産党員だったブルガリアの女性大統領も出席していたね。

石平　今回、「武漢ウイルス」が世界中に蔓延して大きな惨禍をもたらしたのにWHO事務局テドロス氏が取った態度、発言は改めて問題となるでしょう。今回の「武漢ウイルス」がいつ収まるか分かりませんが、収まった時点で、糾弾されるのではないかと思います。

そういう意味で、中国頼りの姿勢だった国連の諸機関は反省してもらいたいし、中国共産党の世界支配の野望を防ぐためにも、今後、こういった機関のトップにはまともな国のまともな人材を当てるようにしなくてはいけない。

生物化学兵器というウワサは真実に近い？

宮崎　それと話は変わりますが、最近、この「武漢ウイルス」は生物兵器ではないかというウワサがくすぶっていますね。最初に生物兵器ではないかと言い出したのは、ペンタゴン（アメリカ国防総省）ですが、断定を避けた。

しかし、エイズウイルスを発見したリュック・モンタニ氏（ノーベル生理学医学賞受賞者）が「新型コロナウイルスは中国武漢にあるウイルス研究所から事故的に漏洩したもので人工操作されたウイルスだ」と発言。生物兵器でなくとも中国の人為的ミスの可能性が高くなった。

病原菌発生と言われている海鮮市場から一五キロメートルほど離れているところに中

国のラボ（研究所）があります。これは事実です。もう一つのラボは三キロしか離れていません。

しかし、その研究所と海鮮市場との関連については、何も証拠づけるものはないと、アメリカの専門家たちは言っています。ただ、海鮮市場の近くにラボがあったところから、いろんな推測を呼んでいます。というのも、「（武漢ウイルスの）繁殖スピードが速い」のが謎だと。だから、このウイルスは人工的なものではないかと、疑っている関係者が多かった。

石平　海鮮市場で売られていたコウモリが「武漢ウイルス」の発生源ではないと中国政府は主張しています。それでは発生源はどこにあるのか。ひとつは、さきほど宮崎さんが指摘されたラボです。これは「武漢病毒研究所」と言われており、地元では有名な研究所です。中国科学院所属で中国人民解放軍が関係しています。中国語の「病毒」というのは「ウイルス」を意味します。

それで、中国のネット上で、病毒研究所からウイルスが漏れたといううわさが広がったのです。中国のネット上でよく「人肉捜査」みたいな事をやるでしょう。そこで、第一号のウイルス感染者は誰なのか。ネット上で捜査した結果、武漢病毒研究所で働いていた黄燕玲さんという女性研究員が第一号の感染者ではないか、という話が浮かび上がったのです。「武漢ウイルス」は、この女性の何らかの手違いにより武漢病毒研究所から漏れたという説が出てきたのです。

北京に本社がある「新京報新聞」がその噂を聞いて、この事実を確かめるため武漢病毒研究所に取材をした。その狙いは武漢病毒研究所が発生源であるという「黒い噂」を晴らすためのものでした。ですから記者は事実を確かめるよりも、ネット上の噂を消すことを目的にしていたのです。

当然、取材で、記者は、黄さんという研究員の話を持ち出しました。そこで、武漢病毒研究所の責任者がどう答えたのか。

「こんな人（黄さん）が武漢病毒研究所にいたかどうかは存じ上げていません」と言ったのです。しかし、ネット上から、その答えはおかしいという意見が圧倒的に研究所に寄せられたのです。何千人、何万人も研究員がいる研究所ではなく、せいぜい、百数十人の研究所で、「その人がいるかいないか、知らない」というのは、不可解だというのです。さらに調査していくと実際、この研究所のホームページにこの人の名前がありました。各研究員を紹介するページに掲載されていたのです。しかし、奇妙な事に名前があっても、経歴などが消されていました。

それで、武漢病毒研究所はもう一回、声明を出して「この研究者は確かにいました。しかし、今はもういません。別の地方に配属されました」というのです。そして、「黄さんは今でも元気です。新型コロナウイルスに罹っていません」と発表してウワサを取り消すのに躍起となったのです。でも、この研究所の意向に反してウワサはさらに広がっていきました。ネットユーザーたちがこの声明に突っ込みます。それでは「この人が健在で、地方に行ったならば、この人自身が取材に応じて、ウワサを打ち消せばすべて、終わりじゃないか」と。ところが、この人は姿をまったく見せず、談話すら出てきていません。

宮崎 それは、消されたかもね。口封じも中国共産党の得意芸じゃない。場合によっては、コロナ感染で亡くなったかもしれない。

石平 しかも、このウワサが広がっている最中に、中国科学院は関係部署に妙な伝達をメディアを通じて出したのです。その伝達の内容は「全国の病毒関係の研究所、実験室は病毒管理を強化しなければならない」というのです。強化せよ云々という事は、これまで、何らかの不備があったから出したのだと解釈できますよね。つまり管理上、不備があって漏れるような事案があったためにそうしたと判断するのが妥当ではないかと思います。なんらかの不備があったことを政府は認めたからこそ、この妙な伝達を出したのではないか。

「武漢ウイルス」が生物兵器かどうか。私は専門家ではないので分かりませんが、いろいろな状況証拠から判断して、武漢病毒研究所がウイルスを何らかの目的のために取り扱っていたのは事実でしょう。そして、原因は定かではありませんが、その研究所から漏れたと考えた方が妥当です。研究所の研究員が「武漢ウイルス」に感染して、濃厚密接によって、その人にも移してしまった。一番の可能性はこの研究員が病院に行って、ほかの医者に移した可能性が高いと思います。そして医者からほかの患者に移していく……。ご存じのようにネット上で、肺炎が発生していることを発信して、警察に呼ばれた人間は八人いました。この八人はみんな医者でした。おそらく最初の感染は「院内感染」だったと思います。

宮崎 どこの病院ですか。

石平 武漢市中心医院（中央病院）だと思います。医者から普通の患者に感染して武漢市内で広がっていったのです。

宮崎 だから、医者が初期の段階で死んだわけですね。早期にインターネット上で警鐘を鳴らしていた武漢市の医者、李文亮氏がそうでしたからね。どうして医者が早い時期に死んだか分からなかったけど、そういう事でしたか。

ウイルス発生は、海鮮市場で売られていたネズミやコウモリが源だと言われていましたが、これは完全にでっち上げでしょうね。そして、武漢市当局はわざわざ、この市場を閉めてしまったけど、あれは映像効果を上げるための作戦という事になりますね。いずれにしても、ネズミやコウモリ説は非常にあやしくなった。そうすると、二〇〇三年に起こったＳＡＲＳ（急性呼吸器症候群）はハクビシンが原因と言われていたけど、それも結構、あやしいね。

石平　そうですね。正直に言うと、中国人は、そんなにコウモリを食べない。

宮崎　一部に食べる人もいるという事ですかね。

石平　犬とか、蛇は食べるけど、私はいままでコウモリを食べるという話を聞いたことはないです。

宮崎　たとえば、ベトナムに行ったら必ずネズミを食べるじゃない。結婚式にネズミが出なかったら、ベトナムではみんな怒ります。本当です。民族の習慣ですね。だからコウモリを食べる少数民族がいるんじゃないかな。ただ、非常にコウモリ説はあやしくなった。

「武漢ウイルス」の経過はSARSと似ている

宮崎　動物感染ではないかも知れないという事で、少しSARS（WHOによると、中国本土の死者は三四九人だった）について触れておきたいと思います。今回の「武漢ウイルス」と非常に経過が似ています。

そもそも、SARS感染は一人の医師から始まりました。この医師は中国広東省の省都、広州に住んでいたのですが、二〇〇三年二月に親戚の結婚式に出席するために香港に入り、九龍地区にあった「メトロポールホテル」に宿泊したのです。この宿泊中に容態が悪化して、「プリンス・オブ・ウェールズ病院」に入院しました。この医師は「これは普通の風邪ではない。私を隔離して欲しい」（サウスチャイナ・モーニングポスト。二〇〇三年三月二十七日付）という言葉を残して三月四日に死去した。これは、今回の武漢ウイルスで警鐘を鳴らした武漢市の医師、李文亮氏と同様の事例です。

この医師が入院した病院で、同じ病室にいた患者や、看護婦、医師たち五〇人と、ホテルの従業員、宿泊客六人にもＳＡＲＳが感染して、香港全体に感染が広がったと見られています。香港政府の対応が遅れ、市内がパニック状態になりました。というのも、広東省政府がＳＡＲＳ流行を公表したのは二月十一日でしたが、その約三カ月前にはＳＡＲＳ発症が行政機関に報告されていたからです。そして、この公表とともに、広東省政府は間もなく沈静化したと説明したのですが、ＳＡＲＳ汚染は拡大してしまった。中国政府も当時の張文康衛生相が、「ＳＡＲＳは、大したことはない。中国は安全だと宣言する」と大見栄を切ったのですが、この背景には、このＳＡＲＳ感染の拡大という恐怖が蔓延すると、企業の生産活動に支障をきたし中国経済に大きな打撃を怖れた事があります。この点も今の「武漢ウイルス」の状況と似ています。

ＳＡＲＳ感染で世界中が脅威に怯えている中、その年の五月七日にアメリカ議会下院が、注目すべき公聴会を開きました。この公聴会で、民主党のディゲット下院議員が「ＳＡＲＳが生物化学兵器に利用される可能性はないのか」と懸念を表明したのです。その懸念はアメリカ政府を動揺させせました。

そして、ＡＢＣニュースは、ロシア生物化学者で伝染病センター所長のニコライ・フィラトフ氏が「感染スピードや感染過程の進化から判断して、ＳＡＲＳウイルスは人の手によって製造されたものだ」（ＡＢＣニュース、二〇〇三年四月十一日）と伝え、さらにロシア薬学アカデミーのセルゲイ・コレスニコフ教授は「このウイルスはおたふく風邪と、はしかのウイルスを合成した病原体であり、自然界にあるモノではない」と指摘。そして「このウイルスは研究室から、何らかの拍子で外部に漏洩した」（Ｇａｚｅｔａ　Ｄａｉｌｙ）ことを明らかにしたのです。

そして、極めつけは、アメリカの国立疾病予防センターのジェリー・ガーバーディング所長（当時）が四月十七日の記者会見で「ＳＡＲＳウイルスは、我々が持っているなどの動物ウイルスにも似ていない」と発言。さらに、アメリカのワシントンにあるシンクタンク、ジェームズタウン財団が「中国は生物化学兵器条約に加盟する以前から、生物化学兵器の研究、開発を進めてきた」と公表したのでした。

そして、その当時、初期段階において感染者を人民解放軍病院になぜ収容したのか、疑問が出て来ました。人民解放軍の病院は誰でも、簡単に診療してくれるような病院ではないのです。軍関係者や共産党幹部、その縁故者といった人が中心で、一般庶民を入院させるのはごく稀です。それは、隠すべき事実があったから、一般の病院に入院させなかったのではないか。

隠すべきこととは何か。それは、推測ですが、このＳＡＲＳは人民解放軍が生物化学兵器として開発してきたものだったのではないかということです。それを世界に知られたくなかった。

そんなバカなと、お思いの読者が多いと思います。

しかし、良く考えてみてください。今回の「武漢ウイルス」も、習近平は当初、なぜ隠蔽しようとしたのでしょうか。それは、中国が密かに開発してきた、生物化学兵器だからこそ知られたくなかったのではないでしょうか。それは、考え過ぎかも知れません。

でも、頭の体操として、そのように考えて見る価値はあると思います。

また、これはあまり知られていませんが、過去に生物化学兵器のウイルスが外部に漏れて、事故が起きたケースがあります。一九七九年、ロシアのスペルドロフスクで、バイオ兵器による人身事故が発生したと、開発を担当した科学者ケン・アリベックが内部告発をしています。その一端は『バイオハザード』（二見書房。のちに、『生物兵器なぜ造ってしまったのか？』と改題して二見文庫)で詳述されているとおりです。ソ連では炭疽菌・ペスト菌・天然痘ウイルス・エボラ出血熱ウイルスなどの恐るべき生物兵器を作っていたのです。この件については、当時のエリツィン大統領も認めています。だから、生物化学兵器という恐ろしい兵器は存在するのです。

また、今回の「武漢ウイルス」はアメリカ軍がばら撒いたなどとのディスインフォメーションを北京政府が行なっていますが、SARSも当時の中国メディアが「アメリカ陰謀説」を伝えていました。SARSウイルスは中国経済の中心地を攻撃して経済拡大を食い止めることが目的だったという訳です。でも、それはまったくの言いがかりです。

いずれにしても、SARS問題は、今回の「武漢ウイルス」と似たような発生・拡大の展開をしているのです。当時のWHOは、「SARSウイルスは自然界で発生したもの」という見方を提示しましたが、これは相当にあやしいと言わざるを得ません。だから、「二回ある事は三回ある」と言われますが、同じような中国発ウイルス騒動が今後も発生する可能性が高いと思います。だからこそ、中国に偏っていたサプライチェーン（供給網）を日本企業は早急に見直す必要があるのです。

石平　「武漢ウイルス」が生物兵器かどうかは、正確な事は専門家の今後の研究をまたなければなりませんが、前述のモニタニ氏が言うように、自然発生したウイルスではないかも知れない。中国科学院武漢ウイルス研究所の袁志明氏はそんなことは絶対ないと否定しましたが、これも怪しいね。

ようするに、武漢病毒研究所が何かの目的のために作り出した合成ウイルスという公算が強いと思います。あるいは、病毒研究所がコウモリとか生物から採取したうえで、人工的に加工を施したウイルスという可能性も否定できません。

しかも、「武漢ウイルス」問題について北京政府が、とんでもないことを言ったのです。先ほど宮崎さんが少し触れたように、SARSと同様に「武漢ウイルス」に関して、アメリカの陰謀によるものだという発言をしているのです。外務省の趙立堅副報道局長が三月十二日、ツイッターで「アメリカ軍が新型ウイルスを武漢市に持ち込んだのかもしれない」と発言しました。さらに、耿爽報道局長も三月十六日の記者会見で、トランプ大統領が「もっと早く(中国から)連絡があれば良かった」、「ウイルスは一〇〇%、中国から来た」という発言に対して、「中国と新型ウイルスとを結びつけて、中国に汚名を着させることに、われわれは強く憤慨し、断固反対する」、そして「アメリカは中国への不当な非難をやめるべきだと」と居丈高に語っています。

宮崎　その発言で、アメリカはさらに怒った。それは、中国がしょっちゅうやる手口です。これまでの流れを見ていると、石さんが指摘するように、泥棒が逃げるときに、「泥棒」と叫びながら逃げるようなものですね。泥棒を追いかけている振りをして泥棒は逃げるじゃない。それと、まったく同じパターンだ。

石平　中国は昔からそういうパターンを繰り返してきた。「賊喊捉賊（ぞくかんそくぞく）」という諺があって、賊が泥棒という意味。喊というのは、叫ぶ、捉というのは捉える。泥棒が逃げるとき「あいつが泥棒だ」と叫ぶ。仲間が逃げた時は、逃げた反対の方向を指して、「向こうに逃げた」という。こんな中国が今回の「武漢ウイルス」で世界に対して、真相を述べたり謝るなんてことはまずありません。

それと北京政府が行っている事で許せないのは、中国国内で「武漢ウイルス」は峠を越して、収まりはじめたという幻想を作り出し、すべての中国国民を騙していることです。それと同時に、世界中の人々に「中国は収まった」と宣伝しています。習近平は三月十日に武漢市を視察して「ウイルスの蔓延の勢いは基本的に抑え込んだ。状況は徐々にいい方向に向かっている」と事態の収束に自信を見せました。これは、前述したとおり、明らかに「終息宣言」に向けた布石、イメージ操作です。

そして、それにお墨付きを与えるかのように、その翌日の三月十一日にＷＨＯが、新型コロナウイルス（ＣＯＶＩＤ-19）は「パンデミック」だと宣言した。そのココロは……中国はなんとか収まりつつあるけど、諸外国はこれから大変だというわけです。

宮崎　習近平の思うとおりに、ＷＨＯは動いている。傀儡もいいところ。

習近平は国賓扱いあらため国賊扱いにしてはいかが？

石平　それを後押しするかのように、中国政府の専門家チームの責任者、鍾南山氏は「四月末に感染を基本的に抑えられるようになる」と予測して公言したのでした。しかし、世界各国は依然として塗炭の苦しみにあります。

それに対して言葉は乱暴ですが、「ヨーロッパやアメリカが大変だ。ざまーみろ」というのが中国政府の気持ちであり、態度です。それを敏感に察知して、中国国内の飲食店が日本と米国での新型コロナウイルス感染拡大を喜ぶ横断幕を掲げたりしたでしょう。遼寧省瀋陽市の粥店が入り口前にアーチ形のバルーンを立て、そこに「米国のウイルス感染を熱烈に祝賀し、小日本でウイルス感染が長いこと続くよう願う」というメッセージが書かれた横断幕を掲げていた。さすがに中国国内でも批判されていたようですが、それが少なからぬ中国人のホンネですよ。

中国の新聞論調は党の指示に「左にならえ」で「中国が世界を救う立場」になったと言

うばかり。冗談じゃありません。アメリカやヨーロッパなど世界中にウイルスという毒をばら撒いて、あれだけの迷惑を掛けたのに、お詫びの一つもしない。このままだと、最後には「中国が、そして習近平が世界の人民を救う」とマジに言い出すでしょう。

宮崎 中国はイタリアに救援部隊を送り、そして日本にはマスクを百万枚送った。

あと、誰の指令か分かりませんが、東京でも中国人女性が「武漢からの御礼」と言って日本でマスクを配っていましたね。その時に、日本人がそのご婦人を取り囲んで、「どうしてこんなに大量にマスクがあるのか」「どこから手に入れた」と詰め寄っていました。たしかにおかしな話じゃないですか。日本でまだ武漢ウイルスの脅威がよくわかっていなかった時、愚かにも兵庫県や東京都が貴重なマスクや防護服を中国に送ったことがありましたよね。あとで、市民から大顰蹙をかっていました。それなのに「マスクを貰った中国に感謝しないといけない」と、自民党の二階俊博幹事長が言った。この人、何を言っているのだろうと思いました。「泥棒」「強盗」に感謝したも同然ですから。

石平 二階さんの発言は気持ち悪い。二階さんが個人的に感謝するのは勝手ですが、我々は中国に感謝することなど、ひとつもない。中国のお蔭で、こんなに苦しんでいるのだから。

宮崎　ただ、元寇で言えば神風が吹いたようなもので、習近平の国賓としての来日がなくなったのは本当に良かったと思います。この巻き添えで、高校野球の甲子園はなくなり、ディズニーランドは長期間閉鎖、東京オリンピック開催は一年延長、主要都市から全国への緊急事態宣言発令となりましたが……。

石平　正直、武漢ウイルスに対する日本政府の対応は生温かったし遅かった。その背後に親中派の二階俊博自民党幹事長がいたかどうかは分かりませんが、安倍政権の対応はどう考えても中国に対する配慮が目立ち過ぎた。

宮崎　それと、日本政府には中国肺炎の被害の実態に関する中国国内の情報がまったく入っていなかったようですね。

石平　それもあります。

宮崎　アメリカは当初から正確な情報が入っていました。いち早く中国人の入国を禁止したのです。それでもあれだけの被害が出てしまったけど、もしそういう措置をやっていなかったら、もっと犠牲者が出ていたことでしょう。あれでも、まだ不幸中の幸いだったんですよ。

石平　アメリカが中国人のシャットアウトを決めたのは一月三十一日、しかし日本政府が決めたのは、武漢市と湖北省に限定した入国制限でした。中国全土に対して入国制限はしなかった。やっと、三月五日になって安倍政権は中国全土からの入国制限をしたわけです。というよりも、中国全土から入国者を二週間、自主的に隔離を求め、あるいは、日本の入国ビザを取り消した。どう考えても対策は生温い。習近平の国賓としての訪日中止を決めたのも、三月五日前後でした。このタイミングからすると、安倍政権はずっと、習近平来日に配慮して中国全土に対する入国制限を遅らせたのではないかと思う。これしか考えられない。

宮崎 配慮があったとすれば、問題だね。基本的に危機意識や危機管理能力が非常に低いという事になる。そして、やはり日本政府は安全保障に関しても情報収集に最大の欠陥があると言わざるを得ません。冒頭、申し上げたように緊急連絡閣僚会議に防衛省の幹部が呼ばれなかったというのはおかしい。世界の常識に対して日本の会議の在り方は完全に非常識です。今は防衛省を呼んでいますが……。アメリカだって、どこの国だって当初から軍隊が動いているのだからね。

石平 本来ならば習近平は武漢ウイルス問題があってもなくても国賓として日本に招くべきではない人物です。とりあえずは延期となっていますが、今秋の来日や来春の来日も御破算にすべきです。

宮崎　謝罪のために来るならいいけど、勿論国賓扱いする必要はない。国賊扱いされないだけでも有り難いと思えばいいね（笑）。

さて、武漢ウイルス（中国肺炎）をめぐるゴタゴタについてはここまでにして、次章では世界経済に与える今後の動向について詳しく分析していきましょう。

第2章

中国経済は大破綻へ向かう

外貨ドルが手に入らなくなる中国

宮崎　前章でも少し触れたけど、石さんが説明したように、中国はどうしても、二〇二〇年三月十一日まで方向転換してウイルスは収束に向かい、退治したと言わなければならなかった。そして経済は正常に戻った事にしなければならない事情は分かったのだけれども、もうひとつの動機は、何かというと、外国企業の中国への呼び戻しがあると思います。とくに日本企業。中国に一日も早く戻ってきてほしい。

石平　まったくその通りです。

宮崎　中国に対する外国企業の投資が、今後の中国経済を立て直すにはどうしても必要だからです。二〇一九年、中国に対する直接投資は一三〇〇億ドルと高水準をキープしていたのですが、二〇二〇年二月になると極端に減少してしまった。前年同月比で二六％ぐらい下がったのです。

逆に中国に投資しているのはどこの会社なのか。テスラとスターバックスぐらいです。テスラはアメリカの電気自動車メーカーですが、上海に工場を展開しており、バッテリーパックや電気モーター、モーター制御装置の増産に向けて生産ラインを増やす計画です。

また、世界で九〇カ国にコーヒーチェーンを展開しているスターバックスは二〇一九年十二月に上海で巨大店舗を開店して注目を集めましたが、今後とも中国全土に店舗網を拡大していく方針で、十五時間で一店舗のスピードで出店する計画だといわれています。それぐらい中国にのめり込んでいる。サービス業は、やはり14億の人口が魅力的なのでしょう。

しかし、大多数の外国企業は、近年中国進出に腰が引けています。さらに「武漢ウイルス」の発生により、「中国は怖い」という意識が、日本の企業にさえ芽生えてきた。パソコンメーカーのアップルや、ヒューレット・パッカード、デルが中国生産の撤退を表明しているほか、自動車メーカーのスズキが中国で展開している傘下の自動車部品会社十社を中国以外の国に移管できないかと検討を始めました。このほか、ゲーム機器の任天堂や、大手飲食チェーンのワタミも全面的に中国からの撤退を決めました。この中国離れ、チャイナフリーの動きは中国共産党にとっては「脅威」以外のなにものでもない。

これまで、直接投資があったからこそ、中国に外貨が入ってきたわけです。それで中国経済は何とか持っていた。それが崩れつつあるのです。

それと、もうひとつ見逃してならないのは、対米貿易の黒字の低減です。二〇一九年通年の貿易統計によると中国の対米貿易黒字は二九五八億ドル（約三二兆五六〇〇億円）と前年比で八・五％減少しました。これが、二〇二〇年にはアメリカとの貿易戦争や今回の「武漢ウイルス」に伴う生産活動の停滞などでもっと劇的に減少するでしょう。このため、いよいよ中国経済はカネもモノも回らなくなりそうです。どうしようもありません。

石平　今、中国は食料、エネルギーも輸入大国です。中国経済はもちろんのこと、国民生活そのものも輸入品がなければ、成り立ちません。当然、輸入は他国の製品を購入するわけですから、決済しますが、それには大量の外貨ドルが必要です。その外貨は輸出と、もうひとつは外国企業による中国への投資で獲得してきました。

しかし、宮崎さんが話したように海外企業の中国投資は減り、撤退する動きが顕著になってきました。加えて輸出はアメリカとの貿易戦争以来、大きく減りつつあって、新型肺炎拡大以来の今年一月〜二月は激減しました。去年と同じ時期に比べて一七・二％と約二割も落ち込んだのです。ですから、中国政府は相当焦っていますよ。

サプライチェーンの見直しが進む

石平　さらにもうひとつ、あちこちで「武漢ウイルス」が拡散すると、中国にある工場が生産中止になります。外国企業の中国工場では生産ができず、また外国企業に部品を提供してきた生産も停止した状況が続くと、何が起きるか。外国企業が一斉に中国から生産拠点を移し、サプライチェーンを見直すことになる。それは、中国にとって死活的な大問題。外国企業が撤退すれば、国内の大量失業につながる。

宮崎　サプライチェーンは米中貿易戦争が始まって以来、徐々に海外企業は他国に移していましたが、もう少し時間が必要だと思います。今はサプライチェーン移行の途上にあって、アメリカ政府関係者は、完全に中国から外国企業が撤退して他国に移すには三年間ほど掛かると予想しています。

　アップルは、これまで中国で生産してきましたが、現在、工場従業員一万二千人が自宅待機となっています。「武漢ウイルス」が収束すれば、再び従業員は戻り生産が稼働すると予想している人は少ないでしょう。なぜなら、収束は簡単ではない。ハーバード大学の予測では収束は二〇二二年になるといいます。いかに再稼働させることが大変か。アップルの組立てと部分の主力企業＝ホンハイ（鴻海精密工業）では広州で立ち上げた工場が稼働をせず、結局アメリカのウィスコンシン州に移すことになりました。

そして台湾の半導体大手のＴＳＭＣ（台湾積体電子回路製造）も中国の工場を閉鎖することにして、アメリカに工場を移すのです。ＴＳＭＣはアメリカ半導体大手のザイリンクスから最新鋭ステレス戦闘機「Ｆ35」などに使用されるアメリカ軍向け半導体を受託生産していることもあって、最先端技術の流出を怖れたアメリカ政府はアメリカ国内での生産をもともと求めていたのです。武漢ウイルス騒動は「渡りに舟」となったのです。

石平　二〇一八年夏からアメリカは中国と貿易戦争を始めましたが、その勝敗はどうなりますか。

宮崎　勝敗が明確に分かるまで時間はまだ掛かるけれど、この戦いの行く末を中国は、恐れているだろうね。しかも、「武漢ウイルス」騒動の真っただ中の段階で、中国政府は半導体などの生産が再稼働したと言っているけど、それは事実とは違う。なぜなら、日本人のエンジニアが中国に戻っていませんから。日本のエンジニアたちが中国の現場に戻らないとハイテク用の半導体の生産は出来ません。そういうところを中国政府は、隠しているのです。

八割も落ち込んだ自動車販売

石平　北京政府にとって最大の悪夢は今年一月、二月のマイナスに転じた経済状況が三月、四月以降も続くことです。もし、続いたら中国経済は確実に破綻への道を辿ることになりますね。

そこで一月、二月にどういう事が起きたか。先ほど述べたように対米輸出は一七％も落ちたのですが、冒頭でも触れましたが、二月の中国全土の自動車の販売台数が何と前年同月比八一・七％減の二二万台になった。電気自動車も同じく七五・二％減少と大きく落ち込んだのです。

自動車産業のすそ野は広く産業界全般に与える影響は大きい。たとえばの話ですが、日本のトヨタ自動車が潰れたら名古屋市全体の産業は壊滅することになります。そのような事が中国で今、起ころうとしているのです。ですから、乗用車のこうした販売状況があと、数カ月続いたら中国の自動車産業は明らかに全滅するでしょう。

もし、そうなったら自動車産業に従事していた何百万人という労働者が失業するわけで、中国に正真正銘の「大失業時代」が新たに発生するわけです。さらに、製造業に関して言えば、スマホ出荷台数も五五％減少して六三四万台にとどまりました。中国南部の広東省広州市にあるファーウェイ販売店は「（春節前と比べ）客数は四割程度。売り上げも落ちている」（二〇二〇年三月十八日付、日本経済新聞）と嘆いていました。二月下旬から営業を再開したものの、客足はさっぱりというのが実情のようです。

宮崎　もう一つ経済活動が死に体になったところが、不動産販売ですね。

石平　不動産市場に関して言えば二月、中国全土の不動産販売面積は前年同月比で八割も落ちました。不動産市場が潰れたら、中国の銀行の経営が成り立たなくなって中国経済は即死状態になってしまいます。中国経済は不動産市場と、自動車産業の両輪が発展拡大を支えてきましたが、その両輪が動かなくなってしまったのです。

ちなみに、こうした事が響いて、二〇二〇年一月〜二月にかけての主な経済統計は軒並みマイナスでした。中国国家統計局は三月十六日の記者会見で、工業生産が市場予想（二％〜四％減少）を大きく下回り、一三・五％の大幅なダウンとなり、さらに小売売上高も二〇・五％減少、固定資産投資二四・五％減少といずれも大きく下回ったと認めています。

　とくに個人消費の落ち込みがすごく、レストランの売上高は前年同期比四三％減、家具は三四％減、家電三〇％減と激減を記録。生産活動を反映する石炭使用量は三月一日～十日が例年の四分の三にとどまった（二〇二〇年三月十七日付、日本経済新聞）のです。

　ですから、間違いなく中国経済は「崖っぷち」にいます。そうなると、習近平政権にとっての至上命題はどんなことがあっても三月、四月以降に中国経済は再び普通通りの状態に戻さなければいけないということです。

　戻すための絶対条件が「武漢ウイルス」拡散は収まった——という事にしなければいけない。

　でなければ、従業員は工場に帰れませんし、消費も停滞した状態から脱出して回復へ向かうのは困難だからです。収束したという条件を満たすために、どうすればいいか。

　前章で述べたように、新規感染者の数字を操作して収まったことにする以外に方法はなかったのです。

中国経済はL字型をたどる

宮崎　だいたい、中国GDPの統計だってこの三十年間、ウソをついてきたわけでしょう。年率二ケタ成長が十何年も持続するなんて、どう考えてもあり得ない（そのくせ国防費の伸び率は実際より低くみせてきた。やることなすことご都合主義）。それは西側の経済学者が鉄道貨物の輸送量や電力の使用量、貿易統計から判断して最近はおそらくマイナス成長か、いいところで一・六〜一・七％の低成長だと指摘しています。こちらのほうが正確でしょう。

それと同じ手法を使って「武漢ウイルス」の新規感染者の数を誤魔化すのは中国政府にとって簡単な話です。中国経済は「武漢ウイルス」が収まればV字型回復をすると言っていますが、おそらくL字型ですよ。ストンと落ちてこのまま底を這うような状態が続く。いや、まっさかさまの泥沼へ落ちたままの「I」字型かも（笑）。

となると、日本経済は中国に少なからず依存している以上、日本もV字型回復やU字型回復はちょっと難しいと思います。ただ、アメリカ経済はV字型回復もあるでしょう。

石平　四月以降初夏にかけて「武漢ウイルス」が収まるかどうかがポイントです。今、ひとつの賭けになっているのが気温です。四月以降になると、当然ながら気温が上昇します。すると「武漢ウイルス」は自然に収まるという見方があるのです。

実際、習近平がトランプ大統領にウイルス拡散後に電話会談をしたことがあって、トランプ大統領からその会談内容が暴露されてしまいました。習近平がトランプ大統領に「四月になって気温が上昇すれば（「武漢ウイルスは」）収まる」と言ったというのです。

このように、習近平が気温上昇で「武漢ウイルス」が収まる事を期待しているのは確かなようです。ただ、このウイルスは、残念ながら中国で最大の権力者である習近平の命令は聞いてくれません。共産党員は習近平の命令を聞きますが、ウイルスはそれを無視する。四月以降初夏に入ってウイルスが収まらなければ、経済はV字回復どころではありません。

にもかかわらず、中国で生産再開を促すために地方から労働者が集まりつつあり、当局の情報隠蔽を信じ込んで、中国ではもう収拾しつつあるんだということで、みんな安心して飲み食いをして、会話をしたりする……。飛沫感染が怖いこのウイルスですから四月以降、初夏にかけて再度の大拡散が現実になる可能性が非常に高いと見ています。

そうなると、北京政府は隠しきれなくなって世界大混乱を招いてしまう。そういう最悪のシナリオが想定されるのです。中国経済はもちろんのこと、国際社会全体も大きなダメージを受けるのではないでしょうか。

宮崎　武漢市当局は「三月二十三日までに地下鉄やバスの運行会社に対し、主要路線の運行再開に備えるように通知し、運行会社側は車両など設備を消毒するとともに人員配置を整えて試験運転を始めた」（二〇二〇年三月二十四日付、日本経済新聞）と伝えています。そして、四月八日に武漢市の封鎖措置を解除しました。この解除をキッカケに「武漢ウイルス」との闘いに終止符を打つ布石にしたいようですが、前述したとおり、まったくうまくいってませんね。

そういった情報隠蔽のツケは、必ず来ます。今のところ、北京政府が完全に隠しきっているのは新疆ウイグル自治区で百万人のイスラム教徒を閉じ込めている事だけです。しかし、この収容所で「武漢ウイルス」の集団感染が起きているという情報もあります。北京政府は一体、どうするのでしょうか。

また、北朝鮮では「武漢ウイルス」によって、軍人や民間人が数千人ぐらいが死んでいるという。まったく、閉鎖された国家だから、正しい情報かどうかの確認が取れません。

それと同じことが、中国国内で起きているのではないかと思うのです。つまり、病院で死にかけている患者をどこか違う収容所に連れて行っているのではないか。そんな気がしてなりません。そもそも人民解放軍に収容されたら、どうなるか分かりませんからね。

石平　新規感染者を隠す方法は簡単です。すべての病院に北京政府は命令を出して、患者が診察に来ても「武漢ウイルス」と診断するなと言えばいいだけです。この命令一つで、「武漢ウイルス」は中国から永遠に消えるのです（苦笑）。

宮崎　その通告の内部文書が手に入ればいいね。

石平　いずれ、表に出て来ると思います。ただし、もう一つのやり方として文書が残らない、口頭伝達という方法もあります。

宮崎　それなら、録音すればいい。かつて財務省の高官が、取材相手（テレビ朝日の美人記者）にセクハラ発言をしたけど、あれも録音があったから窮地に追い込まれた。秘書を居丈高に罵倒した女性代議士も、録音を暴露されたから失脚した。

石平　いずれにしても、もう一度、感染が大爆発して患者が病院に押し寄せる事になる可能性があります。

宮崎　すると、病院ではウイルスに感染しているのに、診てくれないという不満から「院長を出せ」とか暴動が起きて、ひょっとすると、医者が何人も殺されるかも知れません。

石平　だから、習近平政権の運命は結局、「武漢ウイルス」が初夏になって気温の上昇に伴って消滅するかどうかにかかっている。

宮崎　だけどね、暑いインドネシアでも、タイでも「武漢ウイルス」の感染者や死者が出ています。だから、気温が上昇して「武漢ウイルス」が消滅するという可能性はないと思うよ。

石平　その可能性がないならば、中国は大変です。

宮崎　夏になったからといって収束するとは限らないとWHOが発言をしていましたね。でも、WHOは世界的流行にはならないとか言っていたのが逆になった。すると、これも収束するかもしれないのかな（苦笑）。

世界は恐慌前夜。IMFは「百年で最悪」と警告

宮崎　しかし、中国のみならず、とばっちりを受けた自由世界も深刻です。IMF（国際通貨基金）のクリスタリナ・ゲオルギエワ専務理事は武漢コロナ・パンデミックが引

き起こしている経済危機は「過去百年で最悪」なものになると発表しました。

四月末時点で、恐慌寸前の状況なのが中国と欧米諸国。アメリカの失業保険申請はざっと三千万近い。生産現場は殆どが止まり、トヨタもＧＭも日産もホンダもレイオフの嵐で、ボーイングは倒産の危機にある。

世界株式市場では時価総額が大きく目減りしていて、株価を上昇させているのはマスク、医療機器、人工呼吸器、検査機器のメーカーだけ。

「りそな総合研究所」のシミュレーションでは日本全国の消費がおよそ四兆九千億円減少すると予測し、とくに人の移動の減少により、宿泊、交通機関、レストラン、くわえて衣服などが打撃を受け、関東と関西で八五％、九州・沖縄で七五％、それ以外の地域で七〇％減るとしています。

トヨタは一兆円の資金枠を要請、ＡＮＡは三千億円。ほかの大企業も右に同じ。ユニクロのファストリテイリングは営業予測を千億円下方修正、居酒屋チェーンも営業自粛、中国でドル箱だった資生堂も二割減少。どこもかしこも真っ青ですよ。

この前、タクシーに乗ると「七割減です」と客の激減ぶりを嘆いていました。ホテルはいずこも閑古鳥で、ビジネスホテルの一部は閉鎖したし、一部は臨時病院施設転用となっている。同研究所は日本の第二四半期のGDPは一〇・八%のマイナスとなるとしていますが、マイナス二〇%でも不思議ではなく、この不況は長引きますね。昨年上梓した拙著の題名（田村秀男氏と共著）は、『中国発金融恐慌に備えよ』（徳間書店）だった。この本は韓国語訳もでましたが、当たってはいけない予測が的中してしまった。

石平　宮崎さんはもう予言者ですね（笑）。

「中国よ、さようなら」

宮崎　ともあれ、中国はなんでも誤魔化す天才です。感染者数もそうですが、もうひとつあるのが株価です。

三月十三日の金曜日、ニューヨーク株が二三〇〇ドル急落しました。日本は九%、ヨーロッパはイタリア一二%、ドイツ一三%といずれも大幅に下落したのですが、その中でほとんど急落しなかった取引所がありました。中国の上海証券取引所です。上海総合株価指数は一・二%しか落ちなかったのです。その日、各国の株価が急落した理由は「武漢ウイルス」に伴う経済の大幅なダウン予想でした。その原因国である中国の株がその程度の下落率にとどまるなんて、そんなバカな話があるかと誰しもが思うでしょう。

そのカラクリは簡単です。「株を売るな」という命令を中国政府が出す。すると、投資家は売り注文を出さないわけだから、急落するはずがない。そうした命令がなく、自由に投資家が売り注文を出したら、たぶん五〇％ぐらい下がっていたと思います。その後、世界の株価は上がったり下がったりを繰り返しています。日本の株価も急落しています。アベノミクスも再構築する必要があるけど、それには若干時間もかかりますが、中国離れを進めていくことが肝要です。

それから不動産価格だけど、当局は急落しないように頭を悩ましています。新築マンションを売れるようにするために、新たな買い手を見つける必要があります。そこで、農村出身の労働者にも都市部で不動産が買えるようにした都市がありました。それは天津市です。中国では、都市部でマンションを購入するためには、そこに住む都市戸籍が必要です。

これまで、農民戸籍の人は、都市戸籍を取得するのは困難でした。しかし、天津市は、地方から出稼ぎにやってきた農民に都市戸籍を開放して不動産、マンションを取得できるようにしたのです。すると、農民出身の労働者たちがマンションを購入します。不動産会社はどこも資金繰りが苦しく、現金を少しでも回収したいと思っています。売れ残ったマンションを買わせるために、農村の労働者に買わせているのが現状です。しかし、こうしたマンションを購入した後、価格が大きく下がり、騙されたという農民たちによる暴動が起きているようです。

いずれにしても、多額の借金をしてのマンション購入は農民出身の労働者たちにとって大きな負担になるでしょう。こうした状況から見て、いかに中国の不動産業界が厳しいか分かると思います。現に不動産会社はここにきて五～六百社倒産しているのです。リーマンショック以上の状況です。

石平　中国の新聞にもそういう不動産不況の数字は出てきていますね。確かに「武漢ウイルス」の影響を受けて、さらに一月、二月は徹底して不動産は売れなかった。新規分譲だけでなく、中古物件もまったく、売れなかったようです。

また中国で最近に出た情報ですが、不動産開発の大手にＳＯＨＯがあります。中国で知らない人はいない有名な会社です。三月十一日付の「北京商報」という新聞記事によると、ＳＯＨＯは去年から今年二月までに中国国内で所有していた不動産物件をほぼ売りさばいて、資産を海外に逃がしたという記事が掲載されていました。ＳＯＨＯは夫婦で経営している企業で董事長（とうじちょう）が夫の潘石屹さん。妻の張欣が最高経営責任者（CEO）です。二人とも中国で不動産王として有名で、記事によれば、潘さんが国内にあるオフィスビルなど不動産を売ることに専念した一方で、張さんがその売却資金で海外の不動産を購入したようです。

とくに張さんはニューヨークのオフィスビルなどを、買い漁ったとしています。ようするに、三本の指に入る不動産開発業者が中国から逃げ出したのです。昔、香港大財閥の李嘉誠が中国から撤退したのと同じことをしているのです。

宮崎　いや、李嘉誠は香港からも逃げようとしています。

石平　今では潘さんのことを、多くの中国人は大嫌いですよ。中国を裏切ったという訳でしょう。

宮崎　似たような話がもうひとつあります。大連万達集団（ワンダ・グループ）のオーナーである王健林はかつてアジア地域で大富豪ナンバーワンだったのですが、最近の中国系新聞の報道によると、王氏は個人資産の約四〇％以上を失ったというのです。

王氏は、所有していた映画館チェーンや、テーマパークの株を全部、売却し、ワンダーホテルの所有権も売り払った。王氏は現在、自分の資産を整理している最中だというのです。彼の資産は、ほとんど株ですから株価がピーク時に比べて約四〇%落ちると当然、王氏の資産価値も四〇%落ちることになります。

一方の李嘉誠は香港での事業をだいぶ、たたみましたね。主力の不動産事業はロンドンに移したようです。「中国よ、さようなら」というわけでしょう。

彼のこうした予見が当たるかのように、中国企業のデフォルト（債務不履行）が相次いでいます。二〇一九年の社債のデフォルトは一六〇〇億元（約二兆五千億円）と過去最高（最悪）でした。安徽省のゼネコン会社外経建設は去年十二月、三億八千万元の社債が未払いとなり、さらに天津にある天津物産集団、国有複合企業である中国中信集団（CITIC）の傘下企業で債務不履行が起きています（二〇一九年十二月二十七日付、日本経済新聞）。また光大集団（傘下に光大銀行、光大証券、中国光大国際などがある）が発行した社債の返済ができなくなったというのです。

石平　同じ発音だけど、業界大手のデベロッパー恒大集団が今年二月に大きな行動に出たのは、手持ちの不動産在庫を全部、二割以上の割引で売り出した事です。

宮崎　そうです。そして売れないから三月に入ると二五%の割引をしていました。それでも買う人はいないのです。恒大集団のドル建て社債の金利はなんと一二%ですよ。

石平　この時期に不動産を買う人は誰もいません。

宮崎　いや、二五%下げても、売れないというのは、仮に半分に価格が下がっても売れないという事じゃないかな。

中産階級の「阿鼻叫喚(あびきょうかん)」

石平　このように今の中国における不動産市場では大変な事が起きつつあるのです。そして、今までの不動産市場を支えてきたのは、中産階級の人たちです。多くの中産階級の人たちは財産のほとんどを不動産投資に注ぎ込んでいます。自分たちが住む家以外に、二軒目、三軒目の家を所有しているのです。

しかし、この中産階級の人たちが、今回の「武漢ウイルス」の影響で一月〜三月にかけて大変な損失を受けた。中産階級の人が経営している零細企業、中小企業の料理店、衣料品店、食料品店の売り上げが激減して資金繰りが一気に苦しくなりました。だいたい二カ月間、商売が出来なくなると、日本だって大変です。みんな大きな借金を抱えて経営していますからね。

そして、中産階級の人には大企業の中間管理職もいます。こうした管理層の人びとは企業業績の落ち込みから、あちこちでリストラや給与カットを受けているのです。今年一月〜四月にかけて中間管理職のビジネスマンの収入がゼロになったり、大幅減という厳しい現実に直面している。彼らは、毎月の給与から半分以上のおカネを出して住宅ローンの返済に充てています。その給与が半分に減ると、その途端に住宅ローンの返済が出来なくなってしまいます。すると、当然のことながら、中産階級は自分自身が持っている二件目、三軒目の不動産を売却に走ります。

そうなると、初夏の段階で「武漢ウイルス」が奇跡的に収まったとしても、それとは関係なく不動産をみんな売るしか手がなくなる。しかし売る人がいても、買う人がいません。ですから、ますます不動産価格は落ちていく。不動産市場のマイナス状況は一段と深刻になると見た方がいいでしょう。

いずれにしても、「武漢ウイルス」がいつ収まるか分かりません。たとえ習近平が期待する通りに初夏の段階で収束したとしても、いきなり経済が持ち直すという事は考えにくいのです。

しかも、それと注目すべきは失業問題です。北京政府が一刻も早く収束させたい、もうひとつの理由がここにあります。

宮崎　その前に石さんに聞きたいことがあります。日本の場合、不動産を売却しても住宅ローンが残っていると、最後まで買った個人にローンを払ってもらいます。アメリカの場合は違います。買った人がリストラされたりして、住宅ローンが払えなくなり、物件を売却したら、銀行は買主に対して残っているローンの返済を求めたりしません。残ったローンの返済は銀行が引き取ります。こうした場合、中国では残った住宅ローンはどこに行くの。

石平　最後は銀行の引き受けです。

宮崎　ということは、最終的には国が面倒を見るという事になりますね。そうなったら、政府が財政的に大変なことになるから、共産党は慌てているのですね。単なる個人が破産したって、共産党はビクともしないが、しかし、銀行が潰れるという事になれば一大事です。

石平　いや、これからは個人が破産した場合、すべてのローン返済を拒否するという市民運動に発展するかもしれません。実際、「武漢ウイルス」は収まり武漢市の封鎖を解除して経済活動を再開したとするでしょう。すると料理店や衣料品店のオーナーたちは借りているお店の一月、二月の家賃をゼロにする事を求めると思います。それでも、売り上げが激減して四月、五月に入ると必ず大量の零細企業とか、工場、飲食店が倒産すると予想されます。当然のことながら倒産が急増すると失業者も多く発生します。

宮崎　日本も懸念しているのは企業の倒産ですね。インバウンド業界を見てください。ホテルが倒産したケースがありました。少し前に私は機会があって、四国の松山へ行きましたが、面白い経験をしました。観光バスの乗客はゼロでした。街に個人客がほんの少しいるだけ。ところが、ホテル受付の女性はみんな中国人だったのです。それは簡単な話しです。中国人グループがこれまで、たくさん松山の道後温泉に来ていました。その対応としてホテルは多数の中国人女性を雇ったのです。この受付の女子社員は簡単にレイオフできません。

また、観光バスやタクシーの運転手はどうなるのか心配です。いずれにしてもこうした観光関連産業の会社は運転資金が回らなくなって大変だと思います。バス・タクシー会社、旅行会社、ホテル、旅館などが経営を続けていく事が困難になっていく。だから、安倍首相は中小企業に緊急融資をするといっていますが、それは無利子で貸すと言っているだけで、いずれは返さないといけない。ただフリーランス、自営業の人に一日四一〇〇〇円、補償します。中国も同じ対策を多少はやると思います。そうしないと大変なことになるから。

石平　当然、中国にとって日本は大きな希望であり、間違いなく頼ってきます。ハッキリ言えば、日本からの資金援助を求めてくるでしょう。日本には個人金融資産が一八〇〇兆円、企業の内部留保が四六〇兆円、海外資産が三三〇兆円あります。中国はこうした資金が欲しくて、たまらないわけです。日本が仮に中国に資金援助を実行したら、日本の金融機関、もっといえば日本国民が汗水流して溜めてきたおカネが、中国人の不良債権の返済に使われてしまうのです。中国人の借金を肩代わりするようなことは絶対にやるべきではない。

さらに、もうひとつ中国には差し迫った大問題があります。それは先ほど、ちょっと質問されていましたが失業問題です。中国では、今後大量の失業者が出てくるのは、ほぼ確実な状勢です。

「武漢ウイルス」が失業率悪化に拍車をかける

宮崎　中国の失業問題の行方は香港を見ていれば分かります。香港政府統計処が二月十八日に発表した二〇一九年十一月～二〇二〇年一月の失業率が三・四％と〇・一ポイントの上昇にとどまりました。これは、一月の就業状況が悪かったものの、去年十一月と十二月の好調がカバーしたから、その程度の上昇にとどまったのです。同期間の総就業者数は一万四六〇〇人減少したことについて、労工・福利局の羅到光局長は「新型コロナウイルスが経済活動、とくに消費・観光関連の影響を及ぼしている」と指摘し、小売りや宿泊、飲食サービスの失業率は五・二％とこの三年間で高い水準が続いていることを明らかにしました。また建設業も五・七％とこの六年間で最高でした。「武漢ウイルス」の影響を考えると二月、三月はハッキリと上昇するでしょう。こうした中、香港のフラッグキャリアのキャセイパシフィック航空は中国へのフライトの約九割が止まってしまい、さらに日本やシンガポール、アメリカ、ヨーロッパへのフライトも約三割減便となっています。このためキャセイパシフィック航空の従業員二万六千人が無給で自宅待機となってしまっています。

また、中国の航空会社に海南航空があります。エアバス、ボーイング旅客機二三八機を所有して北京、西安、太原を拠点に八十都市を就航していましたが、その海南航空はとうとう身売りをしました。

四月十五日に、海南グループは期限のきた一億六千万ドルの社債を払えず、債権者に支払い延期を要請しました。

石平　航空産業の深刻さは目を当てられませんね。今年二月ですが、北京―上海間の飛行機のチケット値段が格安の「白菜値段」になってしまったというのです。白菜を二個、三個買うような値段で航空券が買えるというわけです。それだけ乗客が少ないということです。場合によっては乗客ゼロでも、飛ばしているらしい。

宮崎　成田―ソウル間の航空便は片道七百円でした（笑）。そして、中国の失業率ですが、これが厳しい。現に、日本でも一部見られましたが、内定取消しのほかに、そもそも新卒者の新規採用を中止する企業が急激に増加しています。中国の求人サイトでも大学卒業予定者向けの求人件数は四四％の減少となり、広告業界の件数は何と七〇％の大幅減少となってしまいました（二〇二〇年三月十五日付、日本経済新聞）。二〇二〇年の夏には大卒者は八七四万人（二〇一七年七九五万人、二〇一八年八二〇万人）に増加しますが、海外の大学留学帰国者も約六〇万人もいるといわれています。

去年の就職先の件数は約一三〇〇万件、このうち出稼ぎ労働者は一一〇〇万人が就職しました。このため、多くの大学生は企業に就職が出来ず、個人で事業を始めたのです。

しかし、資金はないし、社会経験がないためにほとんどが、うまく行かず廃業に至っています。今年はもともと経済状況が悪い上に、今回の「武漢ウイルス」の影響を受けて失業率は最悪になるのは間違いないでしょう。そして中国全体の失業率ですが、公式の発表ではこの十年間、ほぼ三%~四%の低水準で推移しています。リーマンショックで世界経済が大混乱に陥った時ですら四・三%(二〇〇九年)を維持していました。これは、明らかにおかしい。その理由に都市部のみの失業者数をカウントして、農村の労働者を考慮していない点が挙げられますが、それだけではありません。各省庁が政府の失業率目標に向けて、数字を作り上げているのです。誤魔化しはかなり酷いと思います。農民工の失業者などを含めると、失業率は二五%になるでしょうね

北京政府が怖れるインフレ

石平　さらにもうひとつ、中国政府が怖れ心配しているのはインフレです。去年の年末からのインフレ率は、中国政府が発表した消費者物価指数(CPI)によると去年十二月四・八%、今年一月五・四%、二月は五・二%と五%台の高い水準にあります。だい

たい消費者物価指数が四％、五％という水準は明らかにインフレ状態を示しています。そもそも二月のＣＰＩを政府は「三％」を目標にしていましたが、それをはるかに上回ってしまいました。

宮崎　いや、それは政府発表ですから、実態はもっと上がっているでしょう。豚肉の価格は四倍になっているという。二〇一九年夏からアフリカ豚熱（ＡＳＦ）の蔓延で高騰していましたが、今回の「武漢ウイルス」で養豚業者や輸送が大きな打撃を受けています。これを受けて中国政府は今年一月から数回、冷凍豚肉十九万トンを放出しましたが、それでも豚肉価格の上昇は止まりません。

石平　インフレが止まらない理由は二つあります。ひとつは豚肉のように供給物資が足らない。もうひとつはおカネが市場にあふれ出す。どちらの理由からでもインフレが発生することになります。

宮崎　お札があふれるという事は通貨価値が下がるという事です。だから、それは自動的にインフレを引き起こします。

石平　この二つの要因が四月、五月から揃い始める。これから豚肉ばかりかそのほかの物資が、不足するのが確実と見られています。というのは、「武漢ウイルス」の影響で一月、二月にかけて工業品だけではなく、食料品や生活用品などの生産も止まったからです。ですから三月、四月から初夏にかけて物資が不足するのは当然の話です。

しかも、今回の緊急事態と、アメリカとの貿易戦争で痛んだ中国経済を立て直すために、中国政府は二月の段階で大型の投資プロジェクトを推進すると大々的に発表しました。その投資額は総額で約四〇兆元です。これに合わせて中国政府は人民元を大量に刷り始めたのです。

宮崎　日本円にすると約六百兆円にもなりますね。ちなみに、日本のＧＤＰは五百三十兆円。つまり日本のＧＤＰより多額です。

石平　こんなにお札を刷るのだから、中国国内では大変なインフレになるのは間違いないでしょう。先ほど述べたように豚肉だけではなく、一部の地域では野菜、食品の値段が急騰していきます。失業者が拡大している中で、物価が高騰したらどうなるのか。今、働いている人も給料が減っています。その中で物価が急騰すると、名目賃金も実質賃金も可処分所得もみんなマイナスになるばかりで、国民の不満は高まるのは明らかです。当然、大暴動の可能性が高まっていきます。

中国政府は大暴動を怖れています。なぜ、そんなに大暴動を怖がっているのか。過去に大暴動が中国共産党の存立を脅かしたからです。それは一九八九年六月に起きた「天安門事件」です。この事件は大学生が「自由」を求めて起こしたのですが、実は当時、コメなど食料品価格が暴騰して、庶民の間に中国共産党に対して大きな不満が渦巻いていたことも事件の背景に上げられています。二度と天安門事件を起こしたくない北京政府としては、何としてでもインフレを抑え込みたいのです。しかし、現実は厳しい方向にあります。

宮崎　ただ「武漢ウイルス」の拡大阻止をするために外出禁止で、地下鉄など公共交通機関が動いていない期間は、暴動が発生しようにも人が集まらない。香港も同様。

石平　という意味では、逆に習近平からすれば疫病が常にあった方がいいかも知れませんね。市民は暴動を起こしにくいから。

宮崎　そのあたりはディレンマ。疫病や洪水、大雪といった大災害は、評論家の黄文雄さんの話によると中国で過去三〇〇〇年の間に五五〇〇回起きているらしい。そのたびに多数の死者を出す。国民の目を外に向けるために海外侵略などをしたりもする。中国は本当に厄介で大変な迷惑国家ですよ。

「とどめの一撃」となるか

宮崎　今回の「武漢ウイルス」に関して日本では、心理的パニックが酷過ぎます。マスクと違って、日本ではトイレットペーパーは、九〇%国産で在庫はたっぷりあるというのに、買い占めに殺到した。理解が出来ません。

石平　私も理解不可能です。

宮崎　トイレットペーパーと違って、日本国内で流通しているマスクは八割が中国製だったので、入ってこなくなった。家電メーカーのシャープまでがマスクの製造に乗り出すというのだから、驚きですね。でも、かつて日本で起きた「石油ショック」では、タクシーがガス欠で動かなくなった。テレビの放送も深夜番組がなくなり、新聞も減頁で薄くなったけど、そういう事態は今、起きていないでしょう。石油価格は下がっている。もっと日本人は冷静になるべきです。

石平　マスクがないのは、何となくわかります。日本人といえども、普段、みんなそんなに沢山はマスクを使わないから、今回の武漢ウイルス騒動で、中国からの輸入が途絶える一方、国内需要が急増して国内での生産が追い付かないのは仕方ない。しかし、トイレットペーパーは普段からみんな使っていて、別に「武漢ウイルス」が発生したからと言って、マスクと違ってトイレットペーパーを余計に使うことはありませんよね。それでも、みんな買いだめするのは、ちょっと面白い現象だと思います。

ともあれ、ここで宮崎さんに伺いたいと思います。中国経済はトランプ政権が発足して以降、深刻な状況になっていたわけですが、この「武漢ウイルス」は中国経済に対して、「とどめの一撃」となるのでしょうか。

宮崎　問題は二つあって、いつ収まるか。もうひとつは、石さんが言われたように、中国経済に対する本当にとどめになるのか否かです。まず収まる前提は何か。ワクチンや治療薬の発明なくして完全には収まらないと思う。となると、ワクチンの開発はどんなに早くても、一年はかかるでしょう。

石平　収まるというのは、中国の基準からすれば大規模な感染拡大がなくなったという事ですね。

宮崎　もし一万歩ゆずって、中国政府が発表していることが正しいとしても、感染の拡大が収まっても、病気そのものはちっとも収まらない。ワクチンや治療薬が開発されない限り、中国でも世界でも感染が続くと見ています。
それで、中国経済のとどめになるかどうかですが、刃が習近平の喉元まで来ているのは間違いない。

石平 同感です。

宮崎 逆に言うと、そのとどめを我々、自由世界が協力して刺した方がいい（笑）。トランプなら在米資産の凍結だってやりかねないでしょう。ロシアやイランをそうやって干しあげたのですから。

石平 実はウイルスの一件は中国経済の打撃だけではなくて、習近平政権にも結構、大きなダメージを与えています。

宮崎 習近平はこの対策を李克強首相に任せっきりにしようとし、習は逃げたという批判があります。中国政治局の中に「領導小組」という組織があります。「小組」というのは日本語で言うところの「プロジェクトチーム」です。この「小組」は約二十あり、すべての「小組」トップに習近平が就任しています。
しかし、今回のウイルス対策の「小組」だけは李克強がトップに任命されたのです。本来なら真っ先に習近平が陣頭指揮を取るべきだったのですが、そうはしなかった。習近平は万が一、武漢ウイルスを抑えきれなかった時のことを考えて責任回避をするために逃げたのです。

仮に、抑え込みに失敗したら李克強の責任にすればいいし、逆に抑え込みに成功したら、李克強をトップにした自分の手柄にすればいいという腹づもりだったのでしょう。李克強は就任早々の一月二十七日に武漢市を訪れ、視察し感染者を見舞い、最前線で治療に当たっている医療関係者に面会して激励しました。この時、中国全土で李克強の人気は一気に高まりました。

その一方で習近平は二月十日に北京市内にある病院や研究機関を訪れ「情勢は依然厳しい。感染を抑える人民戦争、総力戦、阻止戦に断固勝利しなければならない」とマスク姿で訴えました。そして武漢市を訪問したのは、収束に向かったと言われている三月十日でした。

そうした行動に習近平に対する失望感、怒りが中国の間で広がりつつあります。キンタマの小さい奴だと……。

共産党結成以来の前代未聞の出来事

石平　とくに習近平政権が去年十一月の初期発生段階で情報隠蔽した結果、中国全土に「武漢ウイルス」が拡散して、二月は大変深刻な状況になったわけです。その責任は重い。承知の通り武漢市をはじめその周辺の黄岡市、赤壁市、仙桃市、孝感市などの都市部が封鎖されてしまいました。都市間の交通網がすべて遮断されて、経済活動はほぼ停滞の状態に追い込まれた。そして多くの人命が奪われたのです。そうなると、共産党政権、とくに習近平政権の批判は高まる一方です。

今回は武漢市での情報隠蔽が習近平の責任問題になりかねません。まずは誰が隠蔽を命令したのかという疑問が浮上してきます。当初、中国の世論は武漢市当局の幹部たちをせめたのでした。

そこで、中華人民共和国が設立されてからの前代未聞の事態が起きたのです。一月二十七日、武漢市の市長である周先旺（しゅうせんおう）が、中国国営中央テレビ（ＣＣＴＶ）の生中継インタビューで、何を言ったか。

「情報公開が遅れた面はあった」という事実は認めましたが、「実は情報を隠蔽したのは我々の責任ではない」と反論したのです。ようするに「地方政府として情報を公開するかどうか、そういう決断をする権限がない」と言ってのけたのです。

「たとえ我々がそういう情報を得ても発言することはできない」と述べて、中央政府に責任があるとの考えを中国全国民の前で明らかにしたのでした。つまり、習近平に責任をなすり付けたわけです。いずれにしても市長にとって事態を明らかにする千載一遇のチャンスをテレビの生インタビューでものにしました。今でも彼が市長をやっています。

これに対して習近平はどのように対応したか。習近平は政治局常務委員の会議で「私はすでに一月七日に、この件に対して指示を出した」と話したのです。問題はここです。その指示の中身について習近平は一切触れていません。

宮崎　一月八日前までにそういう会議が開かれた形跡はありませんが……。

石平　いや、会議は確かに開かれました。しかし、発表された会議の内容を見ると「新型肺炎」については一言も触れていません。中国の「法治体制」の在り方やその役割という内容になっています。会議が開かれていないのなら、こうした話は伝わってきません。

だが、習近平は武漢市長の発言を受けた後に、一月七日の会議で「新型肺炎」に関して指示を出したといっています。明らかに責任を中央政府、習近平になすりつけることに反駁した発言です。ようするに、「お前たち（地方政府）が俺（習近）の指示を聞かなかっただけだ」と言いたいわけです。しかし、具体的に指示の内容がどういうものだったのか。習近平はそれについては具体的なことはなにも言えないのです。

どうしてか。一月七日に新型ウイルスに関して情報を公開せよという指示を習近平が出していたのなら、どうして、その後の一月二十日まで二週間、情報は隠蔽されたのか。その説明がつきません。なにしろ、習は、そのあとミャンマーなどを訪問したりしていましたからね。

本当はどうだったのか。習近平が出した指示というのは、武漢ウイルスの情報を隠蔽せよという指示ではなかったのかと私は推測しています。ですから、情報を公開せよではなくて、情報を隠蔽せよという指示であった。おそらく、それが真実に近いと思います。

国民はこのあたりのことはよく分かっています。これで責任を逃れたつもりなのだろうと。朝日新聞や日本の野党の好きな言葉で言えば、「疑惑はさらに深まった」という事になります。
面白いことに中国共産党結成以来、初めて共産党最高指導者と地方幹部が責任を擦り付け合う「泥仕合」になった。しかし、習近平の国内での立場はますます不利になっていった。

習近平の権威が失墜

石平　さらに、もうひとつ習近平の権威が失墜した事がありました。それは、一月二十日にウイルスは深刻であると公表し、一月二十三日に武漢市を封鎖しました。この武漢市を封鎖した当日、習近平は北京で何をやっていたのか。実は春節の賀詞交歓会を和気あいあいとやっていたのです。それが、武漢市民をはじめ、中国全体の市民からの憤りを買ってしまいました。

宮崎　一月二十三日でしょう。中国では大晦日だね。

石平　大晦日の前日ですが、そこで共産党中央が人民大会堂で上層部が参加して、賀詞交歓会を開催しました。

宮崎　賀詞交歓会は日本では新年に行う。つまり酒宴。新年会です。

石平　中国では年内にやります。それでやっと、一月二十五日になって初めて宮崎さんが先ほど述べた、ウイルス対策の「領導小組」を設立したのです。李国強首相をそのトップの責任者にして、全責任を押し付けたわけです。繰り返しになりますが、国民の目には、「こいつ（習近平）はただの卑怯者、小心者。肝心な時に逃げる」と映った。あれで、習近平の指導者としての国民の信頼は完全に失ったわけです。

その失墜を回復しなければいけない。そういう意味合いからも、習近平は三月中に武漢ウイルスを抑えなければいけなくなった。何はともあれ、ウイルス感染を抑え込んだことにして、「中国国内すべての地域で収まったのは習近平主席の指示のお陰である」と演出したのです。

そのような宣伝をすることで、習近平は権威を復活させ、挽回する。そのために新規感染者数をゼロにする命令を出したわけです。それだけの話です。これ以上でなければ、これ以下でもない。

宮崎　次は、内外のマスコミとの対決になると思います。中国国内の官製マスコミで働くジャーナリストたちだってバカばかりではありません。本当に中国政府が発表したように「武漢ウイルス」を抑え込んだのかどうか。その情報はすぐ香港に入ってきている。いずれにしても世界は習近平を信用していません。

四月七日、日本で安倍首相が緊急事態宣言を発信し、翌八日、武漢の封鎖が解除された日、世界では何が起きていたのか。

「ＷＨＯの大失敗は中国中心主義だからだ」（トランプ大統領）。「中国のだましに協力してきたのがＷＨＯだ」（マルコ・ルビオ上院議員）との声が出ていた。米国世論は「中国を排除せよ」とオクターブをあげ、過去のＷＴＯ（世界貿易機関）の規則違反も、今回のコロナ、武漢ウイルスがらみの米国内のさまざまな被害の請求も、これから裁判に訴えると息巻いている人たちもいる。中国発表の数字を誰も信用していない。じつは、これこそが爆弾です。賠償に応じなければ、米国は中国の在米資産を凍結できます。米国に財産を隠している中国共産党の高官たちが真っ青に顔をひきつらせています。

なにしろ全米を覆い尽くす「アンチ・チャイナ」の感情は、激憤にまで高まっており、中国の不誠実、謝罪なしの高飛車な医療協力の申し出や、嫌がらせのような恩に着せるかのごとくのマスク寄付など、責任逃れの演出が丸見えな態度への不満が昂じています。この激越な反中国ムードは世界に拡散していて、武漢ウイルス同様、おさまりそうにないですね。

「コロナの教訓」とは、「中国とは距離を置け」というコンセンサスが、米国のメディア、知識人、オピニオンリーダーのあいだに拡がり、とくに医薬品の中国依存という実態が露呈して、アメリカ人の中国への危機感が増幅されたことに尽きます。

トランプ大統領に経済政策を助言するクドロー国家経済会議（NEC）委員長は、四月初めに「向こう四週間から八週間の間に経済活動を再開できるようになるかもしれないと政府は見積もっている」との楽観論を述べましたが、四月になってから現実には米国ホンダ、日産が工場休止を延長し、それぞれ一万人をレイオフ。ボーイングはシアトル工場休止が長引く情勢です。国民の四分の三が「武漢ウイルス」で、なんらかの悪影響を受けていることが世論調査でも判明している。

一方、元凶の中国は武漢市の封鎖を解いたものの、七六日間にわたった都市封鎖が正常に戻るには、おなじく七六日は必要でしょう。気がつけば豚肉は四倍、鶏肉もそれなりの値上がりと物資不足、とくにコメと食用油が払底している。軍医から大都市の医者まで武漢に動員したため、逆に上海などで医者不足が起こり、入院患者がクスリ不足、インシュリン欠乏で死亡するケースも多数報告されたことは前述しました。

中国だけが、習近平のおかげで収束したというキャンペーンをいくらやっても説得力に欠けてうまく行かないでしょう。

そもそも、三月五日に開催される予定だった全人代（全国人民代表大会）は延期したまま。本当に収束したというなら、全人代をすぐさま開催して、その旨を海外に向けて発出しないといけないけど、いったいどうなりますか。

石平　一番悩ましい問題です。

習近平政権は「武漢ウイルス」の新規感染が収まったと宣伝している。それが本当に収まったならば、すぐさま全人代を開催すべきです。

しかし、四月二十九日になって、ようやく五月二十二日に全人代を開催すると発表しました。

武漢閉鎖を解いた四月八日以降も、なぜか武漢市民の北京移動は制限されていました。武漢と北京を結ぶ国内航空路線の再開は見送られていて、武漢市から北京市に入った場合、二週間の隔離が要請されているのです。これって矛盾ではないですか（笑）。北京での全人代の開催を控えているから、そうしているとの言い訳をしていたようですが……。

さらに、習近平が全人代を開きたくない、もう一つの理由が、全人代で何千人も代表たちが集まりますが、習近平を批判する場になってしまうことも考えられるからです。つるし上げにでもなったら大変。それを習近平は実は怖れていたのです。

宮崎　そんなに人が集まったら、そこで「中国肺炎」がまた発症・拡散して、ふりだしに戻ったりして（笑）。

石平　ありえますね。

宮崎　今、全人代はボタンを押して評決を取る仕組みになっているから上層部に監視されています。誰が反対しているのかすぐに分かります。無理して全人代を開いてみても、自分への反対が多かったら習近平にとってはかなり致命的になってしまうでしょう。

石平　今後、中国の状況が良くなってくるのか。この本が出るころはどうなっているか分かりません。

宮崎　日本のプロ野球の開幕より全人代の開催の方が早く開かれることになりそうですが、習近平にとっては正念場となるでしょうね。

米中対立はますます激化する

石平　こうした中、米中対立が深まっています。

宮崎　トランプが大統領になった当初、世界の多くは彼が反中政策を本当に推進するかどうか半信半疑だった。しかし、今は本気で中国潰しに力を入れているということを理解しています。ただ、トランプ大統領より先に民主党が反中国の姿勢に傾きました。その理由は、簡単です。中国政府における新疆ウイグル自治区の弾圧で、キリスト教徒も被害を受けている事が分かったからです。そこへ、香港の人権問題も出てきた。民主党は伝統的に「人権」問題では煩（うるさ）いから。

　こうした中、アメリカ議会は香港民主人権法を与野党が一致して可決させ、一月二十七日にトランプ大統領が署名をして成立させました。

　その法律が成立する直前、中国共産党幹部たちは秘書を急遽、ファーストクラスでアメリカへ行かせたのです。理由はアメリカにある自分たち共産党幹部たちの財産をすべて他の口座に移し替えるためでした。つまり、アメリカ政府が共産党幹部たちの個人資産を凍結する危険が高まったと判断したからです。香港民主人権法には、中共への対抗措置として中共幹部のアメリカ国内の個人資産を凍結するという条文が入っていましたから。

さらに、アメリカ政府として一番の問題は、国益に直結する南シナ海における中国軍の軍事的進出への牽制です。中国の横暴な軍事的挑発に対する怒りがアメリカ軍には根強くあり、中国軍を安全保障上の軍事的脅威と捉えだしたのは確かです。そして、その次の脅威は技術問題です。

技術に関して言えば、5Gで中国の通信会社ファーウエイを徹底的に排斥しており、この基本路線を変える意思はありません。未だに、カナダにおいて違法輸出容疑で逮捕されたファーウエイ副会長の孟晩舟は拘束されたままです。ゴーンみたいに逃げることもできない。実は容疑が本当にあるかどうかも分からないのに、すでに一年三カ月も経過しています。そういう事を平気でアメリカはやる国なのです。

ペンタゴン（アメリカ国防総省）が一番、問題視しているのは、実は5Gなどではありません。私は一九八三年に『軍事ロボット戦争──狙われる日本の最先端技術』（ダイヤモンド社）という本を書いて、いよいよロボットの兵隊が出て来ると予想したことがあります。つまり、SF世界でのサイバー兵士が現実に登場するという話です。分かりやすく言えば人間の恰好をしたターミネーターですよ。人間の脳細胞をサイバーシステムの中で兵器体系にしてしまう。アメリカはこのサイバー兵士の実現、実践配備の目標を二〇五〇年にしていました。

ところが、ひょっとしたら、中国軍が二〇三〇年ごろまでに、完成させてしまうかも知れないという恐れが出てきたのです。アメリカより先に中国が究極の科学兵器を開発するのは悪夢でしかない。一九四〇年代でいえば、核兵器をソ連が先に開発して持つようなものです。

このサイバー兵士は生体実験、人体のサンプルから始まって、量子コンピュータを使用した最高頭脳の開発が必要ですが、気が付けば、アメリカがこれまで持っていた最先端技術のほとんどが中国に盗まれていたのです。これをFBIが調査していて、調査線上に浮かんできて逮捕寸前だった留学生の中国人技術者たちは中国本国にみんな逃げてしまった。それでも、三人捕まえました。いまでは、アメリカで中国の代理人をやっていたような面々がドンドン摘発されています。それが、今の米中「技術戦争」の状況です。

基本的な問題に戻ると、アメリカの対中敵視政策は、表だって言ってはいないけど、中国を事実上の仮想敵国にしています。

石平　今回の「武漢ウイルス」がアメリカ社会、経済に深刻な打撃を与え、非常事態を宣言せざるをえなくなった。その中で、アメリカ人全体に中国共産党に対するマイナスイメージが深まったのは喜ばしい事実だと思います。

宮崎　そうです。だからアメリカの大学にある孔子学院の多くが、閉鎖されました。アメリカはこれまで中国を甘やかしてきたけど、それを許さないという方向に完全にシフトが変わったのです。そして、ハーバード大学の化学生物学部の学部長チャールズ・リーバー教授を、中国の研究機関との関係について米政府機関への開示を怠ったとして、虚偽申告の罪で起訴しました。

この教授は、中国政府が海外の優秀な人材を支援する「千人計画」に参加し、武漢工科大学に二〇一二年～十七年まで「戦略教授」として所属し、武漢工科大学から三年間、毎月五万ドルの給料のほか、年間十五万ドルの生活費を支給されていたという。ハーバード大学の教授が中国の代理人だった事が判明して、それでまたアメリカの世論がガラリと変わった。

石平　しかも、今回の新型肺炎をアメリカ政府は一貫して「武漢ウイルス」、またトランプ大統領はツイッターで「中国ウイルス」と呼んでいます。

宮崎　日本はそれに追随したらいいと思う。新型ウイルスとか、WHOが名称した「COVID-19（コビット）」なんて言わないで、「武漢ウイルス」「中国肺炎」と言えばいいのです。なぜ、日本の新聞はそう言わないのか。

石平　その言葉は中国に嫌われている産経新聞でも使わないですね。日本の新聞の大半はどちらかと言えば、親中派だからです。しかし、今回の「武漢ウイルス」問題で絶対に中国の責任逃れを許してはいけません。そうした中国批判に北京政府は猛反発しており、その延長線上で、「武漢ウイルス」はアメリカ軍が持ち込んだのではないかと宣伝しています。ただ、中国政府がずるいのは、そういう主張を外務省の報道官にツイートさせている点です。この主張は外務省が記者会見で発表したわけではないので、公式見解と異なります。だから、国際世論の評判がよくないと、いつでも北京政府は責任逃れが出来るのです。

そこで責任逃れという観点からもう一つ注目したいのが、中国政府の公式見解です。

中国政府の国家衛生健康委員会の報道官は、三月二十九日の記者会見で、新型コロナウイルスについて中国本土での感染は「基本的に遮断した」との見方を示したことです。

新たな感染者のほとんどは海外からの渡航者だとしている。
委員会の発表では、中国本土で三月二十八日に報告された新たな感染者は四五人だが、このうち四四人が海外からの渡航者だった。「報道官は渡航者の感染が累計で六九三人に上ったことに言及してウイルス感染が再び広がる可能性は『依然としてかなり高い』と語った」（三月二十九日付、読売新聞）とのことです。

つまり、中国は「武漢ウイルス」は抑え込んだが、海外からの渡航者のウイルス持ち込みで再度、感染が広がるかも知れないというわけです。これは、万が一にもウイルスが初夏以降、拡大しても習近平政権の責任ではない、渡航者のせいで、再び拡大したのだという言い訳をこの段階でしているのです。抑制に失敗した時の言い逃れの予防線を張っているのです。習近平はそこまで考えています。ずるがしこいのです。

こうした中、アメリカは「武漢ウイルス」の封じ込めに全力を投入しています。中国人の入国を制限し、中国もそういう措置を取り始め、アメリカと中国間の航空便が止まっています。そういう状態はまだ数カ月間続くでしょう。そうなると米中の経済的な結びつきがなくなり、トランプ大統領が望む方向に進むことになります。中国共産党との平和共存は不可能であり、アメリカは中国とデカップリング（分離）することが望ましいと考えています。武漢ウイルスによる多大な被害を受けた欧州各国も、「チャイナフリー」のほうに傾くのは必至です。

宮崎　中国の場合、損得よりメンツを重んじます。たとえば台湾と日本との航空便相互乗り入れ事案がそれでした。一九七二年から中国の圧力で日本航空の台湾への乗り入れ禁止状態がかなり続いたことがありました。結局、折衷案で日本航空の子会社の「日本アジア航空」が、やっと台湾に乗り入れることが出来るようにしたのです。そして、成田ではなく羽田空港を利用するようにして「ローカル扱い」にしましたが、羽田のほうが成田より便利なので、結果として日台路線は人気路線になって、中国側が臍をかんだことがあった。

アメリカが航空路線を止めたのだから、中国は「武漢ウイルス」が仮に収束してもメンツがあるから簡単に就航を再開しない可能性がありますね。

石平　我々にとって、それはむしろ望ましい方向です。アメリカと中国の対立が深まるのは日本にとって極めていいことです。

宮崎　ただ日本航空や全日空も今回の武漢ウイルス騒動で経営が大変になり、株価は半分ぐらいに下がったけれど、アメリカの航空会社の方が深刻で、このままほうっておいたら潰れると思う。これからアメリカ政府は、航空会社の経営にテコ入れするでしょう。

次に観光産業をどうするかです。アメリカはディズニーランドといったテーマパークや、ハワイ、ラスベガスなど観光地で、中国人をシャットアウトすべきです。それで「アメリカは武漢ウイルスを退治した」と宣言すればいいのです。

いずれ、収束するでしょう。そのときは初日無料開放とか、当面は半額入場割引とか、交通機関の利用代金の思い切った値引きを実行して観光産業の立て直しを図ればいい。長崎のハウステンボスの経営をH・I・Sが引き受けて、意想外のパッケージ旅行などを売り出し、再生させたように、そのうちアメリカにもアイデアマンが登場しますよ。

株価とトランプ再選の行方

宮崎 コロナ騒動は中国の政治経済にも大きな影響を与えたわけですが、アメリカもとばっちりを受けた。民主党候補者間の大統領選挙（指名獲得のための予備選挙）も一時中断。それでもサンダースが撤退を表明し、バイデンが民主党の大統領候補になることが決定しました。彼自身は親中派ではあるけど、今や、トランプ大統領より、民主党の方が対中政策は厳しいと言われています。

それと、大統領選挙に深く関わってくるアメリカの株価について申し上げます。ご存じのように「武漢ウイルス」の影響から、ニューヨーク株は急落しました。これは、アメリカ経済の先行きに暗雲が立ち込めたことを嫌気したからだと伝えられています。

でも、それは表向きの理由であって、急落した原因はもっと違うところにある。トランプ大統領が就任してから、「武漢ウイルス」騒動が起きる前まで、株は上がり過ぎていたのです。その反動もあって今回、大きく値を下げたのです。では、なぜ株は上がり続けたのか。それは大手企業が自社株買いを積極的に行い、株を吸収したからです。それと、もうひとつは配当金をものすごく厚くしたため、配当利回りが高くなったことによります。それで買いが買いを呼ぶ展開となったのです。

しかし、一部の上場企業がインソルバンシー（債務超過）の状態に陥っていたにもかかわらず、それを無視するかのように株価は上がり続け、大調整をしなければいけない局面にあったのです。だから今回の「武漢ウイルス」は調整するのに、ウォール街にとっては、いい口実になったと思います。したがって、まだ下がると見ています。

石平　今の「武漢ウイルス」拡散に伴ってアメリカ経済が落ち込み、さらに株価が大暴落したらトランプ再選のマイナスになるのではないですか。

宮崎　さらに、暴落するような事態になったら明らかにマイナスになります。底値が見えなくなるような大暴落となれば危険信号が灯るでしょう。というのも、アメリカ人は日本人と違って、七〇％の家庭が株を持っていて運用しているからです。アメリカ人はものすごく、株が好きで株価に敏感です。

一方、日本人はあまり株を持っていません。せいぜい、投資信託。組合が「401k」（確定拠出年金）で資産を運用し、その運用資産に株が組み込まれています。その事を社員の方はあまり知らないし、気づいていない。結局、日本の株式市場で一番、株を買っているのは誰か。日本銀行です。だから、日本では株価が急落しても政権の基盤にはさほどは響きません。

しかし、アメリカは違います。さらに四％程度だった失業率が、今後かなりアップしていく。前述したように三月中旬から四月中旬にかけての三週間だけで失業保健申請者が二千万人以上でましたから。これは大恐慌の一九三一年と同じレベルです。いわゆる「ミゼラブル（悲惨）指数」（消費者物価の対前年同期比と失業率を合算したもの）が高いほど、ミゼラブル、すなわち経済が、悲惨な状態にあるということを示すから、これが今後上昇するとトランプの再選に不利になる。

大統領選挙は世論のイメージ作りが大切です。今回のアメリカ大統領選挙はどう見ても、二〇一六年のヒラリーとトランプが争った大統領選挙当時とまったく同じ現象が見られます。具体的に言うと、アメリカのリベラルなマスコミは相変わらず反トランプの印象操作報道をしている。その悪質度は中国のメディアと同じ。ようするに、トランプ大統領の集会はいつも超満員で、支持者は集会の数日前からテントを張って待っているのです。だから会場には熱狂が溢れている。ところが、テレビはそれをどのように放送しているのかというと、トランプ大統領の演説姿だけを映して、会場の熱狂はまったく伝えません。

民主党の場合は逆です。会場はガラガラなのに人が混んでいるところだけ映して、熱気があるように見せかけて放送するのです。テレビ局は完全にそういう印象操作をやっています。

ただ、民主党の大統領候補であるバイデン元副大統領は七十七歳と高齢で、ハッキリ言って耄碌(もうろく)しています。先日、バイデン候補の演説をテレビ中継で聞いていたのですが、「私（バイデン氏）はトランプに勝ち、上院議員になる」と、訳の分からない事を言っているのでビックリしました。選挙に勝ったら大統領になるのではないのですか。
そういう意味では、こんな弱々しいイメージしかないバイデン氏が民主党の大統領候補になった以上、今後、株価がある程度、乱高下しても、また左翼メディアの妨害があっても、トランプ大統領が再選される可能性はかなり高くなったといえますね。
石平　アメリカの民主党には人材がいないのですか。バイデンさんや、「民主社会主義者」のサンダースさんといった年寄りばかりが大統領選に登場して争っている。
宮崎　今回はたまたまそうなっただけで、人材はいる。

日本の「親中派」は「心中派」

石平　さて、これから日本の経済はどうなるのでしょうか。
宮崎　日本は、アメリカと似たようなものではないですか。日本経済の今年後半の動向は深刻です。ちなみに、親中派というのは中国に親しいという意味ではありません。中国と「心中」するという意味で、「心中路線」なんです（笑）。
何しろ日本企業は目先の利益しか考えていません。なぜ、長期的な観点から経営を考えなくなったのでしょう。それは、アメリカの会計法が導入されて、日本企業の在り方は昔とまったく変わってしまったからです。つまり、これまでは中間決算と期末決算の年二回の決算でしたが、アメリカの会計法が導入されて年に四回決算をやるようになったのです。ということは三カ月ごとに利益をださないといけない仕組みになってしまった。そうすると、目先の利益だけを重視する経営となりますから、人件費の安い中国に進出することになりました。

中国に一旦、企業が拠点を作ってしまったら、日本企業はそれに必死にしがみつこうとします。日本の経営者は思い切りが悪いのです。アメリカはその点、違っていてドライに切ってきます。ダメと思ったら、スパッと叩き切る。

古い話で恐縮ですが、業績不振が続いた日産は、主力工場を閉鎖すれば経営は軌道に乗ると分かっていましたが、誰もそれを言い出せなかった。だから、しょうがなくてレバノンに逃げてしまったが、ニッサンに何のしがらみもないカルロス・ゴーンを呼んで社長にして、誰にもできなかったリストラを実行させたのです。ゴーンは工場を閉鎖すれば業績が回復することを知っていたので、それを躊躇なく実施した。そうしたら日産の業績は急速に回復して、経営は軌道に乗って、ゴーンは一時は「経営の神様」のような扱いを受けたのでした。

実は日産の経営立て直しは、そんなに難しい事ではなかったのです。それと同じで、日本企業は業績が悪化したら、会社のお荷物となった中国拠点（工場や営業所）を潰せばいいのです。中国人労働者の人件費は高騰しており、日本企業にとって、もはやメリットはありません。だから、日本国内を含めて条件のいい国に拠点を移せばいいわけです。そうすれば、日本企業は助かります。だけれど、日本企業はたぶん決断できないでしょうね。

中国から撤退するときにややこしい契約上の問題が発生するという向きもありますが、いくら約束をしても守らない中国人が日本人に対して約束を守れと要求するのもおかしな話でしょう。そのように日本は切り返せばいいのです。

石平　日本が中国と心中して欲しくないですね。

宮崎　一番いい方法は、優秀なアメリカの弁護士と組むことです。どうするか。中国にある日本企業の拠点をアメリカの弁護士に売ります。そのあと、アメリカ弁護士と中国地方政府での法廷闘争にしてしまえばいいのです。

石平　なるほど、アメリカの弁護士はタフだからね。

宮崎　アメリカ人はトコトン、闘うから。第二次世界大戦が終わって日本がアメリカと（サンフランシスコ）講和条約を締結して国交を回復したときに、一九一四年の負債までちゃんと日本に請求した国ですからね。負けたせいもあるけど、日本は戦争が終わって海外にあった財産を全部、放棄したでしょう。朝鮮半島や満洲国だってどれだけの資産があったことか。韓国との国交回復では、そういうのを全部計算しないで、さらにお金をあげたんだから、お人好しにもほどがある。

石平　本当です。日本は満洲国にあった資産をすべて放棄して帰って行った。

宮崎　今の長春、昔の新京に当時の日本人が建設した建物が十八ぐらい残っていますね。遼寧省共産党委員会は七〇年代まで日本統治時代の満鉄本部の入っていたビルを使っていました。そういう事に中国共産党はまったく無頓着です。そして満洲国皇帝溥儀（ふぎ）のために作った皇居は現在、吉林大学地質学部が使用しています。日本が建てた病院も壊さないで、今でも利用しているのです。

石平　ところが、屈辱的な植民地時代の象徴だとして、歴史遺産にもなりうる旧朝鮮総督府の建物を韓国政府は爆破した。その点、中国人は融通無碍（ゆうずうむげ）でフレキシビリティに富んでいるとも言えます。

GDPマイナス二〇%の衝撃

宮崎　その中国のGDPが二〇二〇年一月〜三月期の第一四半期でマイナス二〇%と言われていますね。

石平　これは別に驚くべき数字ではなく、理論的にはそうなります。GDPはその期間に作った経済価値であって、基本的に中国は今年一月、二月はほとんど生産活動をしていませんから、一月、二月のGDPはないのも同然です。

宮崎　そうですね。三月、四月も基本的に生産活動をしていないのだからGDPは三〇%のマイナスになるね。

石平　その通りです。今年一年間の中国GDP成長率が、一%、二%が期待できると言ったら、その人間はウソつきになります。しかし、中国エコノミスト（二九人）の調査によると、中国の一月〜三月の実質GDP成長率は予想平均値でマイナス三・七%だというのです（二〇二〇年四月一日付、日本経済新聞）。二九人のうち、六人はプラス成長と予測していましたが、そんなことはありません。だってそうでしょう。一年間のうち一月と二月のＧＤＰがないのですから、プラス成長になれるはずがありません。普通のサラリーマンでも今年一月、二月の給料がないのに、今年一年間の給料が去年より増える、という話にはならないでしょう。

宮崎　さっき、石さんが言っていたけれども、中国政府は、また巨額なプロジェクトを実施するのですね。リーマンショックの時は四兆元の大規模な経済対策を実行しました。それが今回はその十倍の四〇兆元をやるというわけですね。五月二十二日に開かれる予定の全人代で予算が認められれば実行に移されるでしょう。ただ、すべては借金で賄います。新しく四〇兆元という巨額な借金を作り出すことになります。

石平　逆にこれほどの巨大な公共投資をやらなければ、中国の今年一年間のＧＤＰは大幅にダウンしてしまうという危機感の表れです。一月～三月にかけて損失したＧＤＰを四〇兆元の巨額投資でカバーしようとしている。二〇一九年に政府が発表したＧＤＰは九九兆元でした。だから、中央政府と地方政府合わせて四〇兆元の投資額は、ＧＤＰの約四割に相当します。去年も財政投資の増加だけで、経済は何とか成長を維持しました。財政出動で何を作ったのか。赤字路線が確実な新幹線や、地方都市の地下鉄、高速道路などです。利用客が想定より少なく、ほとんど投資資金を回収できていません。

そこに加えてマンション建設が振るわない。建設しても新規マンションは売れず、ほとんどがゴーストタウン化していると聞きます。そのやり方を今年も、これからすることになるのです。効率的投資のいい案件はないのが実情です。

宮崎　GDPというのは消費、政府支出、民間設備投資、貿易（黒字）の合計です。それで、消費は前述したように耐久消費財が売れていません。大きく減っている。

石平　たとえ、「武漢ウイルス」が初夏以降に収まったとしても、消費はさらに冷え込むでしょうね。なぜなら、みんなの収入が減っているため、消費マインドがさらに冷え込み、大きな買い物はしません。そして自動車を購入するのは控えるでしょう。

宮崎　中国人は去年あたりからブランド品を買わなくなりましたね。突然、売れなくなったようでグッチ、フェラガモも、ブランドの旗艦店は香港につづいて、中国全土から引き揚げつつあります。これも、中国人の消費マインドが冷え込んでいる証ですね。

石平　貿易（輸出）もアメリカとの摩擦があり、停滞したままです。

宮崎　そこで頼りにしたいのが、民間の設備投資です。ここにカネをぶち込まないといけないけど民間企業はまったくやる気がない。

石平　今、借金して投資する民間企業なんかない。やる企業があったら、それはアホ経営者というしかない。

宮崎　となると、北京政府は外国企業による中国直接投資に期待せざるを得ないわけです。そのために、ウソをついてでも中国に対していいイメージを外国企業に持ってもらわないといけない。コロナショックからいち早く立ち直った中国、その中国経済はこれからさらにV字回復をして発展して、みなさんも儲かるチャンスが転がっていますよ――と思わせたいのです。

しかし、中国経済は衰退に向かう懸念が強いことを外国企業は知っています。さらに「武漢ウイルス」が収束に向かっているというウソも、ばれています。加えて中国では労働者賃金が高騰して、外国企業が中国に工場を建設するメリットは少なくなりました。しかも消費意欲は減少傾向をたどり、これからの商売はうまくいかないと外国企業は判断しているのです。

石平　外国企業が中国に投資をしないのなら、中国経済はハッキリ言って「死ぬ」だけです。ただ今、この時点で「死ぬ」よりも、巨額な財政投融資を実行して二年〜三年後に死んだ方が世界にとっていいかも知れません。

裏付けのない人民元を大量に刷る愚

宮崎　ここで問わないといけないのは、裏付けのないカネ、人民元を長期間、北京政府はひたすら刷ってきたことです。

石平　ずっと刷ってきたのにさらに、これからもさらに刷らなければならない。

宮崎　経済理論に従えば貨幣の増発はインフレを齎し、貨幣価値を劇的に下げます。ところが中国において何故、これまで貨幣価値が下がらなかったのか。ここが謎です。それは、先ほど説明したように外国企業からの投資が続いていた事と、アメリカとの貿易黒字がかつては三七五〇億ドルもあって、これで何とか誤魔化してきたわけです。これがなくなったら人民元は大暴落です。

石平　人民元が暴落して、本来の低い価値に戻ればいいと思う。そして国内で高インフレが始まります。ただ逆説的な見方をする専門家がいます。つまり、高インフレになれば通貨価値が下がり、その分、借金の負担が軽くなるというわけです。これを中国政府はひとつの望みにしているのではないかと。

だから乱暴な言い方をしますと、今こそ、人からおカネを借りようと主張しているわけです。たとえば一万元を借りても、その一年後には千元の価値しかなくなって、千元のおカネを来年に返せばいい事になります。

宮崎　それはソ連が崩壊する時の状況と、同じです。一ルーブルが二四〇円から、最後は十二銭に、つまり二百分の一となった。それでソ連政府の債務が帳消しになりました。しかし、インフレになっても、もらえる年金額が同じなので、末端で年金だけで食べている人たちの生活が大変になったのです。何も買えず突然、食べていけなくなりました。そんなことがあったので、ロシアの庶民は今でも現金収入があるとルーブルから信用のあるドルに換えています。しかしドルに換えるのは制限されています。では、人民元の価値が下がることの対策として今の中国国民は何をやっているのか。仮想通貨のビットコインやゴールド（金）を買っているのです。

ところが都市封鎖が長引き、四月になって中国全土に五千店舗もあった「周大福」（金ショップ）が、かなりの店をたたんでいたことが分かった。金（ゴールド）にかえる金（カネ）もなくなっちゃっていた。

石平　あれだけ現金を刷ったにもかかわらず、中国でハイパーインフレにならなかった理由は、ほとんどの現金が、不動産市場に流れたことが挙げられます。不動産は市場に余ったお金をなんとか吸収したのです。しかし、一旦、不動産市場で取引が停滞して、不動産価格の上昇が見込めなくなると、現金を吸収する機能が失われます。ダムから溜まった水が溢れるようにです。そうなると、高インフレになってしまう。

いまの習近平たちにとっての「悪夢」は「武漢ウイルス」の国内での拡散が収まらないことですが、たとえうまく収まっても、それは次のさらに巨大な「悪夢」のはじまりでしかないのです。共産党の独裁者たちにとっては「眠られぬ夜」がまだまだ続くことになります。

宮崎　『眠られぬ夜のために 第二部』（岩波文庫）で、ヒルティはこう述べています。

「もしあなたが完全に正しいものになりたいと思うなら、いわゆる『新聞に評判よく書かれること』を断念しなければなるまい」「新聞からたびたび、しかも大いに誉めあげられるような人物を信用しないことは、最も確実な人間知の一部である。まして、宣伝によってみずからその地歩を築きあげた人間は、絶対に排斥すべきである。彼の内には人間としてのいかなる善き基礎もありえないからだ」

　このヒルティの言葉は、「人民日報」や「環球時報」などを手にしているすべての中国国民に伝えたい言葉ですね。この新聞が一番賞賛する男（習近平）を排斥しないことには中国には明るい未来がおとずれないのですから。

第3章

中国に降って来た「悪夢」

他人の褌が頼りの青息吐息の「一帯一路」

宮崎　中国にとって「武漢ウイルス」は「悪夢」が空から降って来たようなものですが、こうした「悪夢」を払うために期待しているのが「一帯一路」構想です。

広域経済圏構想「一帯一路」は習近平が打ち出した目玉の政策です。これは、かつて中国と欧州を結んだ交易路「シルクロード」に沿って新たな経済圏を構築しようというもので、習近平が二〇一三年に提唱しました。コロナ以降は「健康シルクロード」だなんて言ってるけど、もはや「病原菌ロード」だ。

具体的には中央アジアを通る陸路と、東南アジアからインド、中東を通る海路があり、現在、この構想に協力する文書に調印した国家は一三七（中国政府発表）にのぼります。

この資金を補うために、ＡＩＩＢ（アジアインフラ投資銀行）構想がスタートすると、イギリスが、真っ先に参加を表明し、そのイギリスの行動を見て一部のヨーロッパの国がそれについて行きました。ただ、参加を表明した多くの国家は「中国のカネ」が目当てだったのです。うまく、このプロジェクトに参加できれば、ビジネスチャンスが広がると思ったのでしょう。そしてみごとに裏切られた。

いずれにしても、参加した多くの国はこのプロジェクトで自らカネを出すつもりは毛頭ありません。だから、中国政府はこの構想をサポート、推進するために創設したＡＩＩＢに資金が集まらなかったのです。日本とアメリカとオーストラリアは入っていません。

当初、この銀行は資本金一〇〇〇億ドルにするとスタートしたのですが、実際はいまだに八〇億ドルしか調達できていません。

当初は何かうまく回っているように見えたものでした。しかし、実態はＡＩＩＢの金庫は空っぽに近いのです。二〇一九年五月に二五億ドル（約二七五〇億円）の債権を発行したのですが、金利はこの世界中が低金利状態にある中、二・五％という厳しい条件でした。つまり、高い金利でないと誰も引き受け手がなかったわけです。それだけＡＩＩＢは信用されていないことになります。いずれにしても、この程度の資金調達では、どうにもなりません。今では世界銀行などから、通常の貸出金利にプラス一％金利を上乗せしてカネを借りて来ている次第です。

それだけでも異常ですが、さらに異様と思えるのは、ＡＩＩＢが主導して成立した投資案件は五～六件しかないことです。フィリピンの環境整備やインドのグジャラード州の高速道路、バングラディシュの物流整備、エジプトの太陽光発電などです。残り十件はＡＤＢ（アジア開発銀行）の共同出資というカタチにしてもらっています。ハッキリ言ってＡＩＩＢは銀行としての機能が麻痺していて、この投資案件はＡＤＢが主導したものとなっています。ただ、ＡＩＩＢを絡める事で中国のメンツを潰さないようにしているだけなのです。アジア開発銀行の歴代総裁は日本人で、日本が結果的にＡＩＩＢを、そして「一帯一路」を静かに、目立とうとせずに横から支えているのが実態です。

ただ、それでも今、進んでいるプロジェクトの投資金額を全部、足すと一兆ドル程度にはなります。このうち現実に、七千億ドルぐらいは使っているようです。これは、勘違いしないでほしいのですが、ＡＩＩＢの支出金ではありません。中国の銀行がプロジェクトを実行する相手国にドルを融資して、その分を中国からセメントや鉄鋼など建材を相手国に輸出して、インフラを作る仕組みになっています。だから、プロジェクト実施の当事国が自ら借金をして捻出している格好です。

石平　要は他人の褌で相撲を取っているようなものですね（笑）。

面白くなってきた「中国パキスタン経済回廊」

宮崎　パキスタンでは、「一帯一路」構想の中核となる「中国パキスタン経済回廊（CPEC）」を進めています。しかし、そのパキスタンが財政難からIMFに救済を申請したのです。救済申請額は一〇〇億ドル前後で、IMFはこの救済を認めました。認める条件は何か。貸している側の八〇％債権放棄です。中国はパキスタンに六二〇億ドル注ぎ込むことになっていましたが、実際に融資したのは二〇〇億ドルぐらいで、このうち八割を中国は放棄することになります。だから中国は一六〇億ドルをドブに捨てる事になりました。パキスタン一か国だけでこんなに損害を被ってしまったわけです。

ですから中国の共産党幹部から、「一帯一路を推進するために、返済の見込みのない国家ばかりに融資するなんてバカげている」という習近平政権に対する批判が浮上しています。そうなると中国としては、パキスタンに追加してカネは貸せません。

パキスタンのイムラン・カーン首相は昔、クリケットの選手でしたが、中国を訪問して李克強首相と会談を行いました。取りあえず「三〇億ドル貸してくれ」と頼んだのです。李克強は「中国としてはパキスタンにあらゆる協力を惜しまない」と言ってくれたのですが、結局、一銭も貸しませんでした。それで、困ってしまったカーン首相はサウジアラビアとアラブ首長国連邦の両国から緊急融資をしてもらい、今何とか国を運営している状況です。

それで、パキスタンの一帯一路プロジェクトCPECがどうなっているのか。当初の計画ではパキスタンのグワダール（パキスタン南西部にある街）から新疆ウイグル自治区のカジュガルまで、高速道路、高速鉄道、光ファイバー網を引き、さらに原油とガスのパイプライン、五つの線を工事する予定でした。しかし、鉄道を建設している途中で何とレールが次々と盗まれてしまい、さらに高速道路の建設現場ではセメントが盗まれたというのです。

そのため、工事はガタガタで、つながっていません。グワダールは本来なら今頃、商業港として栄えて、世界中から商船が入ってくるはずだった。しかし、現状はカラチから一隻、貨物船が入港しているだけという始末です。また、中国資本がグワダールに建設した五つ星高級ホテルが去年、テロ集団に襲撃されて中国人ら五人が死亡した事件が起きました。グワダールでの中国資本進出は現地の抵抗が強くてなかなか前に進みません。ハッキリ言ってパキスタンの「一帯一路」構想は実現せず終わりになるのです。しかも、物が盗まれるのはかわいいもので、パキスタンの政治家が中国からの融資資金をごっそり盗んで海外に逃亡してしまった。これが、パキスタンの「一帯一路」の現実です。

これと同じ事が、マレーシアで起きました。九十四歳のマハティール氏がなぜ、首相に復帰できたのか。前首相のナジブ氏が、意味不明の財団を作って、この財団を経由して中国などから資金を個人的に約六〇億ドル蓄財したらしいのです。政治家トップが不正蓄財に奔走している国ですから、新幹線計画（マレーシアの東海岸から西海岸まで開通させる）は、完成するわけがありません。ナジブ氏の不正があまりにも酷くて、国民からの支持を失い選挙でマハティール氏が首相に返り咲くことになった。ただ、さすがのマハティール首相も中国に遠慮して、この鉄道建設を全面的に中止するといえないものだから、クアラルンプールから六〇キロの間を完成させて営業を開始します。そして、マハティール首相は高齢なために首相の座を明け渡すことになりました。

石平　営業距離が六〇キロの路線なんてローカル線で意味がないですよね。

宮崎　北京〜天津間みたいなもので、通勤電車として利用するようです。これがマレーシアの「一帯一路」の現実です。あとの国々も、みんな似たようなものです。

ヨーロッパでのモンテネグロの高速道路はまだ完成していません。本来なら三年前に完成していないといけないプロジェクトでした。相手国と、中国側の汚職が原因だといわれています。

一方、ジャカルタでの鉄道建設で中国は日本の建設仕様書を盗んで、無理やり中国企業が受注した経緯がありました。しかし全然、工事が始まっていません。本当なら完成は二〇二〇年で、開通していなければいけません。このように、中国の「一帯一路」シルクロード構想は細かく調査すれば、その酷い実態がいくつも出て来ます。際限がありません。

ただ、奇跡的に開通したのはエチオピアとジブチ間の鉄道です。「一帯一路」構想で鉄道が完成したのはこの一本だけです。だからエチオピア出身のWHO事務局長のテドロスさんが、武漢ウイルス問題で、中国をあんなに持ち上げるわけですよ。

中国と密接な国家の躓き

石平　もうひとつ、今回の「武漢ウイルス」の世界的拡散で興味深いのは、中国と関係が密接な国が先に感染が広がっている点です。イタリアがそうです。イタリアは主要七カ国（G7）のメンバーとしては初めて「一帯一路」プロジェクトに正式に参加を表明して、中国との関わり合いが一番深いのです。それもあって、多くの中国人がイタリアの北部に住んでいて、その数は三〇万人にも上るといいます。また、「イタリアに訪れた中国人観光客は二〇一九年一年間で、前年比一〇〇万人増加の六〇〇〇万人となった」（二〇二〇年三月十二日付、読売新聞）のです。

宮崎　イタリアでの感染は中国人が持ち込んだのは間違いないでしょう。一説には中国人売春婦が持ち込んだのではないかと言われています。ヨーロッパの売春婦は中国人が多いようです。オランダのアムステルダムに「飾り窓」という有名な売春地帯がありますが、その裏の地域にチャイナタウンがあるのです。あのあたりの土地を中国人は買って住んでいる。二年前に家内とオランダを回ったときに「飾り窓」の裏路地に行ったらピカピカの布袋様（ほていさま）を祀っている中国寺院と、中華料理の食堂があって、そんなところにもチャイナタウンが出現しているのには驚きました。

石平　イランも中国との関係が緊密ですね。

宮崎　イランと中国の関係は、もはや「軍事」同盟ですよ。

石平　そうですか。

宮崎　その昔、私はイランに行ったことがあります。髙山正之さんが産経新聞のテヘラン支局長だった頃でしょうが、当時、週一便ですが、イラン航空が成田―イラン間で就航していました。ただ、成田―北京―イランと北京経由だったのです。そして、北京に到着すると飛行機の乗客がガラリと変わったことを今でも鮮明に覚えています。私はそのままイランまで継続して乗っていたのですが、北京から乗り込んで来た乗客はほとんど中国人民解放軍の軍人だった。中国人民解放軍とイラン軍の軍事的な結びつきは相当に強いと思います。ただ、イランも感染者は四月下旬で八万人以上いて、死者は五千人以上と大変な数となっています。

石平　「一帯一路」プロジェクトは将来、消滅するのでしょうか。

宮崎　一斉に中国からの融資に返済が滞りＩＭＦに救済を頼んだら、中国は八〇％も債権放棄させられてしまう。そうなったら中国はたまったものではないでしょう。また、融資を受けた側も、巨額の資金が返済不能となり、中国に重要な港や領土を奪われる「債務のワナ」に陥った国が次々と出てきて問題となっています。

有名なのが、スリランカのハンバントタ港です。二〇一七年に、スリランカは融資の返済が出来なくなった代わりに、九九年間、ハンバントタ港を中国が租借することになってしまいました。そして、アメリカのシンクタンク「世界開発センター」は二〇一八年三月の報告でキルギス、モルディブ、ラオスといった八カ国が借金返済できず、「債務のワナ」に陥る危険があると指摘しています。ですから、「一帯一路」に、どこの国も警戒を示し始めています。中国も相手国も先行きの見えないプロジェクトを実行するのは無理があります。このままでは、ほとんどのプロジェクトは成立せず、自然に消滅するのではないですか。

石橋湛山の『満洲放棄論』に匹敵する『中国放棄論』の真意

石平　それが日中関係にも関わってきます。「一帯一路」をサポートするＡＩＩＢが役に立たず結局、ＡＤＢを頼りにするしかない。ＡＤＢは日本が主役で、そういう意味から「中国を復活」させるのには日本をまるごと呑み込むしかないと、習近平は考えているに違いありません。おそらく、「武漢ウイルス」が収まったら、より一層、日本に微笑みと共に外交攻勢を仕掛けてくるでしょう。

宮崎　何しろ、昨今の中国は日本の悪口を言わなくなりました。毎晩のように流れていた「反日ドラマ」は放映しなくなった。日本政府に対して、中国政府は気味が悪いほどニコニコしています。日本企業が中国から去ったら中国経済はおしまいですからね。日本企業様様ですよ。気味が悪い。兎に角、中国にとどまってほしいと願っているはずです。「武漢ウイルス」を退治したら、日本人は中国へ観光に来てくださいとやるでしょう。それから、日本政府に融資を依頼するでしょうね。カネを貸してというわけです。

石平　歴史的に何回も同じ事をやってきた。中国は窮地に追い込まれたら日本に助けてもらう。そして、窮地から脱出して、中国が元気になれば再び、反日教育を強化して南京大虐殺を取り上げて「日本はけしからん」となるのです。今回も同じです。そのくせ、公船派遣、領海侵犯の「尖閣詣で」は毎日やっている。アメとムチの対日政策は不変ですよ。

宮崎　確かにこの構図はずっと同じですね。

石平　問題は中国がずるいことをやり続け、日本は騙され続けてきたこと。

宮崎　日中の歴史を振り返ると、元寇以来ずっと同じでした。

石平　日本人相手なら、何度でも騙せると中国人は思っています。

宮崎　日本民族のコアパーソナリティーは、二千年、三千年も変わっていません。それは性善説のようなもので人を信じやすいのです。もちろん五〇年や一〇年間で変わるものもある。たとえば、日本の若い人は演歌、軍歌は歌いませんからね。これは、本当にこの五〇年の間に起きた驚くべき変化でしょう。我々、年寄りが聞くと、全然、訳の分からない歌を歌っている（笑）。同じ日本語の歌とは思えないぐらい。

そういう大きな変化は、今後は日中関係のビジネスの場でも起こりうるでしょう。たとえば、今後、日本企業は中国から撤退して中国離れが起きていくのは間違いない。そのペースは徐々にではなく、「いきなりサヨナラ」であるべきです。

石橋湛山（たんざん）（一八八四年～一九七三年、ジャーナリスト、政治家）が戦前、「満洲放棄論」という論文を書いたことがありました。「大日本主義」ではなく、いわゆる「小日本主義」を主張した。あの時、日本全体が燃えるような勢いで、満洲国を建国しそこは日本の生命線だと信じていた時にです。その状況下で「満洲放棄論」を主張したのですから、世間は石橋湛山を「気が違ったのではないか」と罵倒しました。しかし、いまにして思えば評価できる点もある。早すぎた予言ともいえます。

これって、今と同じですよ。「軍事大国」で覇権主義を目指す中国市場に惑わされるなということで、われわれはもう何年も前から「中国放棄論」を唱えてきました。論より証拠ではないですが、この私たちの本にしても、実に第十一弾でしょう。十年間、ある意味、強い需要があるからです。

石平　宮崎さんの『中国は猛毒を撒きちらして自滅する——全世界バブル崩壊の引き金を引くのも中国』は十三年前からの予測。そして、いまや全世界の経済崩壊の引き金を中国は引いてしまった。しかも「猛毒を撒き散らして自滅する」可能性も大だから、中国からは一刻も早く撤退し、中国市場を放棄する気概を日本の、いや世界の経営者はみせるべきときですね。

宮崎　「中国よ、サヨナラ」なんて主張している私や石さんのことを、クレージー呼ばわりする人もまだいるでしょう。いまだに日本人の多くが中国は大事だと思っているのだから。

石平　でも、中国は、日本やアメリカ、ヨーロッパ諸国など世界中の国々に「武漢ウイルス」を撒き散らしたわけです。これをキッカケに各国は本気で中国から脱出を考えてくると思う。中国は独裁体制の下、異質な国家であり、周辺国家にいつも難題をもちかけ、情報を隠蔽して独りよがりの行動をしてきた問題国家です。「SARS」（重症急性呼吸器症候群）のときもそうだったし、今回のコロナ、武漢ウイルスの拡散もそう。今後も、この独裁国家がどんな悪さをするか。もはやアジアだけでなく世界の嫌われ者になったのがいまの中国ですよ。

「人様にどんなに迷惑をかけても、絶対にお詫びをしないし、反省もしない」。逆に他国に危害を加えておきながら、尊大な態度に出て来る。中国は世界中を舐め切っています。なのに、中国政府、習近平が「中国がこれから世界を救う」というわけでしょう。そんなゴーマン国家と、深く付き合ったら、禍根を残します。いろいろな国家が教訓として、「中国に近づくと、必ず火傷（やけど）する」ことを今後は肝に銘じてもらいたい。今回の「武漢ウイルス」をキッカケに真剣に考えてほしいです。

宮崎　英国もいずれ急カーブで「アンチチャイナ」になっていく。ジョンソン首相までが武漢ウイルスに感染し集中治療室に入れられ、一時は志村けんさんみたいに急死するのではないかと危惧されましたよね。

英国の有力紙『デイリーテレグラフ』（四月一日）で、チーフコラムニストのコン・コフランさんが「Coronavirus means that we must now treat China like a hostile state」（コロナウイルスが意味すること——我々はもはや中国を敵性国家として扱う必要がある）というコラムを書きました。

「あたかもウイルスの被害者であるかのようなメディアキャンペーンを展開。四万人以上の人命が失われるといった世界的な公衆衛生上の危機を作った責任から逃れるようとするだけでなく、第二次大戦以来最悪ともいうべき世界不況を招いた」「西側のお人好したちによる、とりあえず中国を信用してみようかなどという時代は、完全に終わってしまった」と。要は中国との経済的利害に目がくらんだお人好しな欧米の政治家を批判したものです。

英国は「一帯一路」にも前向きで、トランプ大統領からの「ファーウェイ」外しの要請にも消極的でしたが、今後は完全にアメリカ側につくことになるでしょう。5Gへのファーウェイ参入を白紙に戻すことや、中国に依存したサプライチェーンを全面的に見直すことになるのは必至です。

日本でも元朝日新聞の船橋洋一さんのような人が、こんなコラムを朝日に書けば評判を呼ぶでしょうが、朝日にはとても載せられないでしょうね。

日本ではテレビ局とか大手新聞社といった大手メディアがそういう視点からの言論を展開しないからね。こうした大手メディアの記者たちは中国大使館に召集がかかって、

「ちゃんと報道してくださいよ」と要請されて、睨まれるとほとんどの記者たちは筆を曲げて、おかしな記事を書くことが多い。まともなのは、産経新聞だけじゃないかな、中国と闘っているのは。

石平　産経新聞社の人の話によると、産経も、北京でも特派員はよく召集されて物言いがあるそうです。

宮崎　中国政府は、産経新聞の記者にだけ取材用ビザを出さないとか揺さぶりをかけますよね。ジャーナリスト扱いをされていない。全人代にせよ何かの社会行事にせよ、産経だけは取材させない。中国の認識では産経は新聞社ではなくて政治団体と総括しているようです。

石平　産経新聞は中国政府からウソばかり書いていると、何回も抗議を受けています。ある産経記者は「どんな記事がウソなのか?」と、訊ねたのです。そうしたら、石平が書いているコラム「『石平のＣｈｉｎａ Ｗａｔｃｈ』はウソばかりじゃないか。その連載を止めさせろ」と言われたとのこと（笑）。そう言われたら、逆に産経新聞としては余計に私のコラムを止めさせることが出来なくなってしまう。だって、コラムを止めさせたら、産経新聞は中国共産党に屈したことになってしまうから。だから私は意地でもコラムを書き続けないといけない。中国共産党のお陰で産経新聞にコラムを書き続けることが出来るわけです（笑）。

宮崎　中国共産党に感謝しないといけないかも（笑）。

世界から損害賠償を請求されて中国は潰れる？

――今回の「武漢ウイルス」で習近平に賠償請求ができないでしょうか。ようするに韓国の「徴用工」裁判みたいに……。「武漢ウイルス」のために仕事がなくなり、その分の給料を支払えと自国の裁判所に訴えることができません。北京の裁判所に訴えても受理されないでしょう。しかし日本の裁判所なら、今回の「武漢ウイルス」の影響でイベントがドタキャンとなって経済的な損失を被って、中国共産党に賠償を払えという訴えが受理される可能性があると思うのですが、いかがですか。もし中国が支払わないというなら、日本にある中国資産を差し押さえるとか。

宮崎　うまくやれば、出来ない事もないでしょうが、日本の裁判所は「リベラル」だから、日本では受理しないのではないかな。

石平　首相が靖國神社を参拝したら、精神的な苦痛を受けたとして訴える裁判ができるなら、理屈をつければ中国相手の裁判は成立するような気がします。私も講演のキャンセルが相次いだので、その補償を中国に求めたい（笑）。

宮崎　お互い、三月から五月にかけて講演はすべてキャンセルされましたね（苦笑）。その点、アメリカは訴訟大国。弁護士があらゆる理屈をつけて裁判にする国。アメリカ人が被害を受けたということを証明すれば裁判を起こせる。

すでに、三月二十日にネバダ州ラスベガスでロバート・エグレット弁護士が全米三千二百万にのぼる中小企業のうち、百万以上のビジネスが「武漢ウイルス」の影響を受けて規模を縮小し、閉鎖を余儀なくされたとして損害賠償数千億ドル規模となる訴訟を中国政府に起こしました。このほか、フロリダ州でも同様な訴えが南部地区連邦地裁でもありました。

いずれも中国政府が「欺瞞行為や誤った情報を流し、隠蔽した」ことが原因で、惨事となったと指摘しています。

さらに米法律事務所バーマン・ロー・グループはこのほど、中国当局などを相手取る集団訴訟を提起。中国当局による対応の誤りで感染が世界に広がったとして、数十億ドル規模の損害賠償を求めるとのこと。中国側が賠償に応じなければ、アメリカ国内にある中国当局の資産を凍結するなどの措置を取るという。

こういう裁判を起こす理屈は、中国では当初、感染の現状を訴えた医師の告発が封じ込まれたことなどを挙げて、「中国政府は、情報を公開せず、政府内にとどめた。感染拡大の責任は中国にあり、その償いを求める」と追及すればいい。最高裁はともかく州レベルの裁判所なら「中国有罪」の判決は出るでしょう。

この中国叩きの流れは、全米はむろんのこと、世界的に大きなものになりそうです。現に英国、エジプト、トルコで同じ提訴が行なわれています。

ただ、日本人はこの流れには乗らない可能性が高いのではないかな。訴訟に対する意識が薄いからです。志村けんのプロダクションだって中国を訴えたらどうだろう？　それに関してですが、アメリカ人が日本人のビジネスで一番、ビックリするのは、不動産の売り手と買い手の代理人が一緒だったという点です。それはあり得ないからです。

石平　利益が相反しますからね。

宮崎　買い手は買い手の利益を代表して代理人が交渉して、売り手は売り手の代理人が交渉する。それが通常のスタイルです。

石平　日本人は甘いね。

宮崎　甘いというより、〝和の社会〟ですから。社会の成り立ちというか、民族性の違い。日本の社会は相手を信用するのが前提です。相手の事をまったく信用していない国・アメリカでは、契約文書をどんな場合でもかわします。弁護士が立ち会います。その違いですよ。

武漢ウイルスをめぐっての都市封鎖などの考え方も欧米と日本では違っていたでしょう。「法律」「罰則」がないと公共のルールを守れない国と、「罰則」のない「要請」でも基本的に守る日本との違いともいえるでしょうね。世界を見渡すと、同じ民族であっても、信用し合っていない社会の方が、多数派ですから。とはいえ、「チャイナフリー」「アンチチャイナ」に関しては、今後は日本も国際社会の歩調、とりわけ米国の主張に合わせないといけないと思う。

ところで、今回の中国発の病名に関して、とうとう日本でも、名称、呼び方が問題となりました。自民党の山田宏議員が「武漢ウイルス」「武漢肺炎」がいいのではないかと主張したら、政府や一部メディアなどは国際法上「国名・地名を使ってはいけないことになっている」と反論していましたね。

石平　そんな国際法は関係ないですよ。我々は政府ではありませんから。ハッキリとどの地域から発症したか分かるように名前を付ければいいのです。

宮崎　我々は民間人だからね。アメリカ政府に従うわけではないが、ハッキリ地名を入れて「武漢コロナ」とか「武漢ウイルス」とか「武漢肺炎」でオッケー。「中国肺炎」「中共肺炎」でもいいいと思います。

石平　少なくともＷＨＯの付けた「ＣＯＶＩＤ-19」はダメですね。

第4章

武漢ウイルスより怖い未曾有の大惨事が勃発する

「インド太平洋戦略」で中国封じ込めを！

宮崎　中国の「一帯一路」に対抗して「安倍外交の目玉」として打ち出した「自由で開かれたインド太平洋戦略」が、中国封じ込め戦略として大切なので、ここで触れたいと思います。

この構想を安倍首相が明らかにしたのは二〇一六年八月、南アフリカのケニアで開催されたアフリカ開発会議での基調演説でした。東アジア―中東―アフリカに至る広大な地域で日本を軸にしてインフラ設備、貿易、人材育成を推進するというものです。それとともに、「海を平和なルールの支配下におく」ために日本、アメリカ、インド、オーストラリアが戦略的に連携する「日米印豪」の安全保障も目的にしています。これに対してトランプ大統領は訪日の折に、横田基地で「日本とともに自由で開かれたインド太平洋地域を構築していく」と述べ、安倍首相の構想に全面協力することを表明したのです。

このインド太平洋戦略に基づいて、アメリカは二年ぐらい前から突如、インドに肥料を送り始め関係の強化に乗り出したのです。そして今年一月二十四日にトランプ大統領はインドを初めて訪問しました。大歓迎を受けて、トランプ大統領はモディ首相の出身地であるグジャラート州にも招かれました。

トランプ大統領にとって、インド訪問の外交成果は、インドにアメリカ製の兵器を売った事です。軍用ヘリコプター、ドローン、ミサイルシステムなどで売却金額は三〇億ドル（約三三〇〇億円）と額として大きいものではありませんが、そこに食い込んだ意義は小さくありません。インドはこれまでロシア製の兵器体系を維持してきたわけです。が、そこに初めてアメリカ製の兵器が入り込むことで、インド軍は徐々にアメリカ軍の兵器体系も併行させてゆく可能性があります。そして、何よりもアジアでプレゼンスを強めている中国軍に対してインド軍が力をつける、その意味合いは大きいと思います。トランプ大統領は中国を封じ込めるためにインド重視の姿勢を鮮明にしたと言えます。

そして、言うまでもなく中国にとっての宿命の敵はインドです。こうしたアメリカの行動は中国にしてみれば困る。そして、ロシアも迷惑していると思います。なぜなら、ロシアにとってインドは兵器を購入してくれる「お得意さん」だったからです。ロシアにとって武器は石油天然ガスとならんで外貨を稼ぐ貴重な輸出品です。あとロシアが誇る輸出品はないでしょう。マトリョーシカ？　ウオッカ？　ロシア製ウオッカはメチルがはいっていたりするのでロシア人はスウェーデンか米国のウオッカを飲んでいますよ。

ロシアの航空会社アエロフロートロシアはモスクワからインドのゴアというリゾート地まで直行便があります。ロシア人に人気があるゴアは、カジノあり、ディスコ、バーもあって、ロシア人でいっぱいです。ゴアはイエズス会の本拠地で、フランシスコ・ザビエルがそこから、日本まで来たのです。日本とも実は縁があります。三年ほど前に行ったとき、リゾート地に日本料亭もありました。

それからインドのムンバイからアーメダバード間の約五〇〇キロを日本の新幹線が通ることになりました。総事業費は一兆七千億円で、このうち約八割を円借款で賄ったのです。このように日本とインドとの関係は経済面、文化面でも良好に築き上げられてきました。今後とも日本とインドの関係は深まっていくものと見られます。

ただ、インドでは中国製の5GスマホがOKで、インドで売られている携帯電話はファーウエイ製です。さらに価格の安い携帯電話がインド国民の間で人気ですが、中国メーカーのオッポ（OPPO）と、シャオミ（小米）製の携帯電話がその主流製品となっています。すでに相当、インドで普及しています。そして地上基地局はファーウエイと、ZTEが担当しています。ですから、携帯電話についてはインドは中国の影響下にあると言えます。
　インドは異様なくらい焦っています。なぜかというと、隣国のパキスタン、スリランカ、モルジブと、みんな親中国国家で、地政学的には中国の「衛星国」に囲まれてしまったからです。しかも、中国はネパールの首都カトマンズに進出していて、ヒマラヤ山脈にトンネルを掘って中国とネパール間に新幹線を通すと言っている。それはマンガみたいな話ですが、ただ、大きく迂回する高速道路は建設しました。それはヒマラヤ山脈を回っていく道路で、すでにバスも部分開通しています。そしてカトマンズに進出した中国企業は相当あります。現在、カトマンズ市内は中国人で溢れています。

石平　それは、インドにとって不愉快な出来事ですね。

宮崎　インドとしては極端な話、ネパールを「自分の子分」と思っていました。そこに、中国が割り込んできたわけです。しかもネパールはバランス外交という名目の下、中国を歓迎しています。貿易はインドがネパールにカーペットや衣類関係を主に輸出してきましたが、中国もネパールに輸出しています。インドの中国に対する脅威意識は、すごく良く分かります。しかし、ネパールはインドが嫌いです。インドは威張るからです。
現在、ネパールにインド人は六〇万人ぐらい住んでいますが、徐々に中国の影響度が増してきているのがインドとネパールの状況です。

例外は鎖国しているブータンで、外交と防衛をインドにまかせ、中国とは国交がありません。

中国の南太平洋進出に苛立つアメリカ

宮崎　また、21世紀になってから、中国は南太平洋にも積極的に進出してきました。オーストラリアとニュージーランドのテリトリーに中国が土足で入ってきた格好です。許せないのは中国は露骨に南太平洋の諸国に「カネを貸すから台湾と断交しろ」と迫った事です。そのため、台湾は一九八三年から外交関係を維持してきたソロモン諸島と関係が絶たれ、去年九月にはキリバスが台湾と断交しました。融資や経済支援を武器にして、太平洋諸国に台湾との外交断交を強制する中国のやり方にアメリカやオーストラリアは強い危機感を持っています。
中国は全然、シルクロードと関係ない南太平洋地域を「海のシルクロード」だと勝手に命名して、インフラ整備などを加速させようとしています。

アメリカに言わせると、中国が第一列島戦、第二列島戦という防衛ラインを超えて南太平洋にも進出してきた狙いは「中国軍はアメリカ軍の背後を突こうとしている」と判断しています。アメリカがこのように考えるのは当然でしょう。

南太平洋の大国は、パプアニューギニアとフィジーです。フィジーのマグロ市場に中国資本が入ってきて、缶詰を製造するようになりました。

また首都スパにあるサウスパシフィック大学に、中国の「孔子学院」が開校しました。この孔子学院は、中華人民共和国が海外の大学と連携して中国語や中華文化を教育するための機関といわれています。が、実態は違うのです。中国人スパイの出先機関のような存在です。海外の大学で中国批判をする授業を妨害し、中国政府の意向に沿って行動するなど、中国共産党のプロパガンダが目的です。ですからアメリカなどでは、多くの大学の孔子学院を閉鎖させました。

パプアニューギニアの首都ポートモレスビーで二年前に実施されたＡＰＥＣ会議場は、立派でピカピカの建物ですが、中国が建設し寄付した建物でした。今でも沖合の島々では内乱状態が続いていますが、中国は虎視眈々とパプアニューギニアへの進出を狙っているのは事実でしょう。

そして、パプアニューギニア東部のブーゲンビル自治州の独立運動にもカネをつぎ込んで中国は煽っているフシがあります。この島は日本海軍の山本五十六連合艦隊司令長官が戦死した島として有名ですが、島の銅山の利益配分で地元住民が反発して独立運動が展開されていました。島の住民投票の結果、独立を望む住民が八〇%を占め、これに関連して銅山事業開発に中国が意欲を示すものと予想されます。

ついでに申し上げると、イギリス連邦加盟の共和国として南太平洋にバヌアツ共和国が一九八〇年に独立しましたが、私がこの国を訪れ首都のポートビラを歩いていると繁華街六百店の内、何と五百店が中国系の店だった事には驚きました。こんなところにまで中国は進出してきたのかと。それが私の正直な感想でした。二〇一〇年に中国が同国に接近、中国からの多額融資で首相官邸やスポーツ施設、会議場を建設して、港湾の設備が行われています。

この国では、マンションを日本円にして三千万円で購入するとパスポートをくれます。このパスポート欲しさに中国人がバヌアツ共和国のマンションを買いあさっています。どうしてか。パスポートのランキングで日本は世界トップクラスで、ビザなしで行ける国の第一位を、日本はシンガポールと争っていますが、バヌアツは七四位です。ちなみに、中国は百位以下。そうすると中国人は、自分たちのパスポートより評価の高いバヌアツのパスポートを持ちたがるというわけですよ。

石平　さすがに日本のパスポートは買えないですからね。

宮崎　また、バヌアツの北にある島に昔、日本軍が軍港を作って大東亜戦争の後にアメリカ軍が使用していたのですが、今ではその軍港を中国が使っています。これはオーストラリアやニュージーランドから見ると、自分たちの庭先が、中国に荒らされているという認識になります。アメリカもこうした中国軍の動きに警戒を強めています。

こうした中国の動きを牽制するためにアメリカとオーストラリアが南太平洋諸国の開発に、カネを投入することになりました。巻き返しを図るというわけです。そしてアメリカが狙っているのは南太平洋諸国からのファーウエイ排斥です。そもそも南太平洋において、携帯電話を5Gにする必要はないと思います。考えてみればそうでしょう。南太平洋の人びとは会話さえ出来れば事足りるのです。なぜ、中国は南太平洋諸国に5Gを普及させようとしているのか。

その狙いは海底ケーブルです。中国企業が海底テーブルを引くと、完全に南太平洋全域の情報通信網を中国に乗っ取られてしまいます。安全保障上、これは大変な問題となるためオーストラリアは慌てて、南太平洋から中国を撤退させようとしているわけです。オーストラリアがこの海底テーブル敷設事業に乗り出したのは、そうした背景があったのです。ただ日和見的なのがニュージーランドです。同国のアンダーソン首相（女性）は政治的にすごくリベラルで、おかしな政策ばかり出してきます。なにしろ産休で六カ月間、首相の業務を投げ出した人だから。

日本参加の「シックスアイズ」になれるか

石平　それにしても、今回の「武漢ウイルス」で米英やカナダ、オーストラリア、ニュージーランドは、早い段階で中国の入国制限に踏み切りましたね。

宮崎　この五カ国は、「ファイブアイズ」と言って、アメリカ、イギリス、カナダ、ニュージーランド、オーストラリアの英語圏五カ国で情報を共有していたからこそです。これは、主に通信傍受システム「エシュロン」を共同運用し、電波やメール、インターネットなどの「電子情報収集（signal intelligence=シギント）」を行っている。それぞれが自国や在外公館などに通信傍受施設を設け、電波情報を収集・交換しています。だから、各国とも結構いい中国情報を持っている。今回の「武漢ウイルス」に関する内部情報もいち早く正確に手に入れたのだと思います。中国共産党やWHOが「新型肺炎はたいしたことはない」と喧伝している嘘を見抜いていたんでしょう。日本はこの情報ネットワークに加盟していませんが、日本の技術力だけは高いので、このファイブアイズに日本も入れようという動きがあります。近い将来、「シックスアイズ」になるかも知れません。だけど、日本は情報を貰うだけで、反対に提供する情報はあまりないからね。それでは相手にされなくなる。

石平　それで、思い出すのが、第二次安倍政権が誕生した当初、安倍首相は各国と連携して中国を封じ込めようとしていました。これは「安倍外交」の大きな成果でした。とくに太平洋に進出しようとしていた中国を抑え込む世界戦略は正しく、有効だったと今でも思います。でも、残念ながら今の安倍政権は八年目になり、その戦略が薄れてきているかのように影を落とし始めています。中国封じ込めの旗振り役だった安倍首相が、最後は習近平と仲よくして、習近平を日本に国賓として招待するつもりでした。他国からすれば日本の変わりようが分からないと思います。

宮崎　日本の変わりようという点では、トランプ大統領の側近たちに安倍首相に対する不信感が渦巻いているといいます。これは古森義久（産経新聞ワシントン駐在客員特派員）リポートに出ていました。私からみますと、安倍首相は、ボクシングの試合にたとえると八ラウンドまで勝ちっぱなしで来たようなものです。しかし九ラウンドになって息切れして、最近はコロナ対策もあってか、ものすごく疲れた顔をしている。奥さんの「花見」騒動もあったりしたからかもしれませんが（笑）。

ただ、日本は安倍首相のお蔭でアメリカ重視の外交でうまく行っていたのですが、国内政治を見渡せば、自民党は公明党と組まないと、どうにもならないところまで統制を失ってしまいました。それが一番目の問題だとすると、二番目は自民党内の問題です。ほとんどの自民党議員は、北京に目が向いている実態があるのです。

石平　ＩＲ（総合型リゾート）、カジノの収賄事件――あれには私もびっくりした。百万単位のちょっとしたおカネで、日本の国会議員は買収されてしまうのかと。中国では村長でも、それ以上の金額の賄賂を取っています。もし、地方政府ならば、係長クラスぐらいが取る賄賂額です。ですから中国では笑い話になっています。日本の国会議員はわずか二〇〇万円で買収できるのかと。日本の国会議員の「尻軽」は軽侮の対象になっています。

宮崎　「民主国家」日本ではそれでも高額賄賂になります。コロナ騒動で目立たなくなっていますが、選挙でアルバイトに渡す手当てが一万五千円でないといけないところを三万円渡してしまったからといって国会では大騒ぎになっているのです。広島地検もそれだけだとあまりにも形式犯罪だから、ほかにも「賄賂」「買収工作」があったとするために、重箱のスミをつっついてあら探しに躍起です。

石平　政治家も地検もどっちも情けない。

宮崎　IRで、捕まった国会議員はチンピラですよ。もっとでかい、背景があります。これはハッキリした事は分かりませんが、トランプと大統領との密約が関係しているようです。この収賄事件は突然、降ってわいた印象がありますね。アメリカのカジノの胴元、ラスベガスのサンズと組んで、日本政府幹部が、次の総裁選の軍資金作りを狙って動いているという説もある。サンズのCEOのアーデルマンはトランプの最大の胴元ですからね。今回の事件は、何の権限もない下っぱの議員が捕まっただけです。

いずれにしても自民党の党内を見渡せば、議員のほとんどが中国に色目を向けています。自民党の最大のスポンサーである財界もほとんどが中国寄りでしょう。財界、大企業はサプライチェーンに巻き込まれているから、中国から簡単には抜け出せません。

抜け出さないと「命取り」になる

石平　しかし問題は、中国の軛（くびき）から抜け出せないと、日本経済は命取りになります。

宮崎　その通りです。たぶん、真っ先に日産が危ないね。日産は売上げどころか、利益も中国のウエイトが高いでしょう。日産がこけたら、自動車産業界全体の影響は大きい。日産の下請け会社は細かい部品製造会社まで入れると約三〇〇社あります。日産は自動車部品を中国工場で生産し日本にもってきていましたから、今回の「武漢ウイルス」の影響で中国から部品が届かなくなったため、日産の主力工場である九州工場が動かないわけです。ちなみにトヨタは全投資額の一五％ぐらいが中国向けです。この程度の規模でしたら中国の投資がすべて「パー」になっても何とか、助かるでしょう。現にトヨタは一兆円の融資枠を銀行に要請しています。ドイツで言えばフォルクスワーゲンは日産より危ないね。

石平　武漢市には各国の多くの自動車部品メーカーがあります。

宮崎　自動車のパーツは二千点ないし三千点あるでしょう。これを下請けの二〇〇社、三〇〇社に作らせているわけで、サプライチェーンが一か所でも止まったら、自動車は作れません。簡単な話、部品が一つでも手に入らなければ、組み立てラインは止まってしまうのです。トヨタはエンジンなど、部品を愛知県にある工場などで製造しており、それを中国の組み立て工場に出荷していました。これも中国のサプライチェーンがとまっているから、トヨタの組み立て工場が止まっています。いずれにしても、今回の「武漢ウイルス」がいい教訓になったのではないかと思います。

そして、自動車だけではなくて、産業のコメと言われている半導体も生産が半減しています。中国は半導体を世界中から買っていました。韓国や台湾の半導体メーカーからの輸入は約九五％を占めていたと思う。

中国は自分で半導体を作れません。なぜかと言うと、半導体製造装置が中国で生産できないからです。この装置が作れるのはアメリカと日本、そしてオランダの三カ国だけです。トランプ大統領が近年中国に製造装置を輸出するなと命令を下した。だから、中国は半導体製造装置を自国で作らないといけなくなったわけです。

それで、今回の「武漢ウイルス」で何が分かったか。武漢市から五回にわたって全日空のチャーター機が日本に帰ってきました。帰って来た日本人の半分が半導体のエンジニアでした。

石平　えっ、日本の半導体技術者が中国に行っていたのですか。

宮崎　つまり、日本のエンジニアを高額で雇い中国に呼んで、半導体の設計図を引いてもらい、製造装置を作ろうとしていたのです。今、エンジニアは日本から中国に行けないから、そのプロジェクトは停まっています。だから、中国が進めている「中国製造2025」は遅れますね。

石平　武漢市は「中国製造2025」の中心拠点と言われています。

宮崎　「モノ」と違って、エンジニアという「ヒト」の行き来は別に制限を受けていませんからね。半導体という物品を中国に輸出したらアメリカから制裁を受けるけど、「頭脳」が現地に行けばそのバリアをくぐり抜けられる。今後はここに注視する必要がある。

トランプの先見性に脱帽

宮崎　半導体製造装置を製造している日本の会社は東京エレクトロン、アドバンテスト、日立ハイテクノロジーズ、キヤノンですが、大変なのは半導体の設計です。これも、中国人には出来ません。イギリスにＡＲＭ（アーム）という会社がありますが、半導体設計でナンバーワン企業です。日本のソフトバンクの孫正義氏がＡＲＭを買収しました。買収金額は約二四〇億ポンド（約三兆三千億円）です。そうしたらアメリカ政府がこの買収に異議を唱えたのです。

今度は、ＡＲＭホールディングスが中国事業の株式を中国の投資家財団に七億七千五百万ドルで売却し、「中国企業にＡＲＭの半導体技術の使用権を与え、中国本土でＡＲＭの技術を開発する」ことをソフトバンクは明らかにしました。このＡＲＭチャイナの株主の一人は孫正義氏でした。こういうふうに、孫正義氏が、中国にアシストしていたのは、間違いない事実です。だから、アメリカのＦＢＩは孫正義氏の背後を追いかけています。

半導体に使用するレアアースや部品は中国で製造できます。しかし、先ほど述べましたが、肝心の半導体製造装置がまだ作れません。三年後に中国は自分たちで半導体装置を作ると言っているけど、アメリカの制裁を受けているから、おそらく当面実現は難しいでしょう。

そうすると、何が起きるかというと、スマホを中国は製造できなくなるのです。アップルは中国で全部、携帯電話を製造していたわけですが、今はほとんど出荷できない状況です。アップルは現在、従業員一万二千人が自宅待機中です。時間はかかるけれども、トランプ大統領が今、やっている対中政策は本当に「じわっ」と、中国に効いてきています。

石平 そういう意味ではトランプ大統領は先見性がある。十年後になれば、世界はトランプに感謝しないといけなくなると思う。もし、トランプ政権が誕生しなかったら、二〇三〇年ごろに、我々は情報網や産業力をすべてを中国に牛耳られていたかも知れません。そうなったら、世界は終わりでしたね。「地球温暖化」云々より「地球非民主化」の到来でした。

宮崎 そうです。民主党のヒラリーが大統領だったらアメリカと中国との関係は親密となり、中国から相当なカネがヒラリーに流れていたでしょう。

石平 やはり、人間の歴史というのは、しかるべき時にしかるべき人物が出て、最後にしかるべきことをやってくれる。たいしたものです。

宮崎 民主党の大統領候補バイデン元副大統領だって親子で中国関係のおかしなファンドを作りました。それで何をしていたかというと、ジェット戦闘機に使う電子技術を中国に売ったことがありました。その事をトランプ大統領は完全に摑んでいるので、大統領選挙で土壇場になったらその事がきっと表に出てきますよ。

石平　民主党の大統領候補がバイデンになりましたが、トランプに勝ってほしい。バイデンになったら対中戦略が心配です。幸い、今年は一月に台湾総統選挙で蔡英文氏が圧勝した。しかし、四月の韓国総選挙では文在寅支持の与党が残念ながら圧勝してしまいましたが、それはともあれ、十一月のアメリカ大統領選挙でトランプが勝ってもらったら、自由主義陣営はほぼ安泰、間違いなしです。

宮崎　韓国は自由陣営じゃないからもうどうでもいい（笑）。イギリスの総選挙はこの前保守党が大勝しEUから離脱。あとは、ドイツのメルケル首相が早く変わらないとね。ドイツ経済がここまで苦境に立たされたのは、中国に深入りしすぎたメルケル首相の責任が大きいから。

ドイツ銀行はフォルクスワーゲンに対する融資が出来なくなり、メルケル首相が慌てて北京に飛んで行って、中国工商銀行から融資をしてもらった事がありました。それでフォルクスワーゲンの経営は今のところ何とか持っているわけです。ただフォルクスワーゲンは経営危機に陥っています。中国でもフォルクスワーゲンのクルマは売れないし、ヨーロッパではとうの昔から、人気がない。ヨーロッパはベンツとBMWの天下です。ニッサンもそうだけど、中国に依拠しすぎたところは国も企業も大変ですよ。自業自得だけど。

二〇二〇年は激動期に突入――コロナに続くバッタ来襲

石平　二〇二〇年は年初から激動の時代に入りました。後半はまだ、コロナ後遺症で、いろいろな事が起きると見ています。場合によって二〇二〇年年末、あるいは二〇二一年年初から世界が大きく変わる可能性が高いと思う。人類がこれまで経験のしたことがない暗い事件が待ち構えているような気がします。

宮崎　まぁ、日本は来年（二〇二一年）、東京オリンピックがある予定！

石平　来年夏の東京オリンピック開催が成功すればいいですね。それまでに「武漢ウイルス」が収まってくれたらいいのですが。

宮崎　ただ最悪のシナリオがあるときは、事態は必ず最悪にブレるという法則がありま す。金銭的に言うと、東京オリンピックが開催されなければ、日本は直接的に一兆五千億円ぐらいの損となるところだったのでまだ不幸中の幸いではあります。スタジアムは建てたし、プールは作ったのに……とならないだけでもマシ。ただ、一年延期になった分、維持する経費は別途負担になりますが……。

石平　ここで、根本的に問題の提起をしなければいけないと思う。もし、毛沢東時代に武漢市でどんなウイルスが発生しても、世界には関係がなかったはずです。自国内で蔓延し、被害は外にでることはなかったでしょう。そういう観点からすると、毛沢東の鎖国的な文革下の独裁統治は世界にとって都合が良かったとも言えます。中国を完全に鎖国状態にしたからです。中国人は外に出られないし、外国人は中国に入ることが出来ませんでした。当然のことながら、経済的な往来もほとんどない。いまの北朝鮮みたいなものです。

そういう時代に中国でＳＡＲＳが起きようが、「武漢ウイルス」が発生しようが、中国が権力闘争でどんなことになろうが、世界とはなんの関係もなかった。

宮崎　毛沢東時代は、疫病の流行より人の殺し合い、それから飢饉が大変でしたね。一九六〇年の大飢饉では最低三千五百万人が餓死しています。

石平　そうですね。実際、「大躍進」計画で何千万人もの民衆が餓死しました。

宮崎　今後も、最悪の事態に中国が転ぶとしたら、やはり国内で飢饉が起きますよ。

石平　確かにそういう可能性があります。初夏の季節は、本来中国で言えば春光の季節、この時に農業がうまく行かないと、食料は足らなくなります。いままでは、外貨準備高が豊富にあって、世界市場から大量に食料を調達すればよかった。しかし、貿易決済に必要な外貨が枯渇しつつある。中国の外貨準備高は三兆ドル（ピークは約四兆ドル）ありますが、このほとんどがドル建てで借金の担保になっているのです。このため取り崩すことが出来ません。ですから海外から穀物など食料品を買う資金がなくなる可能性は否定できません。買えなくなると本当に中国で飢饉が起きてしまう。

宮崎　もうひとつ、怖いのは、バッタです。

石平　それは、どうなるか分からないですね。

宮崎　四千億匹という大量のバッタが東アフリカのソマリアで二月に発生し、あっという間に農作物を食べつくしてしまっているらしい。各国で農作物に大損害を齎(もたら)していま す。今は東アジアからインパール、インド、パキスタンまで来ています。エベレスト山脈を回り込んで、中国に入って来ると、とんでもないことになります。

すでに、中国政府は三月一日、地方政府にバッタの来襲に備えるように通達を出しているし、二月末から西隣のパキスタンにも、バッタの大群による農作物などへの蝗害（こうがい）を防ぐための専門家チームを派遣しています。国連の食糧農業機関（ＦＡＯ）も、ソマリアでは二十五年、隣国ケニアでは七十年に一度の危機として緊急事態を宣言しているのです。

今のバッタは太っているらしい。バッタによって中国の農作物に被害が齎され、飢饉に陥ったら世界中に中国を救える国はありません。

アメリカの穀物在庫を全部、放出しても間に合わない。ですから、今年後半から来年前半にかけての国際情勢は国防、衛生、食糧問題等々、あらゆる面からも油断できない「一年間」なのです。一月に明るみになった「武漢ウイルス」感染で世界中が大騒ぎになりましたが、初夏以降、どんなことが起きるか。現に四月に入ってからの情報では中国はコメの買いつけに動いて備蓄し始めています。この本が出版される時点で世界地図がどう塗り替わっているか注意しておく必要がある。

石平　日本は地震も心配です。南海大地震はいつ起きてもおかしくない。コロナ騒動で揺れているときに、そんな被害が新たに起きたら日本は大変です。

宮崎　この春、「Ｆｕｋｕｓｈｉｍａ50」という映画が封切りになりました。二〇一一年三月十一日に発生した東日本大震災に伴う福島第一原子力発電所の事故で、未曾有の事態を防ごうと現場に留まり奮闘し続けた人々の知られざる姿を描いたヒューマンドラマです。私たちの共通の友人でもある門田隆将さんの書いた作品の映画化です。コロナ騒動で映画館が閉まったため見た人はそんなに多くないかもしれませんが、とてもいい映画です。こういう時期ですから、映画館には行きづらかったと思いますが、チャンスがあればネット配信、ＤＶＤなどで是非ともご覧になっていただきたい。３・11直後の原発事故で、放射能の過剰反応が起きたでしょう。まず日本にいた中国人がパニックに襲われて、十八万人の中国人が、一斉に日本から中国に引き揚げました。

そして、中国政府が日本に対して救援部隊十人が派遣されたのですが、救援の撮影が終わったら、さっさと中国に帰ってしまった。そして大阪まで逃げた有名人、評論家、政治家がたくさんいました。有名なのが小沢一郎氏でした。原発は放射能爆発しません。だから当時、私は何でみんな慌てているのだろうと、不思議でしょうがなかった。あの時の民主党政権が立ち入り禁止区域を作り、変な事をやって、過剰な放射能対策を実施した。しかし、率直に言ってラジウム被害はまったく出ていないでしょう。農作物の風評被害は甚大でしたが……。

何を言いたいのか。今度の「武漢ウイルス」も死んでいる人は率から言うと、日本は低いほうです。感染者に対する死亡者の率はイタリア一三・〇三％（四月二十日時点）、イラン六・二％（同）アメリカ五・三％（同）となっているのに日本は二・一％（同）にとどまっています。

そういう観点からすると、福島原発と同じく、過剰な恐怖心理が日本で働いているのです。もちろん、予防意識は大事で、こまめな手洗いと消毒、そしてうがい、集団行動の抑制などは絶対に必要です。三密（密接・密閉・密集）を避けるのも「習近平」ならぬ「集近閉」はダメよというのも大賛成。

でも、必要以上に怖がる必要はないという事です。日本において恐怖指数が上がり過ぎているのではないかと思います。

石平　結局、確率の問題だと考えられますね。今の時代、「武漢ウイルス」に誰でも感染するリスクはあるけど、でも考えてみれば死亡する確率は、一等一千万円の宝くじに当たる確率よりも低い。一等の宝くじに当たらないのに、ウイルスも滅多に当たらない（感染しない）でしょう。

ですから真面目な話し、恐怖心に捉われ過ぎて、何もしなくなる、外にまったく出ない、二四時間、ずっと家に閉じこもる――それが長期間続くと、社会は死んでしまいます。結局、我々が出来る事は、注意しつつも普段通りに社会生活を送る事です。私も昨日から対談をするために、自宅の奈良県から東京に出て来て普通にご飯を食べ、夜にはお酒をちょっと飲んだ。しかし、手洗いは気を付けました。そして、できるだけ満員電車には乗らない。人ごみのところには必要なければ行かない。それぐらいで、いいと思います。

宮崎　それは、相当な予防になります。

石平　幸い、私たちは仕事をする上で自由な選択はまだ出来ますが、サラリーマンの人たちは大変ですね。考えてみれば、これは全部、習近平のせいです。本当に損害を請求したくなる。

宮崎　五月のゴールデンウィーク明けも講演などはほぼ全滅。クラウドファンディングで弁護士費用を集めて、アメリカの弁護士を雇って国際法廷に連れ出してやりたいね（笑）。ニュー東京裁判。キャンペーンでも出来ないかね。

中国が戦争を仕掛けてくる可能性大

宮崎　でも、窮鼠猫(きゅうそ)をかむではないけど、中国を追い詰めると、戦争を始める可能性が高い。

石平　その可能性はあると思っています。ようするに、「武漢ウイルス」がどうしても収まらず、「ウイルス」感染が拡大していくと、中国経済は明らかに沈没します。すると、北京政府に対する中国国民の憤りが頂点に達します。

　習近平政権が危機に立たされると、限定的な戦争を開始する可能性は充分にあるでしょう。それで、国内を統制するわけです。国民の目線を内なる敵（共産党）ではなく、外に向かわせるわけです。国内危機を最終的に打開する方法は対外戦争しかなく、その可能性はあるでしょう。

　その証拠に、「武漢ウイルス」抑え込みで世界中が大騒ぎをしている最中に何と、中国海軍が今年二月、アメリカ海軍の基地があるハワイ島の沖合まで進出して初めて訓練を行ったのです。その時、驚くべきことに中国海軍の駆逐艦「フフホト」がアメリ海軍の哨戒機P8Aに向けて軍用レーザーを照射したのです。アメリカ太平洋艦隊は「危険で職業意識にもとる行為だ」として強く抗議をしましたが、中国海軍の行動はエスカレートするばかりです。さらに「爆撃機が台湾を周回するなど、台湾への軍事的圧力を狙った演習が少なくとも五回に及んだ」(二〇二〇年三月二十九日付、読売新聞)のです。「中国軍は『武漢ウイルス』が本格化した一月以降、(中略)海・空軍の活動はむしろ活発化している」(同)といいます。

宮崎 中国が戦争をしたら、習近平にとっては、中国軍の勝ち負けは関係ないのです。国民の関心を反らすことが目的ですから。

石平 国民を戦時体制に持って行き「愛国心」を発露させることが狙いですね。すると、当然、尖閣諸島や台湾侵攻の可能性が大きくなるでしょう。

宮崎 私もそう思います。乱暴な言い方をしますと、尖閣諸島に中国軍が来てくれた方が面白くなると思います。

石平 いや、尖閣諸島は中国国民の目線を反らすには小さ過ぎます。しかも、アメリカ軍や日本の自衛隊が控えているために、中国軍が占領しても維持できるかどうか、分からない。それよりはやはり台湾ですよ。金門島などにまた昔のように大砲を打ち込むとかしなくても、金門島を海上封鎖しただけでも戦争状態に持ち込むことが出来ます。

宮崎　金門島は四つの島だけど、二つは無人島です。無人島を取って勝ったと言えばいい。

――上陸して占領したとはやし立てて撤退すればいい。

石平　一番、中国人の心の琴線に触れて、国民が鼓舞しやすいのは台湾でしょう。「ひとつの中国」という大義名分もあります。

宮崎　ただ、台湾海峡を中国海軍に封鎖させないためにアメリカ軍は、第七艦隊の空母が台湾周辺に展開しています。しかし、そのアメリカの空母の乗員から「中国肺炎」にかかったものが続出。太平洋に展開している空母「セオドア・ルーズベルト」や横須賀を母港とする空母「ロナルド・レーガン」でも、乗艦中の乗員から「中国肺炎」の患者が続出して機能不善に陥っています。十一隻ある空母の中にはドックに入っているものもあって、実質動いているのは三分の二。その中から二隻も運航停止状態になると、アジアでの存在感が薄れてしまう。

このように、武漢ウイルスは軍事力を衰弱させる効果もあることに注意が必要です。

もちろん、中国軍や北朝鮮軍も同様の「被害」を受けているでしょうが……。

ともあれ、中越戦争（一九七九年）では、本当は、ベトナム軍に中国軍は負けたのですが、鄧小平は勝ったと称して、その戦争を行なったということで権力基盤を確定させた経緯がありました。今度も、習近平の権力基盤がここまでグラグラ揺らいでいると、軍の支持を得る意味においても近く、台湾に対して戦争を始める可能性があると思います。

石平　中国国内の宣伝では、どんなに戦争でも中国が勝ったことにしてしまう。武漢ウイルスにも勝ったと言っているのだから（笑）。

宮崎　今度のウイルス騒動だって、アメリカ軍のせいにしようとしていた。こういう悪辣な知的水準の人たちが、これから何をやるかは、見えているじゃない。

「ペリーの黒船、習近平の泥船」が日本を覚醒する

石平　それにしても、まさか、二〇二〇年がこんな年になるとは思わなかった。しかし、中国が軍事的拡張を続けつつも、その限界が経済力や周辺国家の見る目が厳しくなって挫折するというトレンドは不変だといえます。いや、その没落のスピードが加速されることになったと見ることも可能でしょう。

宮崎　多くの日本人も、「中国は沈みつつある船」であり、それに乗船することは危険だと気づき始めた。ただ、それでも日本の財界人が中国にしがみつくと、日本も溺れてしまう危険があります。

石平　できるだけ、巻き込まれないようにしないといけません。

宮崎　だから一刻も早く、サプライチェーンとしての役割を中国から取り除く必要があるのです。そして、新たなサプライチェーンをアジア各国との間に構築しなければなりません。しかし、それを実現するために何年かかるか。アメリカは三年かけてそれを実行しようとしています。中国としては、これをやられたら困るから、日本に対して今後いろいろと譲歩してみせるでしょう。習近平の国賓としての来日によって、そういう甘い罠をふりまき懐柔しようと思っていたら、今回の武漢ウイルス騒動で訪日が延期になり、当面その工作が出来なくなった。これは不幸中の幸いです。延期ではなく、中止となればもっといいけどね。

そしてこれを奇貨として、コロナ対策も満足にできないのはいまの憲法に問題があるからだという認識を多くの国民がもつことによって改憲への道を走ってほしい。

石平　しかし、憲法審査会は開かれないまま。この混沌としたご時世では、憲法改正は今、どう考えても無理でしょう。自民党がやる気があるかどうかは分かりませんが……。

宮崎　憲法改正は残念ながらいまは絵空事になってしまった。これはクーデターをやるしか、憲法改正はできないと思う。でも半世紀近くも前に三島由紀夫が嘆いたように、今の自衛隊でクーデターを起こそうと思っている人は誰もいません。だから、尖閣諸島に中国軍が来てくれるのが本当は一番いいのです。アメリカ世論が日本海軍のパールハーバー「奇襲」で、一晩で変わったようにね。日本が一晩で代わるのはそれが一番です。

「ペリーの黒船、習近平の泥船」が日本を覚醒するでしょう。

石平　一瞬にして白旗を掲げるとの見方もあるかもしれませんが、一致団結して侵略軍と戦うという方向に向かうかも知れない。百田尚樹さんとの対談本『「カエルの楽園」が地獄と化す日』でも述べましたが、災い転じて福となすではありませんが、そういう逆境を日本が乗り越えて「カエルの楽園」から脱皮できることを切に祈ります。

習近平の権力基盤はガタガタ

宮崎　日本の弱点はそのとおりだけど、もちろん中国も多難。中国の権力構造というか権力闘争はどうですか。中国共産党で最高レベルの意思決定機関である「トップセブン」（政治局中央常務委員の七人を差し、習近平、李克強、汪洋、栗戦書、王滬寧、趙楽際、韓正）のうち、習近平の味方は栗戦書以外いないね。

石平　ゴーストライターで学者の王滬寧は、習近平に囲われているかどうか、分からないけど。

宮崎　王滬寧は裏切ると思う。また、趙楽際は習近平の子飼いと言われてきましたが、汚職事件の不始末から、最近は距離を置くようになったようだ。もともと反習近平派の李克強、汪洋に江沢民派の韓正が合流していくと、習近平の足元は結構、ふら付いていると思う。それに今回のコロナがあるからね。強まる要素はない。習の腹心といわれる王岐山（国家副主席）はトップセブンに入っていません。党の規律委員会のトップとして、人民解放軍のトップで中央軍事委員会副主席だった徐才厚、郭伯雄と、政治局常務委員の一人で公安や石油関係に巨大な利権を握っていた周永康を「党の重大な規律違反があった」として葬りました。習近平が掲げた「腐敗撲滅」は当初、掛け声だけだと思っていたのですが、王岐山を責任者にして実行させたのです。それで、王岐山の人気は高まりましたが、最近は規律委員会から引退しました。しかし、重要なセレモニーには資格もないのに、出て来ます。

石平　まだ一応、国家副主席だからね。

宮崎　この間、日本の北村滋国家安全保障局長が訪中して李克強首相と会談をしているとき、王岐山が急に現れて「習近平の来日お願いします」と言って帰って行きました。ようするに逆に言うと「俺はまだ健在だよ」という演技をやっているだけかもしれないね。

なぜかと言うと、旅先の南フランスで記念写真を撮ろうと上った高さ十五メートルの壁から転落死して、自殺かと騒がれた「海航集団」の王健会長の後ろ盾に王岐山がいて、本来なら巨大な負債を抱えて倒産してもいいような会社ですが、国有企業としてしぶとく生き残っています。

この会社はヒルトンホテルなど世界中の不動産を売却している最中です。また、香港の飛行場跡地、五区画を香港政府は売り出して、この海航集団が三か所を購入したのですが、全部売り抜けたようです。しかも高値で買って、それより高値で売り抜けたのです。これは不自然です。裏で王岐山が動いたのではないかと噂されています。ただ、これで王岐山の評判は完全に落ちましたね。王岐山の再浮上は考えづらい。

石平　王岐山と習近平の関係も結構、微妙になってきました。王岐山がある意味、習近平政権を作った立役者だったのですが、習近平からすれば「腐敗撲滅」運動も一区切りがつき用済みとなりつつある。そのために、習近平からすれば王岐山は邪魔な存在になりつつあるのです。中国共産党の中で王岐山の存在があまりにも大きくなり過ぎた。独裁者には結局、盟友はいりません。必要なのは家来だけです。かつて周恩来は毛沢東の家来になり切って、首相として最後まで生き残りました。周恩来は偉大なるイエスマンで、毛沢東が出来ないことをやってきた。習近平の周りにはそういう人物は残念ながらいません。習近平は「裸の王様」です。言葉は悪いですが習近平の側近たちはみんなアホだと思います。

宮崎　これまでの「腐敗撲滅」で、習近平は多くの共産党幹部たちから恨みを買っています。「腐敗撲滅」という大義名分に誰も逆らえませんから、表向きは習近平の命令には従います。しかし、心の中では一日でも早く習近平が失脚してくれないかと、念じています。ですから、今回の「武漢ウイルス」で、習近平が躓くことを待ち望んでいる共産党幹部は少なくないと思います。

最近、日増しに習近平政権にとって面白くない不都合な情報が外部に漏れてくるのは、そうした幹部がメディアにリークしている可能性がある。習近平政権は内外から責め立てられ、崩壊寸前であることには間違いないでしょう。

日本が、そんな「裸の王様」を国賓扱いにして、手助けをするようなことがあれば、世界の笑い物になるでしょう。

おわりに――ならず者国家・中国の哀れな姿

失業者二億人のショック

本書が最終編集段階に入った二〇二〇年四月初旬から中旬にかけ、中国の絶望的な未来を予知させるような暗い情報が続々と入ってきた。

例えば経済情報には次のようなものがある。四月五日、中国財政科学研究院・財政と国家治理センター副主任で経済学者の陳龍氏は、新浪財経で一通の論考を発表した。「中小企業の〝倒閉潮〟(倒産・閉鎖ラッシュ)を防止するのは当面最喫緊の任務」というタイトルである。

彼の論述によると、今の中国では一月からの新型肺炎拡散の影響で中小企業の倒産・

廃業が相次ぎ、いわば「倒産ラッシュ」が現に起きているという。状況が特に悪いのは輸出向けの中小企業とサービス業の中小企業であって、よほどの政策手段を講じない限り、二つの分野における大量倒産・大量失業が避けられない、というのである。

陳氏の指摘は、中国国内の実情を実に正しく捉えている。まずは輸出向けの中小企業に目を向けると、一月下旬からの全国的な交通封鎖・都市部封鎖の中でほとんどの生産メーカーが操業停止に追い込まれて大きな損失を被った。三月になって封鎖が解除されてやっとの想いで生産再開に取り掛かろうとしていたところ、今度は輸出先の欧米諸国が新型肺炎の蔓延で消費市場が止まったから、海外から中国企業への発注が取り消されたり途切れたりして、輸出向けの中小企業が仕事を失って大変な窮地に立たされた。こうした中で企業の倒産・休業の動きが全国規模で起こり始めた。

例えば輸出産業の重要基地である広東省東莞では、千二百名の従業員を抱える東莞泛達玩具有限公司は三月十八日に突然廃業を宣言し、経営者が夜逃げまでした。二十一日、東莞精度表業有限公司が一時休業を発表し、従業員に自主的退職を勧めた。同じ日に、従業員が四千人もいる東莞佳禾電子有限公司は大半の従業員を「清算」して減産体制に入った。

このような動きは当然、東莞に限ることなく全国的に広がっているが、四月六日付の香港・南華早報が、中国国内にある「天眼査」という調査・コンサルタント会社の調査結果を紹介した。それによると、今年第1四半期において、中国全国で四十六万社の企業が倒産・廃業で企業登録から消えたという。

この四十六万社には輸出向け中小企業以外に、前述の陳龍氏の言うサービス関係の中小企業も当然含まれている。三月中旬までの都市封鎖・外出禁止で観光業や小売業はほとんど商売ができず大変な苦境であったが、封鎖解除の後でも、人々の近未来への不安から消費はあまり回復せずサービス業の苦境が依然として続く。

相次ぐ企業の倒産・廃業が招く大問題の一つはすなわち失業の拡大である。中国では、製造業の中小企業で働く人々の数は九千万人に上っている。サービス業全体が三億七千万人も雇っているが、関連企業の大半は中小企業であることは言うまでもない。

つまり、製造業とサービス業における中小企業の大量倒産・廃業によって大量失業の発生は必至のこと。実はそれに関しては、「中国首席経済学者フォーラム」のメンバーである劉陳傑氏は三月三十一日「財新網」にて発表した論文で一つ驚くべき数字を披露した。

曰く、新型肺炎の影響で中国全国の失業者数は何と二億五百万人に上るという。中国の労働人口はおよそ八億数百万人であるが、働く人の四人の中の一人が失業するような状況となれば、それはどう考えても、改革・開放以来の中国経済が陥る最大の危機的な状態で、新型コロナウイルス蔓延以上の大災難である。

しかも、大量失業の発生によって国内消費がどん底に落ちていくのは必至のことであるから、消費の低迷が当然、さらなる景気の悪化を招き、企業の倒産拡大と失業の増加に拍車をかけることとなろう。

つまり中国経済はこれで、蟻地獄のような悪循環の中に陥って沈没する一方の道を辿っていくのである。

そして、億単位もの大量失業の発生がそのまま社会的不安の拡大につながって、深刻な社会危機と政治危機の発生を招きかねない。今後の中国では、抗議デモや暴動の発生が多発することも予想されるから、たとえ新型肺炎の感染拡大はある程度抑えられたとしても、習近平政権の直面する国内危機の深刻さはおそらく天安門事件以来の最大なものとなろう。

中国共産党は「世界の敵」となった

以上は、中国にとっての「地獄」である経済壊滅の実態と、今後に起きてくる社会的混乱拡大の危険性であるが、実は中国政府の進む道には、国内問題とは違ったもう一つの「地獄」が待ち受けているのである。

それはすなわち、中国自身の悪行が招いた世界的な中国批判の広がりと中国包囲網の形成である。

新型肺炎を世界中に蔓延させた最大の責任者はそもそも、中国の習近平政権である。武漢で新型肺炎の拡大が確認されたのは二〇一九年十二月中であったが、中国政府はそれからの一カ月にわたって真実を徹底的に隠蔽した結果、コロナウイルスが中国全土だけでなく世界中に広がることとなった。

しかし、自分たちの行なった情報隠ぺいが世界中に災難をばらまいて夥しい命の犠牲をもたらしたことに対し、中国の習近平政権は反省の一つもお詫びの一つもせずにして堂々開き直っている。彼らはまた、「ウイルスの発生源がアメリカ軍だ」などの嘘の情報を発信して、責任を他国に転嫁しようと躍起になっている。

その一方、本当の発生源としてコロナウイルスの世界拡散を予知していた中国は、世界中から医療用マスクや防護服などの医療物資を大量に買い占めて本国に送らせた。その結果、世界のあちこちで新型肺炎が感染拡大したとき、諸国が深刻な医療物資不足に陥り、これで多くの人命を失った。習近平の中国は、世界に対して二重の犯罪を犯したわけである。

そして、世界中が医療物資不足に陥っていることを奇貨にして、中国は今度、いわば「消防士のふりをする放火犯」よろしく、マスクなどの医療物資を世界中に売りつけ始めた。しかし、フィンランドが中国から購入した二百万枚のマイクが「全部不良品」であったり、スペインが中国から購入した五百五十万個の検査キットは精度が三十％であったりして、中国製の「医療物資」がゴミ同然のものであることが判明された。この時期にゴミ同然の「医療物資」を他国に送りつけることは、殺人同然の犯罪行為であろう。ならず者国家の本性をむき出した中国の数々の悪行に対しては当然、世界中の人々や各国政府は怒り心頭の猛反発を始めた。

ブラジルでは、ボルソナロ大統領の三男で連邦下院議員のエドゥアルド・ボルソナロ氏は三月十七日、一九八六年のチェルノブイリ原発事故を引き合いに出し、新型コロナウイルス感染拡大についての中国の情報隠蔽を非難した。

新型肺炎の世界的拡散の初期段階で多大な被害を受けたイランでは、保健省のキヤーヌーシュ・ジャハーンプール報道官は四月五日、「中国は新型コロナウイルスによる死者及び感染者に関して発表した数字や統計により世界にひどいいたずらをした」と、中国を厳しく批判した。

先進国のイギリスでも中国批判が高まっている。イギリス政府関係者は、コロナ危機が一段落ついたあかつきには「中国政府は〝報い〟を受けるだろう」と警告している。さらに、イギリス主要紙の『デイリーテレグラフ』は四月一日掲載の記事で、「今こそ我々は中国を敵性国家として扱わねばならない」と、中国に対する「敵国宣言」まで出している。

おまけには、日本共産党の志位和夫委員長まで三月二十七日、新型コロナウイルスの世界的な感染拡大について、中国政府や中国共産党に「大きな責任がある」と批判した。

ウイルスを拡散させた中国の責任を問う米国

各国の中で中国に対する批判と責任追及がもっとも先鋭化しているのはアメリカである。

ポンペオ国務長官は三月二十五日、コロナウイルスのことを「武漢ウイルス」と呼びながら、「中国はこのウイルスの危険を最初に知った国だったが、世界との情報共有を何度も遅らせた」と非難した。四月十四日、ポンペオ米国務長官はラジオ番組で新型コロナウイルスに対する中国政府の対応を批判した上で、「人命が失われただけでなく、米国の経済的損失の原因を作った人々に責任を取らせる」と強調した。

トランプ大統領となると、三月中旬からは「中国ウイルス」との言葉を連発してウイルスを拡散させた中国の責任を明確にした。三月十九日の記者会見でも、中国の公表の遅れで感染が世界規模に広がったと指摘し、中国批判を行なった。

そして四月八日、トランプ大統領の上級法律顧問のエリス氏は、中国による防護服買い占めなどを取り上げ、「中国共産党の行為は計画的な殺人であり、第一級殺人に相当する」と断罪した上で、中国に対して法的措置をとることを発表した。

その一方、本文でも述べたように、アメリカ国内では新型肺炎の拡散で大きな被害を受けたことで、加害者の中国に対する集団訴訟の動きが広がっている。アメリカ議会でも、情報隠ぺいでウイルスを拡散させた中国の責任を問う法案が提出された。

そして四月上旬にアメリカで行われた世論調査の結果、米国民の約八割がウイルスの拡大について「中国に責任がある」と考えていることが判明した。同じ世論調査では、半数の米国民がトランプ政権に「これまでより強硬な対中姿勢」を求めていることも分かった。どうやら中国は、武漢発ウイルスをばらまいたことでアメリカ国民とアメリカ合衆国を敵に回したようだ。

世界でのウイルス拡散がいつになったら終息するのかは未だにわからないが、それがある程度収まった段階からはおそらく、アメリカを中心に、各国政府と民衆による中国の責任追及と中国に対して賠償を求める運動が本格化していくのであろう。

そして、中国発のこの世紀の大災難に際し、このならず者国家の危うい本性と、中国と緊密な関係を持つことの危険性を、身を以て知った多くの国々や世界企業は今後、中国との関係を見直してさまざまな分野での「脱中国化」を始めるのであろう。

「ポスト新型肺炎」のこの地球上では、悪行を尽くした習近平の中国はきっと、世界の嫌われ者・世界の忌避する国家となっていくに違いない。そして世界からの孤立化は当然、中国国内の経済危機と社会危機の拡大に拍車をかけることとなろう。

このようにして、内憂外患の中で大きく揺らいでいくのは、まさに二〇二〇年におけるならず者国家・中国の哀れな姿である。そして、この二〇二〇年はまた、中華帝国の本格的崩壊が始まる年となろう。

令和二年四月

石平

宮崎正弘（みやざき・まさひろ）
評論家。1946年、石川県金沢市生まれ。早稲田大学中退。『日本学生新聞』編集長、月刊『浪漫』企画室長などを経て貿易会社を経営。1982年、『もうひとつの資源戦争』（講談社）で論壇へ。以後、世界経済の裏側やワシントン、北京の内幕を描き、『ウォールストリート・ジャーナルで読む日本』『ウォール街・凄腕の男たち』などの話題作を次々に発表してきた。著書に『こんなに借金大国・中国習近平は自滅へ』（石平氏との共著、ワック）、『さよなら習近平』『戦後支配の正体1945－2020』（渡辺惣樹氏との共著、ビジネス社）など多数。

石　平（せき・へい）
評論家。1962年、中国四川省成都生まれ。北京大学哲学部卒業。四川大学哲学部講師を経て、1988年に来日。1995年、神戸大学大学院文化学研究科博士課程修了。民間研究機関に勤務ののち、評論活動へ。2007年、日本に帰化する。著書に『なぜ中国から離れると日本はうまくいくのか』（PHP新書、第23回山本七平賞受賞）、『なぜ論語は「善」なのに、儒教は「悪」なのか』『中国をつくった12人の悪党たち』（PHP新書）、『私はなぜ「中国」を捨てたのか』『朝鮮通信使の真実―江戸から現代まで続く侮日・反日の原点』（ワック）、『中国はなぜいつも世界に不幸をバラ撒くのか』（徳間書店）など多数。

ならず者国家(ものこっか)・習近平中国(しゅうきんぺいちゅうごく)の自滅(じめつ)が始(はじ)まった！

2020年5月30日　初版発行
2020年6月21日　第2刷

著　者　宮崎 正弘・石 平

発行者　鈴木　隆一

発行所　ワック株式会社

東京都千代田区五番町4-5　五番町コスモビル　〒102-0076
電話　03-5226-7622
http://web-wac.co.jp/

印刷製本　大日本印刷株式会社

ISBN978-4-89831-820-1

好評既刊

中国・韓国の正体
異民族がつくった歴史の真実
宮脇淳子
B-293

数多の民族が興亡を繰り返すシナ、停滞の五百年が無為に過ぎた半島。異民族の抹殺と世界制覇を謀る「極悪国家」中国、「妖魔悪鬼の国」韓国はこうして生まれた！

本体価格九二〇円

中国・中国人の品性
宮崎正弘・河添恵子
B-262

「躾」「忖度」「惻隠の情」「羞恥心」「反省」という「ことば」のない国。長年の共産党独裁政権によって、民度・マナー・モラルがさらに低下！ 習近平政体制は末期的症状だ。

本体価格九二〇円

韓国人のボクが「反日洗脳」から解放された理由
韓国人ユーチューバー・WWUK
WWUK（ウォーク）
B-315

韓国生まれの生粋の韓国青年が「親日派」になった理由を全告白。僕はなぜ「韓国」を捨てて「日本人」になりたいのか。「反日種族主義」を撃破する画期的な日韓比較論。

本体価格九〇〇円

http://web-wac.co.jp/

好評既刊

危うい国・日本

百田尚樹・江崎道朗

日本を危機に陥れようとしている「デュープス」をご存じですか（百田尚樹）。インテリジェンス・情報機関の重要性を知ってください（江崎道朗）――論客が日本の危機を論じる。　本体価格一四〇〇円

こんなに借金大国・中国 習近平は自滅へ！

宮崎正弘・石平

B-300

米中貿易戦争で「中国製造2025」「一帯一路」はもはや破綻だ。トランプは本気で中国5Gを排除・撃滅する覚悟だ。日本は中国経済の破綻に備えよ！　本体価格九二〇円

朝鮮通信使の真実 江戸から現代まで続く侮日・反日の原点

石平

B-313

朝鮮通信使は友好使節？　いや、事実上の朝貢使節でしかなかった。その屈辱から、日本で見るもの、聞くものすべてに難癖をつけた。日本蔑視・憎悪のルーツを解明する労作。　本体価格九〇〇円

WAC BUNKO

政治学者、ユーチューバー（YouTuber）になる

岩田温

WAC

政治学者、ユーチューバーになる

◉目次

第二章

YouTubeのリスクマネジメントを考えてみた

第三章 「テレサヨ」に「ネトウヨ」と罵られても私は挫けない ……73

第四章 ネット全盛で終焉を迎える「朝日新聞」と「池上彰」の時代 ……95

第五章
学校の「いじめ」はYouTube教育で解消できる

装幀/須川貴弘(WAC装幀室)

序章

「独立型知識人」を目指して「ユーチューバー」になってみた！

幼稚園児の頃にはリニアモーターカーの運転手になりたいと思っていた。そんな私が、大人になってなったのは、アカデミズムの世界では嫌われる「保守系」の大学教員。そしてYouTubeを馬鹿にしていた私が、いつのまにか……。

子供の憧れの職業は、昔軍人、今ユーチューバー？

小さな頃、誰しもが一度は「将来の夢」について尋ねられたことがあるはずだ。私自身、理由は詳しく覚えていないが、幼稚園児の頃にはリニアモーターカーの運転手になりたいと無邪気なことを語っていた記憶がある。何かの機会に新幹線よりも速いリニアモーターカーの存在を知り、興味を持ったのではないだろうか。

当時の男の子の多くの夢は「野球選手」、「サッカー選手」。女の子の夢の定番が「お花屋さん」、「お菓子屋さん」だった。現実に野球選手になった友達の話は聞かないし、恐らくフラワーショップに勤務した友人の話も聞いたことがないから、これらは当時の子供たちの憧れの職業といってよいだろう。戦前の日本だったら、「軍人さん」になりたい男の子が多かったというから、時代によって子供たちの憧れの職業は随分と変化する。

2020年、将来やってみたい仕事についてのアンケート（進研ゼミ小学講座が実施）によると、男の子の「なりたい職業」の第三位はサッカー選手、第四位は野球選手があり、私の子供の頃と同じだ。だが、第一位は「ゲームクリエーター・プログラマー」、第二位は「ユーチューバー」となっている。

女の子の方を眺めてみても、第三位に「パティシエ（お菓子屋さん）」があるのは私の幼年時代と同じなのだが、第二位は「漫画家・アニメーター・イラストレーター」、第四位は「ユーチューバー」となっている。

驚くのは男の子、女の子の「なりたい職業」の第四位までに「ユーチューバー」がランクインしていることだろう。

数年前の私なら、こうした現状を実に嘆かわしいことだと憂えていたはずだ。定職にも就かず、訳のわからない遊び半分のユーチューバーになりたいなどとは許しがたい。当時の私は職業としてのユーチューバーなど視聴回数目当てにおかしなことばかりしている連中としか思っていなかったからだ。だから、日本人はどうしてこんなに幼稚になってしまったのだと悲憤慷慨していたはずだと思うのだ。

だが、今となってはそうした当時の認識を改めざるを得ない。実際に自分自身がユーチューバーになってみて、ＹｏｕＴｕｂｅには大きな可能性があると実感しているからだ。

ＹｏｕＴｕｂｅを馬鹿にしていた私がＹｏｕＴｕｂｅを始めたきっかけ、そしてその大きな可能性について率直に論じてみたい。

物書き（学者・作家）は筆一本で食べていけない？

私は時代に応じた意見発信の媒体があると常々考えてきた。だから、「Ｔｗｉｔｔｅｒ」や「Ｆａｃｅｂｏｏｋ」を使い始めたのは結構早かった。だが、これらはあくまで趣味として使う人が殆どだろう。要するにＴｗｉｔｔｅｒのプロ、Ｆａｃｅｂｏｏｋのプロという人はいなかった。プロとは、それを収入源として生活できる人間だ。もちろん、企業が広告としてＴｗｉｔｔｅｒやＦａｃｅｂｏｏｋを活用することはあったが、それだけで生計を成り立たせている人はいなかったはずだ。だから、どうしても真剣さが伴わない。

大学で教鞭を執っていた私はかねてから独立型知識人に憧れを持っていた。いかなる組織にも所属することなく、誰におもねることもなく自分自身の意見を発信していく知識人だ。評論家の小林秀雄や福田恆存は、文字通り筆一本で生活していた。福澤諭吉がいう「独立自尊」のスタイルを貫いていたのだ。しかし、調べてみると書籍の販売部数や原稿料が現在とは比べものにならないほど高い。今では信じがたいが雑誌に寄稿する原稿料と印税収入だけで十分に生活が可能だったのだ。本の売れる時代でもあった。

現在、筆一本で食べていけるのは、『永遠の0』、『日本国紀』等々数々のミリオンセラーを達成した百田尚樹や、幾つもの有意義なベストセラーを世に問うているジャーナリストの門田隆将のような大御所のような方々だけだろう。百田は10年間にわたって、毎年100万部の本が売れ続けたというのだから驚異的だ。だが、これほど本が売れるのは極少数の天才的な物書きだけだといってよい。本は大量に出版されるが、一冊の本がそれほど売れることはないのが現実だ。執筆活動だけで食べていくのは難しい時代に突入したといってよい。

多くの人は「独立型知識人」に憧れながらも、自分自身の生活のためにいずれかの組織に所属して給与を得ている。

有料メルマガに挑戦してみたが……

いずれ独立型知識人になりたいと憧れていた私が最初にチャレンジしたのが、「まぐまぐ！」の有料メールマガジン（以下、メルマガ）だった。「岩田温の政治哲学講義」と題した有料メルマガを発行した。発行するのは二週間に一度で、文章量は一回８０００文字以上が目標だった。月８８０円で、これならかなりの購読者を獲得できると期待に胸を膨らませてのスタートだった。

しかし、結果は散々なものだった。

購読者となってくれたのは、最大数でも１００人を少し超える程度だった。しかも、収入は８８００円とはならない。消費税で10パーセントとられ、配信サービスを行ってくれる「まぐまぐ！」の手数料が50％。手元に入ってくるのは４万円程度だった。この程度の収入で二週間に一度、質を落とさずに8000文字を書き続けるのは、なかなか大変な作業だった。雑誌に寄稿する場合には、締め切りまでに書き上げないと編集者から悲しみと怒りの催促がやってくる。そして自分が書かないために雑誌が販売できなくなってしまったら大変だという恐怖があるので何とか書き上げる。だが、自身で発行するメルマガには編集者もいないため、どうしても執筆が延び延びになってしまう。私のような怠惰な人間は締め切りを恐怖する心がないとなかなか文章を書けないのだ。

雑誌と違って編集者や読者からの反応がなかったのも精神的に厳しかった。文章を書くのは孤独な作業で、書き終わったときには何らかの反応が欲しいのだ。もしかしたら私が寂しがり屋なだけかもしれないが、一生懸命書きあげた文章に何の反応も返ってこないと結構、寂しいものだ。雑誌の場合、書けば編集者が何らかの感想をくれるので張り合いがある。褒められようが、けなされようが何らかの反応があることが大切だ。「この部分がつまらなかった」といわれる方が、全く無反応であるよりも有難いものなのだ。ましてや読者からの感想など頂ければ、非常に嬉しいことはいうまでもない。しかし、少人数を相手にするメルマガを配信しても、殆ど感想が送られてこない。結局、読んでくれている人はいるのだろうか、誰も読まないものを一生懸命書いていただけだったのではないか、と不安に駆られてしまうのだ。もしかしたら疑心暗鬼の類なのかもしれないが、そうした心の動きは、文章を書くモチベーションを下げてしまう。

結局、一年少々続いたものの、最終的には有料メルマガを継続することは出来なかった。もちろん、自身に実力があり一万人ほどの購読者を得られていれば、自らの生活の基盤となったはずだ。そうすれば、自分自身で編集者を雇うことも出来ただろう。締め切りについて口やかましく催促してくれる人を雇うのもおかしな話だが、こういう編集者がいないとなかなか文章は書けないのが現実だ。また、読者が一万人も存在すれば、何らかの感想はあるはずだから、こちらの問題も解決できたはずだ。

だから何よりも自分の実力不足が第一の敗因といわざるを得ない。だが、有料メルマガで成功できる人は本当に極少数、一握りの人たちだけだろう。私の知る限り、有料メルマガで大成功しているのは、圧倒的な知名度を誇るホリエモンこと、堀江貴文くらいである。

名もなき言論人が組織に所属せずに生活するのはなかなか厳しいのが現実だ。

YouTubeを始めたきっかけ

組織に所属する「給与所得型言論人」から「独立型言論人」になりたくて試行錯誤していたあるとき、私がYouTubeを始めるきっかけとなる出来事が起こった。

じっさいにユーチューバーになっていたジャーナリストの方から、YouTubeチャンネルの開設を薦められたのだ。

「話すのも得意だし、知識の引き出しも多いので岩田先生も是非始めてみたらどうですか」

YouTubeを見くびっていた私は躊躇(ちゅうちょ)した。

「いやぁ、そうですかねぇ。どうも、私は苦手なような気がして……」

正直、当時の私は、YouTubeに挑戦することに否定的だった。奇抜で軽率な行動で目立つためだけに番組を作成している人が殆どだと思っていたからである。少なくとも言論人が全力で取り組むべきものではなく、どこかのネット番組（ＤａｉｌｙＷｉＬＬなど）に呼ばれたら参加すればいい、という程度にしか考えていなかった。

そもそもＹｏｕＴｕｂｅをどのように始めたらいいかも知らなかったし、どれくらいの影響力を持っているのかについても何も知らなかった。

当時の私は「食わず嫌い」との言葉が相応しかっただろう。何となくＹｏｕＴｕｂｅへのネガティブな感情を持っていて、自分自身で挑戦してみようとは思えなかったのだ。大学教員のおごりだったかもしれない。

だが、ジャーナリストは続けた。

「いやいや、ＹｏｕＴｕｂｅで発信すれば、これまで以上に世間に対して影響力を与えられます。それに、言論活動に必要な収入を得ることができます。番組を軌道に乗せれば、ＹｏｕＴｕｂｅだけで生活していくことも夢ではないですよ」

この言葉が私の心に響いた。ＹｏｕＴｕｂｅで発信する内容が専門の政治であれば、国民にとって有益な内容を発信する自信があった。テレビのいい加減なコメンテーターよりもずっと有益な意見を発信できることについては間違いのない自信があった。

さらに、ＹｏｕＴｕｂｅから十分な収益を確保することができれば、晴れて独立型の言論人、政治学者として活動することが可能になる。ＹｏｕＴｕｂｅで発信することは、これまでやってきたＳＮＳ、ＴｗｉｔｔｅｒやＦａｃｅｂｏｏｋ、有料メルマガのどれよりも確実に収入を確保できる方法だと考えた。

「女優ライト」をまずは買った!?

「よし、やろう」

決断した後の行動は早かった。新幹線で大阪へ帰った当日、妻にＹｏｕＴｕｂｅを始めてみたいと相談し、了承を取った。妻の許可を取らなければ何もできないのが岩田家である。妻は強い。恐い。翌日に、ＩＴ機器に詳しい当時のゼミ生にどのような機材を購入すべきかを相談し、その日のうちに一通り機材を揃えた。よいゼミ生にあえたと感謝している。結構な投資だったが、戦力の逐次投入は愚策だと覚悟を定めた。

一番驚いたのは、出演者の顔に光を当てるために購入した「女優ライト」（！）だった。まさか自分が「女優ライト」などというものを買う日が来るとは夢にも思わなかったからだ。

成功する自信があったから、すぐに始めたわけではない。むしろ、不安で胸いっぱいだったというのが正直なところだ。この不安に感じた部分については、後で詳しく触れることにする。

さて、私はジャニーズの「嵐」と同年代だが、彼らのように顔やスタイルがいいわけではない。踊りを踊れるわけでもない。だから、外見や踊りによって視聴者を集めることなどできない。話すことが出来るのも基本的に政治の話題だけだ。芸能関係の話題やスポーツの話題など、何も分からない。興味も全くない。自分の知識や関心は政治のみに特化しているのは明らかだった。

更にいえば、私はアカデミズムの世界で蛇蝎の如く嫌われている「保守系」の言論人である。池上彰のようにあたかも中立を装った解説をするつもりは毛頭なかった。自分自身が考えるところを率直に語ることしかできない。例え「右派」「ネット右翼」

「ネトウヨ」と呼ばれようが、自分自身の思想信条を曲げるわけにはいかない。そう考えてみると、私の主張が世間から受け入れられない可能性は高い。しかし、テレビの当たり障りのないコメントや左に偏ったコメントは聞き飽きたという視聴者もいるはずだ。この人たちが自分のチャンネルを見てくれればいい。そう考えたのだ。

一億二千万人が見てくれる番組でなくていい。一万人に一人が見てくれる番組を作りさえすればいい。日本国民の一万人に一人が私の番組を見てくれれば、一万二千人の視聴者がいるはずだ。そこが私の番組の視聴者ターゲットだ。

テレビに出演している芸能人や自称専門家たちの的外れなコメントは「無益」というよりも、もはや「有害」といっても過言ではない。どうみても情報操作のようなことをしているからだ。一方的に意見を垂れ流しておきながら、まるで中立的な意見を述べているかのような振る舞いも許しがたい。私は彼らを「ネトウヨ」ならぬ「テレサヨ」と評したこともあったが、これらに対して憤りを感じている人も少なくないと考えた。そして私のユーチューバーへの第一歩が始まったのだ。

第一章

「夫唱婦随」「二人三脚」「二足の草鞋」でYouTube開始

大学は朝8時45分から始まるから、毎朝5時前起床でネタ探し。妻にも助けられて始めた「岩田温チャンネル」。世間におもねることなく再生回数を稼ぐなんてことは毛頭考えず、己の信念に忠実にスタートしたのだが……。

大学との「二足の草鞋」、妻との「二人三脚」「夫唱婦随」でスタート

ＹｏｕＴｕｂｅを始めるにあたって、我がチャンネル（『岩田温チャンネル』）では、次の方針を掲げることにした。

1　世論に迎合することなく自分自身の思うところを伝える。
2　基本的に毎日19時に更新する。
3　一年継続して、影響が無く、十分な収入も得ることができなければ、潔くチャンネルを閉鎖する。

一つ目の誰にもおもねらないというのは、言論人である私にとって大事なことだ。自分のチャンネル、そして私自身の信念にあたる部分だ。自分の心にもないことを話すような馬鹿なことはしない。そして、興味も関心もないテーマについても話さない。

世間で流行っている話題を追いかけるような真似はしない。多くの視聴者に番組をご覧頂くことは大切なことだが、再生回数を稼ぐことだけを目的にしてしまうと何のために言論人になったのか訳がわからないことになる。それはダメだ。

また、奇を衒うような言論で世の中を惑わせることはしない。こうした言論は一時的に人気が沸くかもしれないが、長続きしないはずだ。愚かなことをして再生回数を稼ぐ「迷惑系ユーチューバー」と本質では変わりがない。私は言論人としての筋を通したかった。それは媒体が変わっても、変えることの出来ない部分だ。媒体は変わっても、自分自身の主張が変わってはいけない。媒体とともに自分自身の主張を変えてしまえば、それは本末転倒だ。絶対に本末転倒だけは避けたかった。だから、時には、敢えて大多数の視聴者にとって興味がないようなテーマでも取り上げることにした。自分自身が本当に伝えたいことを伝えるためである。

二つ目の19時に毎日更新するというのが日々の更新の中では一番難しかった。私が勤務していたのは特異な大学で、全教員が毎朝8時45分の朝礼までに大学に出勤しなければならなかった。別に重要な連絡があるわけでもないのだが、とにかく他人を拘束したがるのだ。異常な大学だ。出勤時間を逆算すると8時までに家を出発しなければならない。動画の撮影は一発で行うので、30分程度で終わる。だが、毎日の動画撮影で一番時間がかかるのは、動画の撮影自体ではない。何をテーマに論ずるのかを選ぶことに時間がかかる。私は全国紙各紙、外国の論文を購読し、その他にもTwitterやFacebookで情報を収集しているのだが、論ずるテーマを選ぶのに時間がかかる。毎日の起床時間は遅くても5時。早いときには3時くらいに起きて、テーマを探す。この生活スタイルを確立するのがなかなか難しかった。動画を見る際には作る側がどれくらい時間をかけたかなど気にならないものだが、実際に作り始めると非常に時間がかかる作業だということが分かった。

だが、何があっても三つの方針を貫徹することにした。とにかく始めてみることが大切だと考えた。

また、私のYouTubeチャンネルは、妻と分業することにした。二人三脚だ。妻は東京芸術大学出身で芸術の分野に造詣(ぞうけい)が深い。本来は音楽が専門で作曲をしている。だが、幸いなことに動画編集にも関心があった。動画のサムネイル（表紙となる画像）も作ってくれたので、これは本当に有難かった。友人たちからは岩田温チャンネルではサムネイルが素人の域を越えていると褒めてもらったが、これは私ではなく妻が作っている。動画編集の一切を妻に任せて、私は話すことに専念することにした。

とはいえ、話すための話題を選び、内容も考える。それが何時間もかかることになる。しかも、毎日それを繰り返す。正直なところ、心身の負担は大きい。毎朝4時か5時に起きて、新聞をざっと読んで、話題を選んで、話す内容を考えて、話す。その後、朝9時から大学で教員としての仕事があった。毎日睡眠不足で一日4時間か5時間しか寝ることができない。それでも、「夫唱婦随」ではあったが、なんとしても、このＹｏｕＴｕｂｅで成功して、「独立型」の政治学者として自立するという目標をもって、ＹｏｕＴｕｂｅを始めたのである。応援してくれた妻には感謝している。

成功の要諦はオタクに特化するところにある！

私は２０１９年10月28日からＹｏｕＴｕｂｅで発信を始めた。爾来３年が経過したが、なんとか続けられているのには、根拠があると考えている。それは、私がＹｏｕＴｕｂｅを継続できないポイントを分析し、それを絶対に避けようとしてきたからだ。ＹｏｕＴｕｂｅを継続できない人は主に以下の二つの理由が挙げられる。

①心が折れる。
②内容が無くて止める。

①の理由は想像が容易（たやす）いと思う。ＹｏｕＴｕｂｅで発信を始めても、視聴者が数人、数十人では、落ち込んでしまう。それが一カ月続いただけでも、多くの人は心が折れるであろう。動画を作るのに何時間、何十時間をかけても、視聴者が少なければ、割に合わないと感じるからである。そして、多くの場合ＹｏｕＴｕｂｅに動画を投稿しなくなる。すねてしまう気持ちもわかる。

では、この折れない心をもつには、どうすればよいか。私の回答は「いつか成功すると信じてやり続ける」ということである。先述のように、私はＹｏｕＴｕｂｅを始める時に「一年継続すること」を決めていた。それは、一年あれば成功できる自信が若干はあったし、一年で結果が出ないのであればそれ以上続けても無意味だと思ったからである。「継続は力なり」という言葉があるが、至言である。結局のところ、「成功」には「継続する力」が重要と考えられる。私がＹｏｕＴｕｂｅでの発信を続け、登録者が10万人を超えていることも、その証左と言ってよいだろう。続けてきたから、視聴者にご覧頂けるようになったのだ。だが、多くの人は途中で諦める。本当に心が折れてしまうのだ。その気持ちもわかる。ユーチューバーの社会的地位はまだ低い。頭がおかしい人と思われている部分もある。

「あの人、ＹｏｕＴｕｂｅ始めたらしいよ」

「でも、全然見ている人いないみたい」

「所詮遊びでしょう。いい歳して何をしているんだろうね」

「変わった人だよね」

実際にこうした声が聞こえてくることもあるし、皆がそういっているのだろうと疑心暗鬼になることもある。しかし、諦めずにやり続けることが大事である。何度でもいうが、継続は力なのだ。

二つ目の理由、すなわち「内容がなくてやめる」についても考えてみたい。こういう人も数多いように思われる。

大体が次のようなパターンだ。

特に自分の専門は無いが、何か面白いことをやってみようと思い付き、ＹｏｕＴｕｂｅを始める。誰もが思いつく企画ものは、すぐに飽和状態となり、価値が低い。例えば「大食い」というものがあるが、これもすぐにネタ切れになる。

そもそも素人が大食いしている動画を真剣に見るような暇人は少ないだろう。時間を無駄に浪費したいと思いながらＹｏｕＴｕｂｅを眺めている人はほとんど存在しない。趣味、笑ってみたい、歌を聴きたい、何か左派系メディアとは違う情報がないだろうか。そうした意識で動画を眺めるのだ。視聴者を馬鹿にしてはいけない。

次に「奇抜なこと」もそのうちネタ切れになる。何より、誰でもできるのであれば、芸能人や芸人が同じことをした方が面白いだろう。そうなると、結局、そうではない一般のユーチューバーの動画は見られず、発信したい内容もなくなる。

では、内容が無くて辞めるということを避けるためには、どうすればよいか。私の回答は「専門分野に特化せよ」ということである。言い換えれば、「オタクとして活動せよ」ということだ。例えば、「鉄道オタク」。とにかく鉄道が大好きで、ずっと見ているだけで楽しかったり、写真を撮るのが楽しかったりする。そういう鉄道が好きな人は、一定数日本全国にいる。だから、自分が「鉄道オタク」であると認識し、そういった人たちが喜ぶような動画を作ればよい。そして自分自身が「鉄道」に関しては、好きで好きでたまらないのだから、話題が豊富で尽きることがない。そうであれば、内容がなくなることはない。

この本の編集担当者は、私のYouTubeも見てくれているが、鉄道好きなこともあってか、スーツさんの「Suit Train」というYouTubeもよく見ているという。登録者は97万。かの「虎ノ門ニュース」に匹敵する多さだ。シベリア鉄道に乗ったり、寝台列車に乗ったり、鉄道オタクならではのYouTube作りをしている。すでに著作もあり、『神と呼ばれた鉄道ユーチューバー　スーツの選んだ鉄道百景』（マキノ出版）などもあるという。己の特技、好きなことに特化して成功しているユーチューバーだ。素晴らしい。

「アニメオタク」なら、さらに細分化してジブリアニメに特化した「ジブリアニメチャンネル」を開設するのも需要があるだろう。他にも「切手オタク」など、様々なオタクがいる。そして、それぞれに需要がある。したがって、自分が「何のオタク」であるかを自覚して、それに取り組めばよいのである。

私に関して言えば、「政治の専門家」つまり「政治のオタク」である。であるから、私が語る政治の内容は尽きない。毎日話したいことがある。

ともあれ、一つの指標としては「一時間話していても辛くない」分野を選ぶとよいだろう。あるいは、寝ている時以外、「専門とする分野」のことを考えたり、取り組んだりしても苦ではない分野を選ぶとよい。「ラーメンオタク」としてユーチューバーをやるなら、「全国のラーメンを巡る」ということをしたり、「山登りオタク」としてユーチューバーをやるなら「全国の山を登る」ということをしたりする。それが苦にならずできる人こそが、ユーチューバーに向いている。

「虎ノ門ニュース」の司会をやっている居島一平さんは『ＷｉＬＬ』にも連載コラムを持っていたが、ＹｏｕＴｕｂｅ（「居島一平の古書探訪」）もやっている。全国各地の古本屋を訪ね、そこで見つけた掘り出し物を解説してみせるのだが、これは「古本オタク」ならではのユーチューバーといえるだろう。いいなと思う。

ＹｏｕＴｕｂｅとは、まさしくオタクの才能を開花させるべき場所なのだ。テレビのコメンテーターのように政治も経済もコロナも語るような薄い知識ではなく、他のことは語れなくてもこの分野だけは誰にも負けずに話し続けることが出来るというオタク、専門家、マニアが求められているといってよい。

「百術は一誠に如かず」で行くべし

また、目的も大事である。自分の分野で「何のために伝えている」のかを考えてみることも重要だろう。私であれば、当然「政治について伝えて、少しでも日本が良い国になるように貢献する」ということが目的となる。テレビで出鱈目なコメンテーターが言っていることとは違う意見が世の中にはあり、愚かな意見に違和感を覚えている方々に「自分の意見は間違っていない」と思っていただくことが大切だ。ある程度の目的意識がなければ、動画制作を継続していくことは困難になっていくだろう。「いきなりユーチューバーになって、ヒカキンのように何億も稼いで、大金持ちになりたい」というような動機も悪いとはいえないが、これは宝くじを当てるようなもので、はっきり言ってしまえば殆どの人には無理だ。そうではなくて、「なんとしても伝えたいことがある」という、ある種の使命感や情熱のようなものがあればこそ、YouTubeで発信し続けられるのではないだろうか。

動画制作を始めると、正直な話、大変な労力と時間と金銭を費やすことになる。一つの動画を作るのに十時間以上かかることも日常茶飯事だ。しかも、それを視聴してもらえるか、保証はない。

時間をかければ評価されるという簡単なものではないのだ。芸術もそうだが、時間をかければ傑作が誕生するというわけではないのだ。私が100時間かけて下手な絵を描いても、ピカソが5秒で描いた絵にかなわない。

朝起きて、様々な新聞等々を読んで、数時間かけてトピックを選ぶ。そこで気をつけているのは「世間ではこれがうけそう」というさもしい根性でトピックを選ばないことである。自分自身が「これは本当に素晴らしい」、または「これは本当に許せない」というものを自分の心に正直になって選んでいる。そうすると、本音でしゃべることができる。それが「評価されるか」「評価されないか」は度外視して、「これが岩田温である」という、ありのままの自分を見せることになる。それでいいと思っている。「フェミニズム問題」、「ジェンダー問題」、「皇室問題」等々、際どい問題に対しても、自分の心に忠実になり、嘘をつかない。そうすると矛盾しないで話し続けることが出来る。

モンテーニュが「自分の記憶力に十分自信がない人は嘘つきになろうとしてはならぬ」との言葉を紹介しているが、これは正論だ。嘘を吐き始めると「あの人には、この嘘を吐いた」「この人には、違う嘘を吐いた」と全部覚えておかなくてはならなくなって、結局、整合性がとれなくなる。嘘をつかなければ、そんなことを一切覚えておかなくてよい。政治家の小沢一郎が好きな言葉に「百術は一誠に如かず」という言葉がある。頭で色々と策を練るより、ただひたすら誠実であることの方が勝るという意味だ。皮肉なことだが、これだけよい言葉を紹介しながらも、小沢一郎自身は「百術の人」に見えるから不思議である。「百術は一誠に如かず」という言葉のように、とにかく誠実に発信することを心がけていくべきだろう。

「確かに、岩田温の言う通り、テレビはおかしい」と言われたい

また、私の好きな言葉に「一燈照隅　萬燈照国」という言葉がある。最澄が説いた言葉だ。自分自身が照らすことの出来るのは片隅にしか過ぎない。日本をよくする、世界をよくする。そういった志をもつことは大切だ。だが、即座に社会を変えようとすれば革命家のようになるしかないし、実際に社会がよくなることもない。善意から引き起こされた急激な変化は大抵、悪しき結果に終わる。漸進的な変化こそが求めら

れる所以(ゆえん)である。自分自身が出来ることは本当に僅かなことであるが、それを継続し続けていく。自分自身が非力であることの自覚と、それでも希望を持ちながら自分の出来ることをつづけるという気概が重要だ。何があっても一本の松明(たいまつ)をもって片隅を照らし続ける。そういう人が増えれば、国自体がよくなるという教えだ。これは私自身の中で最も好きな言葉で、自分自身を励ましてくれる言葉でもある。

私自身に関していえば、政治学者なので、政治に関して一本の松明を持ち、片隅を照らすことができる。しかし、それ以外はできない。一人の人間が灯を照らすことができるのは、片隅のような限定された場所だけである。私がＹｏｕＴｕｂｅをやっても、一億人が見てくれるわけがない。せいぜい、一万人。多くて十万人。でも、そういった発信をしていく中で、「確かに、岩田温の言う通り、テレビの言っていることはおかしい」と一人でも二人でも共感してくれたらよい。そうやって少しでも、一人でも多くの人に伝えられるようにテレビにも出演してきたし、ＹｏｕＴｕｂｅでも発信している。その芯にあるのは国を思う情熱だ。それぞれの専門家が少しずつ一隅を照らすことによって、いずれ日本はよき国として甦る。そう信じている。

第二章

YouTubeのリスクマネジメントを考えてみた

私は、活動の場としてYouTubeを選びユーチューバーになったことに後悔はない。しかし、周りを見回すと、「言論の自由」をはき違えたユーチューバーの何と多いことか。玉石混淆のYouTubeチャンネルから「玉」を選ぶには……。

学者生命が終わる？

ＹｏｕＴｕｂｅを始めることのリスクもあった。最大のリスクは「大学教員としてはもう働けなくなるのではないか」というリスクである。別に大学教員がＹｏｕＴｕｂｅで発信することが違法なわけではない。しかし、大学のようなアカデミックな世界では、ＹｏｕＴｕｂｅで発信することは邪道であると考えられている。

「世間から離れ、ひっそりと研究に勤しみ、世間には評価されなくとも研究者の間で評価されることに喜びを感じ、後世へ偉大な成果を残すことを目指す」――このような大学知識人の理想が漠然と存在している。

だが、実際のところをみてみると、それは歪な嫉妬から生み出される考えのように思えてならない。実際、世間から評価されていない学者がテレビなどに出演すると、嬉しそうに自慢しているのを何度も目撃した。新聞に文章を掲載することは「俗っぽい」と非難していた学者が地方紙のコラムを書いただけで、はしゃいでいたのをみたこともある。本当は社会から評価されたいのだが、全く世間で評価されていない。その言い訳のように「学者とは俗世間とは離れているべきだ」と主張しているようにしか思えないのだ。そもそも誰にも読んでもらえない本を書く意味があるのか。私にはサッパリ理解できない。このような人は、自分が世間から評価されないと、テレビやＹｏｕＴｕｂｅに出る人を邪道であると指摘するが、自分がその立場になれば喜んで受け入れる。つまりは、その根源は醜い嫉妬心であり、そこから詭弁を弄しているに過ぎない。したがって、私がＹｏｕＴｕｂｅで活動しようとした時、反対したのは私とはあまり関わりのない有象無象の人々であり、妻など自分の周囲の人からは反対されなかった。家族が応援してくれるのが一番嬉しい。

私は正々堂々公言するが右派の学者である。それだけで敬遠する大学が殆どだ。実際に「右派の学者だから採用しない」との理由は明かされない。だが、明白に日本の大学は左翼の牙城である。それに加えて、ＹｏｕＴｕｂｅという要素が増えると、ますます、大学が敬遠する。その意味では、大学という業界に喧嘩を売ったようなものだった。

とはいえ、私はそもそも、今の日本におけるアカデミズムの王道を歩んでいるとは思っていなかった。その道から外れたと言えるのは、早稲田大学の大学院生の時であった。当時、私は某教授と対立していた。それは根本的な対立であった。私は日本に生まれたことを誇りに思う保守主義者だ。だから大学院生の時も、当たり前のように保守主義の考え方に基づいた理屈を展開していた。しかし、残念なことに、日本のアカデミズムは左派が主流である。本当に保守派の居場所はない。普通なら、教授の言うことに従って研究を進めるのが大学院生だろう。それでも、私は保守主義者であり、自分の考え方が間違っているとは全く思わなかった。だから、教授にそれを否定され、教授の考え方に従うことを求められても、それを拒絶した。当たり前だが、立場が弱いのは、学生である。教授と対立したままでは、まっとうな評価をされず、アカデミズムの世界で生き残ることは不可能だと思われた。そのとき、私は「こうしたアカデミズムの世界で生きていくのはやめよう」と決意した。戦う戦場をアカデミズムではなく、他のところに変えて、それでも戦い続けようと覚悟を定めたのが二十四歳の時であった。

「面従腹背」を勧められたが……

そんな私を助けようとしてくれた人が独りだけ存在した。それはある先輩である。彼は私の理解者だった。左派の教授と喧嘩している中、論文発表が間近に迫っていた私に対して、その先輩がくれたアドバイスを端的に言うなら、「面従腹背（めんじゅうふくはい）」だった。

つまり、表向きの顔ではニコニコと教授に従って、腹の中では教授に背（そむ）く心でいる、ということであった。

「岩田、今は面従腹背しろ。ここで本音を言ってアカデミズムの世界から追放されてしまうのは日本のためによくない。だから、一時的に面従腹背だ。心にもないことでもいいから、そういう左派の教授が納得する文章を書いて、一旦、どこかの大学の教員になってしまえば、そこから先、自分の主張を言えばいい。後になって『あいつに裏切られた』とか言われても、見抜けなかった方が悪いんだから。短気で将来を棒に振ってはいけない」

切々としたこの先輩の訴えに私は悩んだ。なぜなら、親身になって私のことを考えてくれたから出た言葉であり、アカデミズムの王道を歩むためには、それが現実的な生き方だったからである。その言葉は非常に嬉しかった。

ここで、もし、教授と喧嘩し続けたら、博士号をもらえず、博士号が無いと大学の教員になるのは、絶望的であった。アカデミズムの世界では、博士号が無いと門前払いされるのが、基本である。大学の教員になれなければ、私が学者として研究する場を失う。その後の私に待ち受けているのは、希望のない暗い道のりだけだ。そこには未来への不安しかない。

逆に、面従腹背したら、どうなるか。教授の前では、左派的な発言をして、論文も左派的論調にする。口では左翼、心では右翼。それはある種、精神の分裂、または混乱を招くのではないか。口で左翼的発言を繰り返していたら、心まで浸食されてしまうかもしれない。そして、そうなりたくないと思えば、心が葛藤（かっとう）して苦しくなる。そのうち、「右派の自分が本当の自分」か「左派の自分が本当の自分か」わからなくなるかもしれない。これが、面従腹背の末路である。これでは、過去への後悔が残される。

悩みに悩んだ末、私は、自分の心に正直になることを決断した。それが後悔の無い決断になると思ったからである。いかなる結果を招こうとも、自分の心に正直であれば、希望を失っても、心は清々しいと思った。過去を永遠に後悔する選択より、不安な未来に生きる選択をした。後悔は無かった。覚悟の上であったからだ。そして、それは同時に私がアカデミズムの王道を外れ、王道を外れた道を歩み始めた時であった。そんなとき、折に触れて考えていたのが大東亜戦争で散華した特攻隊の方々だった。私がどんなに辛くとも、明日敵に目がけて突っ込まねばならない特攻隊の苦悩に比べれば大したことはない。別に命までとられるわけではない。

それから、私は王道を外れた道を歩み続け、僥倖ともいうべきだが大学教員の職を得た。このような私の内情を知らない人から見れば、私は王道を歩んで大学の教員をしていると思う人もいるかもしれない。だが、実際は波瀾万丈だった。そんな私にとって、「学問の王道を歩むことにならないユーチューバーになどなるべきではない」という指摘は全く気にならなかった。なぜなら、先述のように、大学院時代からとっくに王道を外れているし、それでも右派の学者としての誇りをもって、学問し続けた自負があったからである。今更、アカデミズムの王道など気にならない。私が気にするのは、我が国の将来だ。政治学者として政治を研究し、世に発表し、日本が少しでもよい国になるように、全力を尽くすのみである。その目的がかなうのであれば、ＹｏｕＴｕｂｅに挑戦するのも、全く抵抗が無かった。

蛇足になるが、「座右の銘」が「面従腹背」と語った文部官僚がかつていたことを読者は記憶しているだろうか。彼は「右派政権（彼らの思い込み）」に対して、己の左翼思想を隠して官僚生活をほぼ満喫したのかもしれないが、私が、大学院時代に彼と同じような道を歩んでいたら……。人生の選択を誤らなかったことをいまは誇りに思う。「人間のクズ」にだけはなりたくないから。

「迷惑系ユーチューバー」を斬る！

そういう紆余曲折を経て、私が活動の場としてＹｏｕＴｕｂｅを選んだことに後悔はないし、それが有用であることは確信している。

しかしながら、ＹｏｕＴｕｂｅにも問題点があることを敢えて指摘したい。例えば、ＹｏｕＴｕｂｅは誰でも発信でき、無料で見ることができることは、基本的には利点のように思う人が多いはずだ。しかし、裏を返せば、悪人も発信できるということである。悪人が世間に悪影響を及ぼすこともある。だが、それはまだわかりやすくてよい。明らかな悪人は、賢明な視聴者は避けることができるからである。

例えば、迷惑系ユーチューバーはそれに該当する。他人に迷惑をかけて、それを録画し、その様子をＹｏｕＴｕｂｅで流す。賢明な視聴者は、バカバカしいと思い、時間の浪費となることがわかっているので、見ない。だが、残念ながら、愚かな視聴者は、そういった迷惑な行為を楽しんで見てしまうので、それが収益に繋がり、ますます迷惑な行為を助長するという問題点がある。

具体例を挙げると迷惑系ユーチューバーに「へずまりゅう」なる人物が存在する。へずまりゅうは、愛知県岡崎市のスーパーで会計前の魚の切り身を食べるところを2020年5月に配信し、7月にそれが窃盗にあたるとして窃盗容疑で愛知県警に逮捕された。他にも様々な迷惑行為を繰り返した挙句、2021年8月、迷惑系ユーチューバー「へずまりゅう」こと原田将大被告に対して、懲役1年6カ月、執行猶予4年の有罪判決が言い渡された。つまり、このへずまりゅうの「迷惑行為」とは「犯罪行為」であった。違法行為で金を稼ぐという、異常事態である。

DaiGoは「過激系ユーチューバー」か？

こうした迷惑系ユーチューバーが問題であることは誰の目にも明らかだろう。しかし、もっと問題なのは、一見、有益そうに見えるユーチューバーが視聴者に悪影響をもたらすことである。例えば、メンタリストのＤａｉＧｏがそれに該当する。ＤａｉＧｏはＹｏｕＴｕｂｅで活動する以前はテレビで活動していた。その頃から人気があったようだ。そして、ＹｏｕＴｕｂｅで活動するようになると、ますます人気が加速した。登録者数２２０万人（２０２２年8月末日現在）を超える人気ユーチューバーである。ＤａｉＧｏは心理学を専門にしているようで、それに基づいた成功方法などを紹介している。内容は実用的なテクニックとして出されているものが多く、視聴者は実生活で使える方法を知りたくて視聴しているのだろう。私は、ＤａｉＧｏにも心理学にも全く興味がないので、ほとんど視聴したことがないが、それらの多くは有害ではないであろう。私には有益ではないが、登録者にとって有害でないのなら、問題はない。

しかし、先日、とんでもない「世間に悪影響を与える発言」を耳にした。あまりの酷さに耳を疑った。それを意訳すると「ホームレスは自分にとって不要だから死んでもいい。でも猫は好きだから死んでほしくない。自分は税金をたくさん払っているから、その税金はホームレスに使うのではなく、猫に使ってほしい」ということである。以下、原文を一部引用してみよう。

僕は生活保護の人たちにね、あの、なんだろう、お金を払うために税金を納めてるんじゃないからね。

（中略）

生活保護の人たちに食わせる金があるんだったら、あの、猫を救ってほしいと僕は思うんで。生活保護の人生きてても僕べつに得しないけどさ、あの、猫はさ、生きてれば僕、得なんで。

僕はあのー、今日辛口だと思いますけど、ダークなんで、うん。人間の命と猫の命は人間の命の方が重いなんて僕全く思ってないからね。自分にとって必要もない命は僕軽いんで。僕にとって軽いんで。そうそうそう、だからべつにホームレスの命はどうでもいい。

てか、どちらかっていうと、みんな思わない？　どちらかっていうといない方がよくない？　ホームレスって。言っちゃ悪いけど。本当に言っちゃ悪いこと言いますけど、いない方が良くない？

いない方がだってさ、みんな確かに命は大事って思ってるよ。人権もあるから。いちおう形上大事にするよ。でもいない方がよくない？　うん。正直。邪魔だしさ、プラスになんないしさ、臭いしさ。ねえ。治安悪くなるしさ、いない方がいいじゃん。猫はでもかわいいじゃん？　うん。って思うけどね、僕はね。

うん。もともと人間はね。自分たちの群れにそぐわない社会にそぐわない、群れ全体の利益にそぐなわい人間を処刑して生きてきてるんですよ。犯罪者を殺すのと同じですよ。犯罪者が社会の中にいると問題だし、みんなに害があるでしょ？　だから殺すんですすよ。はい。同じですよ。

引用　2021年8月7日のライブ配信「【超激辛】科学的にバッサリ斬られたい人のための質疑応答」

このＤａｉＧｏが発言した残酷で恐ろしい考え方を優生学と言う。本人は気づいていないかもしれないが、これがまさに優生学の発想なのだ。この優生学に基づいて政治を行った国がナチス・ドイツである。ＤａｉＧｏの発言はナチス・ドイツの信奉していた優生学に繋がりかねない恐ろしい考え方だ。

ナチス・ドイツの許されざる犯罪は有名だ。恐らく、多くの人は「ユダヤ人を大量虐殺した」と思っているのではないか。確かにそれは事実だ。ナチス・ドイツはユダヤ人であるという理由だけで600万人以上虐殺した。恐るべき犯罪であり、これを

「ジェノサイド」と呼ぶ。だが、ナチスが虐殺したのはユダヤ人だけではなかった。彼らが最初に殺戮したのはドイツ国内の障害者だった。障害者は劣った遺伝子を後世に残す。このような劣等な遺伝子がドイツ国民を汚す。それがナチスの優生学の発想だった。

これはダーウィンの進化論を悪用した思想でもあった。「適者生存」という論理を人間社会に応用してしまおうという発想である。「適者生存」とは、環境に適応できた種だけが生き残ることが出来たという意味だ。これを人間社会に当てはめると恐ろしいことになる。「環境に適したものが生き残る」のだから、環境に合わせられない弱者は淘汰されても仕方がないという発想に至るのだ。

著名な哲学者の影響もあった。日本でも人気のあるニーチェは『悦ばしき知識』の中で障害者殺戮を示唆する言葉を残している。「聖なる残忍」との短い文章だ。ある聖者のもとを障害をもった子供を持つ父親が訪れる。子供をどうしたらよいのか尋ねた父親に聖者は「殺せ！」と叫ぶのだ。多くの人々が聖者に対して残酷だと非難するが、聖者は応える。「子供を生かしておく方がもっと残忍なことではないのか？」。

恐ろしい話だ。私はニーチェの哲学を全面的に否定するものではない。むしろ影響を受けた哲学者の一人でもある。しかし、ニーチェが後世に危険な影響を与えたという一面についても理解しておくべきだと考えている。

ナチスは第三帝国を偉大な帝国にするためには劣等な遺伝子を淘汰してしまう必要があると考えた。そこで障害者たちを「生きている価値がない」と決めつけ、実際に殺戮したのである。

私にとって非常に印象的だった一葉の写真がある。その写真には筋骨隆々の立派なナチスの青年と明らかに障害をもった車椅子に乗った男が映っている。青年と障害者が親しくしているようにも見える。別にこれだけなら何の問題もない写真に過ぎない。しかし、この写真にはキャプションが付けられている。

このキャプションが余りに衝撃的なのだ。

曰く、「この立派な人間が、こんな、われわれの社会を脅かす狂人の世話に専念している。われわれはこの図を恥じるべきではないか」。

この言葉を見た瞬間「おかしいのはナチスだろう！」と思うのが現代の常識だが、当時は違った。ナチス・ドイツは健康なゲルマン民族ではない「障害者」や、劣等民族のレッテルを貼られた「ユダヤ人」の大虐殺を国策として推進していった。人類の恥ずべき蛮行だ。だが、ナチス・ドイツやユダヤ人虐殺は覚えていても、その根底にあった優生学の思想について理解している人は少ない。

ＤａｉＧｏはこの危険な思想を理解していなかったのではないか。登録者が２００万人以上のユーチューバーが軽々しく「ホームレスの命はどうでもいい」「いない方がよくない？」「犯罪者を殺すのと同じですよ」など発言するのは異常なことだ。影響力のあるユーチューバーがこうした優生学のような危険で誤った思想を拡散し、これに同調する大衆が出現してくると国の方向性がおかしな方へとすすみ始めるだろう。不幸中の幸いともいえるのは、このＤａｉＧｏの発言に同調する人よりも、批判する人が日本では圧倒的多数であったことだろう。ここに日本人の良心が顕（あらわ）れた。

明らかに誤った過激なことを言う「過激系ユーチューバー」は、「迷惑系ユーチューバー」以上に悪影響を及ぼす可能性があるので注意を喚起しておきたい。

こうした迷惑系・過激系のユーチューバーばかりが注目されるとまっとうに動画を配信しているユーチューバーの印象まで悪くなるのが残念である。

YouTubeにおける「表現の自由」の限界とは

ユーチューバーには、このように「世間に悪影響を与える人」も少なからずいる。しかしながら、それを一方的に制限するのは難しいだろう。なぜなら、それは憲法で認められている「表現の自由」に該当するからである。表現の自由は、憲法に定められた人権の一つであり、最大限保障されなければならない。だが、そうは言っても、世間に悪影響を与える悪質なユーチューバーを放置した方がよいというわけではない。ここに、現代のリベラリズムの困難、「多様性」の弱点がある。表現の自由を認める、多様性を認めるということは、素晴らしいものだけを認めるということにはならない。素晴らしいものであれ、下品で低俗で悪質なものであれ、等価値を有しているという前提に立つのが多様性の擁護だ。

　確かに国家が動画の内容を一方的に下品で低俗で悪質だと決めつけるようなことがあれば、北朝鮮のような全体主義がまかり通る可能性を否定できない。だから、内容についてはなるべく権力側は容喙(ようかい)しない。それがリベラリズムというものだ。その結果、ＹｏｕＴｕｂｅが玉石混交になるのは必然といってよい。悪影響を与える動画も含まれざるをえない。すべての悪質なユーチューバーを追放することは現実的ではない。だが、表現の自由とはいえ、ジェノサイドを擁護するような発言や差別を助長するような表現は極力避けるべきだろう。それでは、具体的にどのように歯止めをかけるか。憲法上、表現の自由が認められているため、法的には、基本的にそうした表現を禁止するのは難しい。したがって、私は「常識」と「世論」によって、歯止めをかけるべきだと考える。

　例えば、フランスでシャルリー・エブドがイスラム過激派に襲撃された事件は象徴的な事件だった。襲撃の原因は、シャルリー・エブド社がムハンマドの風刺画を掲載したことだ。それがきっかけとなり、編集者など12名が殺害された。こうしたテロに反発して、フランス国民は表現の自由を訴えるデモを全土で展開した。

この事件はまさしく「表現の自由」が抱える深刻な問題を浮き彫りにしている。表現の自由は原則論としていえば、最大限尊重されるべきだ。しかし、冷静に考えてみて、ムハンマドを侮辱する風刺画を載せる自由は尊重されるべきであろうか。イスラム教徒にとってムハンマドは偉大な預言者である。さらにムハンマドの絵を掲載するのは禁忌とされている。ムハンマドを明確に侮辱するような絵を描いたならば、それに対してイスラム教徒が義憤に駆られることは容易に想像が出来る。

地球上にはイスラム教を信仰する人々が多数存在する。彼らを本気で怒らせることが分かりきっているイラストを掲載する必要があったのか？　ここまでやる必要はなかったのではないだろうか。その根拠となるのは法ではない。常識である。イスラム教徒が最も尊敬している偉人を侮辱する自由は行使すべきでない、と常識から判断して、避けるべきであったのではないか。確かに、そのように侮辱的な風刺画を掲載するのは表現の自由の範疇（はんちゅう）に属する。だから、彼らは決して法を犯したわけではない。しかし、常識としてどうなのかを考えるべきではなかっただろうか。

私は無論、暴力を肯定しない。テロ事件は全面的に否定されるべきだ。だが、心情において、この義憤に駆られたイスラム教徒の立場は理解できる。もっとも大切に思う存在を侮辱された際、憤りを感じるのは人間として自然な感情だ。

「愛知トリエンナーレ」の行き過ぎた表現の自由

これと似た事件が日本でもあった。それは、愛知トリエンナーレで起こった天皇陛下の御写真を燃やす表現を巡る事件である。そこでも、「表現の自由」によって、芸術作品の一つとして、「昭和天皇の御写真を燃やし、踏み躙(にじ)る」という作品を展示するべきか否かとの議論があった。主催者側は表現の自由だから問題ないという立場を堅持した。しかし、これは、世論から猛烈な批判を浴びた。まさしく常識から考えて、表現の自由の限度を超えていると、世論が判断したためである。我が国において天皇陛下は憲法で示されているように日本国民統合の象徴である。つまり、憲法上、すべての日本国民の象徴であり、尊重されるべき御存在だ。国民の象徴である天皇陛下を侮辱するということは、間接的に日本国民ひとりひとりを侮辱したことになる。まさしく、イスラム教徒にとって最も偉大な人であるムハンマドを侮辱することと同じである。そして、日本国民もイスラム教徒も、自分たちにとって大切な存在を侮辱されたことに抗議の声を上げた。

YouTubeでも、同様に、表現の自由は最大限尊重されるべきだが、同時に常識と世論によって、おかしな危険な議論に関しては歯止めをかけなければならない。前述したように、「ホームレスは死んでもよい」という内容の問題発言をしたDaiGoは、世論に猛烈に批判された。発言してから、すぐに批判を浴びたものの、当初は自分の考え方が間違っていないということを主張し続けた。しかし、それは火に油を注ぐ結果となった。あまりにも批判が大きくなり、耐えきれなくなったDaiGoは謝罪した。私は、このように「常識」に基づいて「世論」が批判して「改善」することが、最も健全で望ましいと考える。そして、DaiGoにはこれを機に猛省して、優生学に基づく恐ろしい思想を見つめ直してもらいたい。

玉石混淆のYouTubeチャンネルから「玉」を選ぶには

前に指摘したように、YouTubeチャンネルは玉石混交である。玉を選べば、有益であり、石を選べば、有害である。玉を取って、石を避けたいものだが、簡単にはいかない。良いものを見分け、選ぶのは、なかなか難しい。そこで、この章では、「よいものを見分ける方法」について話したい。

玉石を見分けるポイントは以下の二点である。

①適正な事実かどうか
②適正な意見かどうか

「事実」と「意見」を分けて考えることが重要だ。

まず「事実」について考えてみたい。話し手が「これは事実だ」と言う。この時、気をつけなければならないのは、その語られている事実が嘘かもしれないということである。「事実」と言われて、それを鵜呑みにしてしまうのはいかにも危険である。もしその「事実」が間違っていれば、それを論拠とした、その後の「意見」も間違っている。客観的な事実と主張されているものが、真実なのか否かを見抜くのは重要なことだ。ただ、残念ながら我々は全ての事実を知ることが出来ない。

簡単には確かめようのない「事実」もある。例えば、「アフガニスタンでタリバンが政権を奪取した」「ソマリアで海賊が頻発した」などというニュースが「事実」として報道されたとしよう。この報道が嘘かもしれないと疑っても、真相はなかなか個人ではわからない。なぜなら、自分が実際にアフガニスタンやソマリアまで行くことは困難だからである。全ての事実をチェックしようとしてもそれは不可能である。歴史の問題に関しても、吉田茂について調べてみようとすることは出来るが、実際に吉田茂が実在したのか、全ての新聞記事が嘘を書いているのではないかと疑い始めたら、これはキリがない。したがって、ある程度はこのようなことを「事実」として受け入れていかなければ、情報収集が成り立たない。

それでも前述のように、なんでも鵜呑みにしていいわけではない。そこで、「事実」かどうかを疑う根拠として「常識」を挙げられる。「常識」から「表現の自由」を考えることが大切であると先に述べたが、ここでも同様に、「常識」から「事実」を考えることも大切である。「常識」とは、「公的感覚」である。英語では「common sense」と言う。「事実」と主張されていても、「常識」から疑うことが大切である。

気をつけるべきなのは「ここだけの話ですよ」というような語り口調だ。「今だけです。今買ってくれたら本当にお得です」というような話は、相手に考えさせる時間を与えないような詐欺師の手口であり、極めて危険だ。同じように「ここだけですよ」「ここでしか知ることが出来ませんよ」という話も眉につばをつけて考えてみることが重要だ。「ここだけでしか教えてくれない」ということは、もしかしたら情報源が曖昧、あるいはデタラメでここだけでしか聞けない情報なのかもしれない。「すごい得した！」と思ってそうした話に飛びつく前に「これは本当の話なのか？」と冷静に分析してみる必要がある。

「みんなが言っている」の嘘に注意せよ

次に「意見」について考えてみよう。これは「事実」よりも気をつけなければならない。「事実」と主張されることは、それ自体が嘘でない限り、正しい。しかし、「意見」に絶対的な正しさはない。人間は神ではなく間違う存在なのだから、絶対的に正しいと断定できる意見は存在しない。幅広い意見から妥当なものを最善と見做す他ない。だからこそ気をつけなければならないのは「いくつもの意見を聞くこと」の重要性である。

一つの意見では偏りがある可能性がある。複数の意見を聞くことは大切だ。そして、自分とは立場の違った意見を聞くことも重要である。別の視点で物事を見ることで、より客観的に判断できる可能性が高まる。自分の意見、似た他者の意見、違った他者の意見。それぞれを知ることが大切なのである。

YouTubeで気をつけなければいけないのは、自分の好みの動画が関連動画として出ることだ。これは、自分の好きなものを見られるという意味ではよい機能であるが、幅広い意見を知るという意味では、役に立たない。自分が知りたい、聞きたいと思ったのと似通った動画がたくさん出て、色々な人が似た意見を言うと、それが真実だと思い込んでいくようになる。よく小さな子供が「みんなが言っている」という言い方をする。だって「みんなが言ってるもん」、「みんな持ってるもん」といった類の言い方だ。これは細心の注意を払って気をつけなければならない。ＹｏｕＴｕｂｅで似通った主張の動画を自分が無意識に積極的に見に行っている可能性がある。幾つも見ているうちに「みんなが言っているもん」と思い込んでいる可能性がある。そういう時の「みんな」は、せいぜいで、自分の周辺にいる2～3人程度でしかないことがしばしばなのだから。

人は「確証バイアス」に陥りがちだ

既に他界したが、私の祖母はことあるごとに論拠として「テレビで言っていたから」

と主張していた。テレビで言っていることが祖母にとっては真実だった。これは非常に危険な考え方だろう。テレビ番組も、番組によって意見の偏りがある。そして、自分の好みの傾向の番組を見るのだが、いくらたくさん番組を見ても偏った見方を免れない。

例えば、日曜の朝TBS系でやっている「サンデーモーニング」という番組がある。これは、大変、左派に偏った番組である。その司会も、出演するコメンテーターも、殆ど左派に偏っている。同じような考え方をした人たちが、左派の意見を言い続けるものだから、サンデーモーニングを見るだけで、みなが左派で偏っているとは知らずに、「テレビでみんなが言っていたから」と言ってしまうことになる。

中国の諺で「三人言いて虎を成す」というものがある。これは、中国の戦国時代の実話が基になっており、『戦国策』に収められている。中国の魏の国の外交官が、他国へ行くことになったが、その前に主君に次のような話をした。

「もし、だれか一人が『市場に虎が現れた』と言ったら、信じますか」

君主の答えは、もちろん「信じない」だった。多数の人が集まる市場に虎が現れることなどありえないからだ。

さらに外交官は続けた。

「では、二人が言ったなら？」。

君主の答えはやはり「信じない」。

「では、三人ならば？」

そこで君主は「信じるかもしれない」と答える。

外交官は「市場に虎が現れることなどあり得ないのに、『三人言いて虎を成す（三人がそう言えば、本当に虎が現れたような気になる）』。これから私が出かける先は市場よりはるか遠くですが、不在の間に、私のことを悪く言う者は三人どころではないでしょう。王よ、よくよくお考えください」と言った。

しかし、ここまで言ったにもかかわらず、帰国した後、この大臣は王に会うことさえできなかった。

あり得ないような偽情報でも、三人同じことを言うと信じてしまうのが人間の弱さだ。これが人間に備わった性質の一つであることを深く自覚して、気をつけなければならない。だからこそ、反対の立場の意見を聞くことが大切になってくる。

人間に備わった性質の一つに「確証バイアス」と言うものもある。確証バイアスとは、人間は自分に都合の良い情報ばかりを集めて、それを信じようとする一方で、反証する情報は軽視したり、無視しようとしたりする傾向があることを指す。意図的に「反対の立場の意見を聞く」ということをしない限り、気にいらない情報は自分の耳に入ってこないのが、普通なのである。だから、あえて強く意識して「反対の立場の意見を聞くこと」を実行した方がよい。

YouTubeを始めてよかったこと、悪かったこと

本章の最後に、率直に振り返ってみて　YouTubeを始めてみてよかったこと、悪かったことについて語ってみたい。

まずはよかったことからだ。

一つ目は「影響力」が大きくなったことである。ＹｏｕＴｕｂｅでは一般の視聴者が大勢視聴してくれる。また、意外に思われるかもしれないがその道の専門家にも岩田温チャンネルはよく視聴されている。例えば政治家やジャーナリスト、編集者が多数視聴して下さっている。時事的な問題に関して多くの方々にご覧頂き、その道の専門家にもご覧頂いていることは本当に有難いし、嬉しいことだ。紙の本だけではこうはいかない。発行部数も限られているし、読むのにはお金もかかる（図書館で借りて読むことは可能だが）。その点、ＹｏｕＴｕｂｅは無料だし、いつでも見ることができる）。

二つ目は支援者が増えてきていることである。政治に興味をもって、気軽に視聴してくださる方が多いため、自身の支援者が増えてきていることを実感する。コメントやライブで皆さんと交流していると、本当に応援してくださっていることがわかる。自分の言論活動がわずかなりとも役立っていること、活動の場が広がったことを実感する。

次に、ＹｏｕＴｕｂｅを始めて悪かったこと、大変だったことを述べてみたい。

一つ目は「寝不足になったこと」だろうか。理由は、朝早く起きて、ＹｏｕＴｕｂｅの準備をして、撮影するからである。当初は、二足の草鞋ということもあって、九時からは大学の講義があるため、それまでにＹｏｕＴｕｂｅの仕事を終わらせなければならないという生活を続けていた。ただ、この春（２０２２年）に大学を辞し、本当に自分の時間を持つことが出来るようになったため、この問題は殆ど解消している。

二つ目はコメント欄で心ないことを言われることである。見ず知らずの方から「アホかこいつ」「不勉強もいいところ」「左翼か」という批判をされたことがある。他にも多数、酷いものもあったが、限度を超えた酷いものは削除することにしているが、これで心折れる人も多いと感じる。少し意見が違っただけで馬鹿、阿呆扱いするコメントには違和感しか覚えない。ましてや私を「左翼」呼ばわりするなど常軌を逸している。

ただ、ＹｏｕＴｕｂｅには自動で不適切と判断されるコメントを削除する機能があるようだ。時々「おれの渾身の力作を勝手に削除するな」といったコメントがあるが、それは勝手にＹｏｕＴｕｂｅに削除されたようなので、文句を言うのであればＹｏｕ

Ｔｕｂｅの運営会社に言ってほしい。そもそも私は力作のコメントなど望んでいないので、出来れば他の場所で力作コメントなるものをご披露いただきたい。

三つ目は場所を特定されることである。ある時、私のＹｏｕＴｕｂｅコメント欄に私が食事をしていた店を特定され書き込まれたことがある。これでは、私がその店に行きにくくなった。実際に書き込まれると結構、恐怖を感じるものである。

ちなみに、そのコメントで「いつも女を口説いている」と指摘されていたが、残念。それほど私はモテない。その女性は妻である。妻とよく行く美味しいお店なのだ。余り邪魔しないでほしいと切に願う。

第三章

「テレサヨ」に「ネトウヨ」と罵られても私は挫けない

私のような右派系言論人に対する「テレサヨ（テレビ左翼）」からの「ネトウヨ」といった誹謗中傷の数々。かつての「お前はアカだ」「お前はユダヤ人だ」、だから弾圧して当然だというファシズムを感じさせる……。

「ネトウヨ」は言論封殺のためのレッテルでしかない

近年、「ネトウヨ」という言葉が多用されるようになった。ネトウヨとは、「ネット右翼」の略称である。goo辞書によると「ネット右翼（ネトウヨ）」とは「インターネットの掲示板2やブログ上で、保守的、国粋主義的な意見を発表する人たち」と説明されている。現在、このネトウヨとの言葉が多用されている。これは明確に悪意を以て遣われる言葉だ。例えば、「お前はネット右翼（ネトウヨ）だ！」と言えば、それは「インターネット上でまともな言論活動を展開している国士」という意味ではない。「インターネット上で右翼のような頭の悪い発言をする輩」という差別的な意味合いで遣われている。そこには、「ネトウヨ＝悪い」という図式が存在している。

自分と意見の異なる主張をする人々を貶める際に、切り札のようにネトウヨとの断定が行われる。

「お前はネット右翼（ネトウヨ）だ！」と決めつけた時点で、「ネトウヨの意見は、ネトウヨである時点ですでに間違っているから、議論にならない」と問答無用で切り捨てる。これは、ある意味では自由民主主義の否定と言って良い。誰でも自由に意見を言え、表現の自由が認められるのが自由民主主義社会だからだ。「お前はネット右翼（ネトウヨ）だ！」と言って、それ以後の言論を封殺するかのような扱いは自由民主主義を否定するやり方である。「お前はアカだ」「お前はナチスだ」「お前はユダヤ人だ」、だから自由はない、抹殺して当然だという論理になりかねない。

　他者に対して「ネット右翼」「ネトウヨ」などと決めつけて、その存在を否定するようなやり方を「スティグマ」と言う。スティグマとは「烙印（らくいん）」という意味で、古代のギリシャに由来する。古代ギリシャでは、犯罪者の腕にこてをあてた。そのこてによって犯罪者の烙印が刻まれた。この烙印がスティグマである。「お前はネット右翼（ネトウヨ）だ！」ということで、犯罪者の烙印（スティグマ）を押し付け、言論を封殺しているというわけだ。

　だが、ネット右翼（ネトウヨ）とは、犯罪者の烙印（スティグマ）を押されるような存在なのか。存在そのものが犯罪的なのだろうか。これは冷静に考えておく必要がある。

「ネット右翼（ネトウヨ）」の定義は先程辞書で確認したとおりだが、実に曖昧なものだといってよい。なぜなら、インターネット上で右翼的発言をする人をネット右翼（ネトウヨ）と言うが、これほどおかしな話はない。今の時代、インターネットを使わない人などほとんどいない。従って、大多数の国民がインターネットを使う。そうなると、普段から右派の考え方を持っている人間も、インターネットを使う。そういう、根っからの右派が普段の考えに基づいて発言をした際、ネット右翼だと非難されても、その非難が妥当とは言い難い。

なぜなら、その人はネット上であろうが、日常であろうが、常に右派なのである。ネット上だけの右派とは言えない。もしも、この根っからの右派に対してもネット右翼と言うことが妥当な発言なら、「ネット右翼」＝「右翼」ということになる。しかし、ネット右翼と他人を誹謗する人は相手を右翼だとは言わない。ネット右翼に対して悪い特別な意味を込めている。

右も左も大切なことは真贋を見抜く力

では、なぜネット右翼だとの決めつけだけで、一方的に人の意見を切り捨てられると考えているのだろうか。

恐らく、ここにはインターネット、ユーチューバーを初めとするSNSに対する偏見が存在している。

私は、左派が「ネット右翼（ネトウヨ）」と呼び、侮蔑する論理は次のようなものだと捉えている。

ネット上に転がっている情報は玉石混交である。その石（ゴミ）の方のデタラメな情報を鵜呑みにして右翼的な意見を述べる人々が存在する。これがネット右翼なのだ。真偽のほどが確かでない情報を鵜呑みにしているというのは、率直に言えば軽率で頭が悪い人である。だから、「ネット右翼」とは議論が出来ない。こういう理屈なのではないだろうか。

確かにインターネット上の真偽の定かでない情報を真に受けて、おかしな主張を展開する人が存在するのは事実である。しかし、それは必ずしも右派的言説に限らない。左派的な言説を展開する人もいれば、奇妙な陰謀論を語る人もいる。

問題となってくるのは「ネット右翼」の右翼の部分ではなく、正しく情報を取れない頭の粗雑さにあると考えるべきなのだろう。だが、他人に対してネット右翼の烙印を押したがり、それだけで自分が勝利したつもりになっている人も多い。

当然のことながらＹｏｕＴｕｂｅもインターネットの一種である。驚くことに、私に対してもネット右翼の烙印を押そうとする人々が存在する。私は別にインターネット上だけ右派の発言をする人ではないし、真偽の定かでない情報を鵜呑みにする軽率で頭が悪い人間だとも思っていない。政治哲学を専門とする保守系の政治学者で、多くの右派の本から学んでいるだけでなく、左派の本も読んで研究している。ヒトラーからレーニンまで、数多くの極端な右派左派の書物も読むし、エドマンド・バークのような正統な保守主義者の書物も読む。右派から左派まで幅広く学んだ上で、現在の私の考えが醸成されている。決して、軽率にどこかで耳にしただけの真偽の定かではない情報を根拠に意見発信しているわけではない。恥ずかしながら研究に研究を重ね、熟慮に熟慮を重ねた上で、雑誌、書籍、そしてＹｏｕＴｕｂｅでも自分自身の考えを発信している。再生回数を稼ぐことを目的として、敢えて真偽のわからない情報を拡散しているユーチューバーも存在するが、私はそういう行為には加担しない。

勿論、私は右派と呼ばれることを恐れないが、自分ではそれほど右派だとは感じていない。自分の学び得た学識の中から最も正しいと思うものを世に発信しているだけだ。むしろ「リベラル」を自称する左翼たちの欺瞞的な意見が蔓延(はびこ)っているので、これは正確に批判しておく必要があると考えている。未だに「憲法９条があるおかげで日本は平和だ」などと言う人がいる。ロシアのウクライナ侵攻の現実を見て、そのような主張ができるのか。「平和憲法という病」への処方箋は我が使命と考えている。

インターネット上の情報は玉石混淆であるとの見解は正しい。確かにおかしな情報も山のように存在している。しかし、立派な意見、優れた見解も存在している。とにかくネットで得た情報は全ていかがわしいと断言するような姿勢は誤っている。大切なことは真贋(しんがん)を見抜く力なのだ。どれが本物でどれが偽物なのかを冷静に考えていくことが重要だろう。

この侮蔑的な意味が込められた「ネット右翼」「ネトウヨ」が「軽率で頭の悪い人」を指すなら、それは右派、左派に関係のない話だ。インターネットがあろうが、なかろうが、おかしな言論を盲信する人は昔から存在するからである。そういう人は、雑誌のデタラメな記事を読んで洗脳されて、軽率に右翼になったら「雑誌右翼」であろうし、テレビを見て右翼になったら「テレビ右翼」であろう。逆に、軽率で頭が悪いことから、テレビを見て左翼になる「テレビ左翼（テレサヨ）」にもなるであろう。結局、そういう人は、軽率に「右翼」にも「左翼」にもなるし、フラフラと移り変わるのである。だが、面白いことにテレビを見て右翼になる「テレビ右翼」はほとんどいない。逆にテレビを見て漠然とした左翼になる「テレビ左翼（テレサヨ）」が多い。地上波テレビに出てくる人々のほとんどが左翼である証ではなかろうか。

「ネット右翼」を馬鹿にする人々は「テレビ左翼」についても正確に批判する必要があるだろう。問題はテレビ、雑誌、新聞、ＹｏｕＴｕｂｅといった媒体ではない。大量に存在する情報の中から常識と知性を以て知識を獲得するメディア・リテラシーなのだ。

　これからますます影響力が大きくなるインターネットを侮蔑し「ネット右翼」などと罵っているだけでは、何も変わらない。それほどネットの言論に異議を唱えたいならば、ＹｏｕＴｕｂｅでチャンネルを開設し、自分の思うところを堂々と述べてみればよい。テレビとは異なり、自分の意志で意見を発信できるのがインターネットの長所なのだから。

『ＷｉＬＬ』、『正論』、『諸君！』はネトウヨ雑誌に非ず

　ネット右翼という言葉が拡散した背景には、オールドメディアの焦りがあるとも考えられる。オールドメディアとは、具体的には「テレビ」「新聞」「雑誌」などである。インターネットが普及する以前は特に「テレビ」「新聞」の影響力が強かった。多くの日本国民はそれらを情報源として思考していたと言っていいだろう。メディアはほとんどが彼らの独占状態であったといっても過言ではない。

少数ながら、知的に誠実でありたいと思う人々の中には雑誌を買う人もいた。産経新聞の『正論』、文藝春秋の『諸君！』やワックの『WiLL』などのオピニオン誌である。これらの雑誌は、渡部昇一、西尾幹二、長谷川三千子といった保守の論客が活躍する数少ない場所だった。ほかにも福田恆存や江藤淳は『正論』や『諸君！』によく登場していた。こうした方々が「朝日新聞に異議あり！」「リベラルに異議あり！」「日本は犯罪国家ではない！」と訴えたのである。これらの雑誌は、学びたいという向学心のある意識の高い人が買う傾向が強かった。

にもかかわらず、これらの雑誌を「ネトウヨ」傾向の強い層の読む雑誌とレッテル貼りをする人もいる。倉橋耕平の『歴史修正主義とサブカルチャー』（青弓社）や、上丸洋一の『『諸君！』『正論』の研究　保守言論はどう変容してきたか』（岩波書店）などがその代表だが、浅学非才というしかない。その証拠をお見せしよう。

まず、雑誌に掲載された論考が大きな影響力を持った事例を紹介しておこう。

過去に日本とドイツの歴史に対する向き合い方が異なると批判の声があがったこと

がある。ドイツのヴァイツゼッカー大統領の「過去に目を閉ざす者は、現在にも盲目になる」との言葉が盛んに引用され、過去に向き合い戦後補償を行ってきたドイツと過去に向き合いもせず戦後補償も不十分な日本という図式が作られた。日本を批判する人々の言説だった。だが、このとき評論家の西尾幹二は『諸君!』(1993年11月号)で「ナチスと日本は同罪か　ヴァイツゼッカー独大統領謝罪演説の欺瞞」を発表した。

この論文の中で西尾は全体主義国家ドイツの犯罪と日本の戦争犯罪は全く異なるものであると指摘した。ドイツはユダヤ民族を地上から消滅させようと企図し、実行した。一方、日本はどこか特定の民族を地上から消滅させようなどと考えたこともなかった。両国が敗戦国であるというだけの理由で同一視されることは間違っている。許されざる犯罪を実行したドイツとそうした犯罪に関与しなかった日本の歴史と戦後補償を同列に論ずるのは間違っている。これが西尾論文の主旨であり、後に、文藝春秋から単行本化された『異なる悲劇　日本とドイツ』は、この問題を語る際の基本文献となっている。

だが、それでも雑誌を読む人間が大多数であったわけではない。日本国民全体から比較すれば少数派と言わざるを得なかった。わざわざ本屋に行き、お金を出してまでオピニオン雑誌を買う人が少数派であったのは仕方がないことだろう。

インターネットが普及する以前は、新聞がよく売れた。今では新聞を購読していないというご家庭も珍しくないし、下宿している学生はほとんど新聞を購読していない。私自身が学生時代から、徐々に学生の新聞離れは進んでいた。私が早稲田大学の学生だった頃、評論家の宮崎正弘に大変お世話になった。飲みながら色々なお話を伺ったのだが、衝撃的だったのは新聞についての話だった。

宮崎が学生時代、新聞が飛ぶように売れたのは学生街だったという。新聞という形式が好きだったというよりも、情報を得るための媒体が新聞しか存在しなかったということだろう。だが、現在では新聞を購読する層は極めて限られてきている。

さらにいえば、若い人の間ではテレビを見る人も激減している。一人暮らしをする学生の多くがテレビを家に置いていない。これは私の学生時代と比較すると隔世の感がある。学生時代、私はテレビを家に置いていなかったが、友人たちからは非常に奇異に思われていた。「テレビがないと落ち着かない」「とりあえずテレビをつけて人の声を聞きたい」という友人が多く、テレビを家に置いていない私は奇人、変人の類の人物だと思われていた。二十年でテレビ環境は激変したといってよいだろう。

「テレサヨ」が好きなテレビ番組のあまりの偏向ぶりに唖然

新聞を読んだり、テレビを眺めたりする人が減った代わりに大いに普及したのがインターネットだ。さらにスマートフォンを利用する人が爆発的に増加したため、YouTubeはより一層人々にとって身近なものとなった。

さらにYouTubeが身近になったのは、テレビのボタン一つでYouTubeの番組が見られるようになったことも大きいだろう。音声入力も可能だから、わざわざキーワードを打ち込んでいく手間もかからない。家電量販店でテレビを売っているスタッフが「これでYouTubeも見られますよ」と言っているのではなく、「テレビも見られますよ」と言っていたのには思わず笑ってしまった。テレビよりもYouTubeを見たいという客が多いのだろう。あくまで動画をきれいに見るための受信機であり、それぞれのテレビ番組には興味がないということか。随分とテレビを見る人も減った。

新聞離れ、テレビ離れが進む時代に「若者の右傾化」「ネット右翼の隆盛」等々が論じられている。オールドメディアの焦りのようなものを感じるのは私だけだろうか。「テレビ、新聞を見ないから日本が右翼化して危険だ！」と絶叫したいのかもしれないが、あなたがたマスメディアの偏向した番組、紙面にこそ問題があったのではないかと問いたい。

旧来のマスメディアの論調は左に偏ったものが多かった。新聞で言えば、『朝日新聞』『毎日新聞』『東京新聞』。テレビ番組でいえばＴＢＳ系の「サンデーモーニング」「報道特集」などが代表的な左派系番組だろう。

「サンデーモーニング」では、司会の関口宏がニュースの話題を取り上げながら、コメンテーターにその話題を振っていく。それぞれのコメンテーターが持論を述べていく。この形は別に問題無い。問題なのは、このコメンテーターが、ほぼ全員が左派に偏ったコメンテーターということだ。一人一人の職種、性別、年齢などが違い一見すると多種多様な意見が展開されているように思えてしまう。だが、結局それらのコメントを聞いていると左派に偏った意見ばかりで、結局、似たようなことを言っている。

時の政権を批判するコメントがあるのは当然だが、それに反論するコメントもなければ中立とはいえない。むしろ、反論するコメントがない場合、テレビをぼんやりと見ているだけの視聴者は、こうした政府批判は反論すら出来ない正義の主張なのだと思い込んでしまう可能性も否定できない。客観的に眺めればテレビ番組に洗脳されているだけだ。

公共の電波で「テレサヨ」を生みだす構図

他にも酷い偏向番組としてあげておくべきなのが、金平茂紀がメインキャスターを務める『報道特集』だろう。２０２２年5月28日、日本赤軍の指導者であった重信房子が出所した。重信の「同志」たちはイスラエルのテルアビブ空港で銃乱射事件を起こし、無辜の人々を殺戮（さつりく）した。他にも１９７７年にはダッカ・ハイジャック事件を起こし、多くの人々を恐怖させた。文字通りのテロリストだ。そして重信はそうした事件に関してパレスチナ解放のための「闘争」であったと主張している。自由と民主主義国家、法治国家としては許されざるテロ行為の指導者、それが重信房子なのだ。

この重信の出所に関して『報道特集』のキャスター金平茂紀が嬉々として重信にインタビューしていた場面が報道された。

金平　「外へ出て一番感じていることは？」

重信　「あまりにも昔と違って一つの方向に流されているのではないか。国民がそうではなくても、政治家が一方向に流れている」

著名な有識者に、時代についての感覚を問うなら理解できる。だが、何故テロリストの指導者にこのような質問をするのか。明らかに金平が重信にシンパシーを感じている様子が伝わってきて、率直にいって不気味なものを感じずにはいられなかった。仮に地下鉄サリン事件の首謀者であったオウム真理教の麻原彰晃が死刑判決を受けずに処刑もされずに釈放されていたとしたら、金平は麻原にこのような馬鹿げた質問をしただろうか。結局のところ、学生運動、反米闘争、革命、左翼といったものに対する憧れが消えない人々がオールドメディアには多数存在し続けているということだろう。厳密にいえば憧れと負い目が混在したような心の動きだろうか。本来であれば、学生運動に参加していた自分たちも重信のように過激な思想を行動に移したかった。だが、自分たちはそこまで実行力を持っていなかった。左派思想は堅持しながらもマスコミに就職し、結構な額の給料をもらって、おとなしく暮らしている。久々に登場した重信の姿に郷愁、負い目、憧れを感じていたものと思われる。

金平の暴言についても確認しておこう。２０２０年11月21日の「報道特集」で次のように言い放った。

「かつてある財界人が『馬鹿な大将　敵より怖い』といい放ったことがあります。コロナ感染拡大が第三波を迎える中、『マスク会食』とか『Ｇｏ Ｔｏ キャンペーン』をめぐって、国民の命を蔑ろにしかねない政策のブレについて、ちょっときついいいかたですが、駄目な政府はウイルスよりも有害だとでも言いたくなります」

これは酷い発言だ。そもそも当時の菅義偉総理大臣を「馬鹿な大将」だと決めつけ、「敵より怖い」と侮辱する。ここでの戦いはコロナとの戦いだから、菅義偉総理は馬鹿なだけでなくコロナウイルスよりも有害だということになる。コロナウイルスで亡くなった方、死の淵を彷徨(さまよ)った方等々は多数存在するが、菅義偉元総理に殺されたなどという人は存在しないはずだ。余りに極端な発言と言わざるを得ない。冷静な事実に基づいた批判ではなく、侮辱との表現の方が適切だろう。この金平のコメントを視聴者があたかも中立的なコメントであるかのように思い込んでいたら、知らず知らずのうちに左傾化していくのはやむを得ない。その金平が、その番組を降板することになった。定期的な人事異動か更迭かは分からないが、さっそく「テレサヨ」応援団が異議を唱えているが、妥当な措置ではないか。

相当な偏見に基づいた侮辱を正当な批判だと思い込む。これは「水だ」「水だ」といって飲まされていたものが、程度の低い焼酎だったという現象と似ている。だが、焼酎なら飲んでいて酔っていくうちに「水ではない」と気づくが、テレビばかり見ている人はそもそもテレビを疑問視してみようとしないのだから、見ているものが偏向番組と気づかない。飲んでいるものをいくら飲んでも、それが焼酎であることに気づかないようなもので、より危険である。

金平は公共の電波を使って、テレビ番組の代表者の如く発言するのだからその影響力は小さくない。視聴者が思考停止して、その「左派に偏った意見」を丸呑みしてしまえば、どんどん「テレビ左翼（テレサヨ）」を生み出していくことになる。

前述もしたが、私の祖母は二十年ほど前、私と何かの問題について話しているとその根拠に「だって、あっちゃん。テレビで言っていたよ」と語るのが口癖だった。「納豆が健康にいい」『あのラーメン屋さんは美味しい』『毎日15分歩くといい」……。テレビで言っていること自体が祖母の中では真理の根拠となってしまっていた。別に私はとりわけ祖母が愚かだったとは思わない。優しく、真面目な祖母で知的水準が極端に低いというわけではなかった。当時、それほどテレビは信頼されていたのである。

だが、繰り返しになるが、テレビは決して公平中立ではない。一部の番組を除いて基本的に多くの番組の見解は左派に偏っている傾向が強い。

次章では、そうした偏向のルーツ、大元である朝日新聞やそこに巣くう言論人をネット言論と比較しながら考察してみる。

第四章

ネット全盛で終焉を迎える「朝日新聞」と「池上彰」の時代

新聞とテレビで、共に公正中立を気取る朝日新聞と池上彰。だが、両者の「上から目線」や「編集の詐術」や「プロパガンダ」の嘘は、ネット空間では即座に見破られ撃破されてしまう。少数派なのはあなた方ではないのか?

中立的に見える解釈に潜む危険な毒

左派系に偏向したコメンテーターの暴言、偏向発言によってテレビ視聴者が「テレビ左翼（テレサヨ）」となっていくとの構図については、前章で指摘した。だが、一見すると中立を装っている解説者にも十分注意しておくことが必要だ。テレビをそれほど見ない人でも池上彰という自称ジャーナリストを知っているはずだ。彼はＮＨＫ出身ということもあり、子供向けの番組で有名になったこともあって、中立的な解説者として様々なテレビ番組で解説をしている。「サンデーモーニング」や「情報特集」は偏向しているから見たくないと考えている人の中にも、池上彰なら中立だから視聴してもよいと思い込んでいる方もいるかもしれない。本も有名出版社から沢山だしている。新聞や週刊誌にも連載コラムを持っている。朝日が慰安婦強制連行云々の吉田清治虚報に関して釈明する記事を掲載した時に、朝日連載のコラムで、その見苦しい右往左往ぶりを批判したら一度掲載を見合せようと朝日首脳がしたこともあったから、極端な左派ジャーナリストではない。金平茂紀のようなあくどさはないかもしれない。しかし、一見中立を装っているだけに池上彰の真意を見抜くためには少々の知性を必要とする。

彼もまたテレビ左翼を増産させているテレビ芸人の一人である。

もともと、私はテレビをあまり見ない。だから池上彰のことも詳しく知らなかった。NHK時代には「こどもニュース」で解説をしていた中年男性、くらいのイメージしか持ち合わせていなかった。ただ、書店に行くと中身の薄そうな本が幾つも大量に販売されているので、世間一般では人気があるらしい、ということまでは知っていた。

ところがあるとき、『正論』編集部から「池上彰について分析して、批判して欲しい」との依頼を受けた。批判するほど池上については知らないので、まずは池上の本を徹底的に読み込むことにした。図書館にある全ての池上の本を集め、分析していったのだ。周りからは池上マニアと思われたかもしれない。分析の率直な感想としては、大体次の二つだった。

「本は違っていても似たような中身の本を大量に出版しているなあ」

「内容が薄いな」

社会人として知っておきたいことの類の本だから、中身が濃くなるわけもないのだが、それにしても薄い。お金を出してこういう本を買う人がいるのは不思議なことだと思った。新聞を読んでいれば理解できることをわざわざ本で読む必要があるとは思えなかった。

池上の文章には特徴がある。文末に「、ということです」「、というわけです」が多いのだ。つまり、自分の意見を言わず客観的な解説者に徹しているというのが、彼のスタンスだ。

世間からは「わかりやすく」「客観的な」事実を解説していると思われている理由がよく理解できた。

しかし、読み込んでいく中で、一見すると中立を装った解説の中に少しずつ池上流の解釈（毒）を混ぜ込んでいることがわかった。

例えば、日本国憲法の制定過程について簡単に書かれた本がある。この中でGHQ

が日本側の主張を容認した部分もあったと解説し、「必ずしも『押しつけ憲法』とはいえないのです」と説明している。しかし、この「押しつけ憲法」ではないというのは客観的な事実ではなく、池上自身の左派寄りな解釈に過ぎない。

日本国憲法の制定過程を詳述することが本書の目的ではないため、簡単に指摘しておく。憲法を考える際に重要となってくる概念の一つに「憲法制定権力」（「制憲権」とも呼ぶ）がある。

我々は日常生活で余り考えることがないが、憲法が憲法になる瞬間について想像してみて欲しい。例えば、法律の場合はもっとわかりやすい。法律が法律となるのは憲法で「唯一の立法機関」と定められた国会で正当な手続きを経た場合だ。

消費税が気に入らないと思っている個人がコンビニに買い物に行った際、こんな会話をしたら滑稽だろう

「お会計は110円になります」

「いや、100円です」

「いや、商品は100円ですが、そこに消費税がかかります」

「昨日、法律が変わって消費税は廃止になりましたよ」
「え？　そんなこと一切伺っていませんが……」
「私が決めました」

こんな会話を繰り返していたら営業妨害以外の何ものでもない。しかし、国会では法律を変更することが可能なのだ。正当な手続きによって法改正がなされれば、我が国の仕組みは変わる。

法を作る権力があるのは国会だ。それならば、憲法を作る権力があるのはどこだ？これは各国の歴史を振り返ってみなければならない。例えば、我が国の明治憲法においては明治天皇の権威によって明治憲法は誕生した。実際に起草にあたったのは井上毅や金子堅太郎だが、彼らの権威や権力によって憲法が誕生したわけではない。

日本国憲法を日本国憲法たらしめた憲法制定権力は明白にＧＨＱ、就中（なかんづく）、マッカーサーにあった。これは明白な歴史的事実だ。憲法制定権力をアメリカに奪われながら、日本国憲法が「押しつけ憲法」ではない、などというのは論理的に考えてみればありえない。

さらに言えば、江藤淳の『閉された言語空間』（文藝春秋）等の著作で指摘しているように、当時の日本ではGHQによる徹底的な検閲が行われていた。この検閲では憲法がGHQによって作られたことを示唆する記述が問題とされていた。つまり、自分たちの憲法に対して日本国民が自由な議論ができなかったというのが現実だ。新聞、雑誌のみならず個人の手紙までもが徹底的に検閲されていたのだ。

したがって、当時の日本はまず「憲法制定権力（制憲権）」がアメリカに奪われており、日本国民の間で憲法に関する表現の自由すら奪われていた。このような憲法制定過程の事実を知れば、池上彰の議論の歪さが明確に理解できる。若干の日本人の意見を取り入れながらもアメリカが恣意的に作った憲法はやはり「押し付け憲法」というのが正当なのだ。

彼は客観的で中立的な解説者を演じているが、重要なところで国民をミスリードしていると批判されても致し方ないであろう。

池上は「編集の詐術」を狡猾に利用する人物

また、池上が「編集の詐術」を狡猾に利用する人物であることにも触れておこう。「編集の詐術」とは、評論家の山本七平が生み出した表現だが、言い得て妙だ。山本が参照するのはシェイクスピアの史劇『ジュリアス・シーザー』だ。この史劇、タイトルはローマの英雄シーザー（カエサル）になっているものの、実際の主人公はシーザーを殺害したブルータスになっている。

帝政を目指していると疑われ、シーザーは自らが可愛がっていたブルータスに暗殺された。「ブルータス、お前もか」との言葉はこの暗殺事件に由来する。シーザーに愛されていたブルータスがシーザーを暗殺するのは、私利私欲からではなかった。ブルータスはローマの伝統である共和政を守り抜こうとする愛国者だった。日本の国体（国のかたち）は、天皇陛下を中心とする国家である。ローマの国体は帝政を排する共和政にあった。従って、ブルータスは国体を守らんとして私的には恩義のあるシーザーを討った。シーザーは自らが皇帝になり、ローマの共和政を破壊する可能性が高かったからだ。

シーザーの死後、ブルータスは自らがシーザーを暗殺することになった大義を民衆に説く。ここで民衆は大いに納得し、ブルータスを褒め称える。

その後、シーザーの腹心であったアントニーが演説を始める。このアントニーの演説で用いられているのが「編集の詐術」だ。

アントニーはシーザーの死体を示し、最終的にはシーザーの遺言状を提示する。死体も遺言状も本物だ。この事実と事実の間に次々と事実を列挙する。アントニーは偽りを語ることがない。彼は事実だけを論じる。だから、聴衆はアントニーが全体として真実を語っていると思い込む。

そして次第に情勢が変化し始める。先程まで祖国を救ってくれた英雄だったはずのブルータスは、いつしか祖国の英雄シーザーを暗殺した極悪非道の輩だと思い込まされていくのだ。このアントニーの遣り口を山本七平は「編集の詐術」と呼ぶ。真実は事実を列挙するだけでは伝わらない。全体を俯瞰した真実こそが重要なのだ。意図的に事実を取捨選択すれば英雄も悪人になる。

そして、上から目線でネット利用者に説教する

具体的に考えてみよう。

澄んだ青い空、清流のせせらぎ、小鳥たちはさえずり、蝶が雪割草の近くを舞うように飛んでいる。

これらが全て事実だとしてみよう。恐らく、読者の印象は素敵な春の日に自然豊かな小川を散策でもしていたと考えるだろう。

だが次の一文を付け加えれば、印象は大きく変わる。「僕は敵の爆撃機に怯えていた」。

のどかな散策の雰囲気は一変し、悲惨な戦争を描く場面であったことに気づくことになる。事ほど左様に真実とは取捨選択された事実の中からは浮かび上がってこない。全体を俯瞰してみることが重要になってくる。実に「編集の詐術」とは恐ろしいもの

なのだ。

池上彰が編集の詐術に手を染めていると理解できたのは、あるテレビ番組で二人の総理大臣の食事を比較していたときだ。自民党の麻生太郎総理、そして民主党の菅直人総理がどのような店で食事をするのかを比較していた。

富裕なことで知られる麻生総理は視聴者の想像通り高級なホテルのバーなどで時間を過ごしていることが紹介される。一方、菅直人総理はラーメン屋でラーメンと餃子を食べていることが紹介される。明らかに民主党の菅直人総理が庶民派だと好意的に紹介されていた。

だが、実際に菅直人総理は我々のような庶民と同じような食事をしているのか。疑問に感じた私は彼が何を食べているのかを調査してみることにした。総理がどこで食事をしていたのかを知るために利用したのは、朝日新聞や読売新聞などの「首相動静」などだ。時の総理大臣が誰とどこで食事をしたのかが記されているために、今回の調査にはうってつけだった。

実際に調べてみた結果が左の表の通りである。

2010年8月、菅直人はどこで何を食べたか

日付	種類	店・情報	場所
1	日本料理	なだ万	ホテル・ニューオータニ
2	不明	公邸	公邸
3	不明	公邸	公邸
4	不明	公邸	公邸
5	日本料理	羽衣	グランドプリンスホテル広島
6	日本料理	つきじ植むら　山王茶寮	永田町
7	焼肉	叙々苑游玄亭	赤坂
8	寿司	樹太老	築地
9	不明	公邸	公邸
10	不明	不明	プリンスホテルウエスト
11	不明	不明	プリンスホテルウエスト
12	不明	不明	プリンスホテルウエスト
13	不明	不明	プリンスホテルウエスト
14	不明	不明	プリンスホテルウエスト
15	すき焼	岡半	ホテル・ニューオータニ
16	中華料理	聘珍樓	溜池山王
17	不明	伸子夫人とともに両陛下と食事	皇居
18	日本料理	藍泉	ホテル・ニューオータニ
19	焼肉	よろにく	南青山
20	不明	ルース米国駐日大使と食事	帝国ホテル
21	不明	公邸	公邸
22	鉄板焼	さざんか	ホテル・オークラ
23	日本料理	黒座暁楼	赤坂
24	日本料理	さかなや富ちゃん六本木店	六本木
25	不明	公邸	公邸
26	寿司	久兵衛	ホテルニューオータニ
27	ラーメン	大千元ごくうラーメン	隼町
28	不明	公邸	公邸
29	不明	公邸	公邸
30	不明	イスラム諸国の駐日大使と夕食会	官邸
31	不明	公邸	公邸

朝日新聞「首相動静」、読売新聞「首相の一日」を基に著者作成

また、2011年3月4日の朝日記事にこういうものがあった。
見出しは「庶民派首相、グルメざんまい？　夫人同伴も頻繁」となっている。
記事はこうなっている（引用は電子版より）。

「菅直人首相が夜の会食場所として、最近、都内の高級料理店を利用することが目立っている。政治家との会合に伸子夫人が同席するケースも少なくない。
首相はこれまで、ことあるごとに『私はサラリーマン家庭に生まれた普通の庶民』とアピールしてきた。ただ、朝日新聞の首相動静を確認すると、首相は年明け以降、3月2日までに計26回の夜会合があった。そのほとんどが、都心の高級ホテルにある料理店や料亭だ。（中略）自民党政権当時と比べれば菅首相は、まだ控えめと言えそうだが、『自民党の首相とそう変わらないのではないか』との見方もある」

民主党贔屓の朝日でさえ、菅直人は「都心の高級ホテルにある料理店や料亭」で夜の会合をしており、麻生など自民党の歴代首相と比べても、そう変わらない、「五十歩百歩」と報じているのだ。

ともあれ、確かに池上は嘘を書いていない。菅直人総理大臣がラーメン屋で食事したことは事実である。しかし、この事実からだけでは菅直人総理の食事が庶民派であることにはならない。何故なら、ラーメン屋でラーメンと餃子を食したのは月に一度だけであり、その他の日には、朝日が報じたように、高級な料亭等々で食事をしているからだ。これだけ高級な料理店で食事している総理大臣を庶民派と呼ぶのは無理がある。

なお、私は総理大臣が高級料亭等々で食事していることを批判するつもりは毛頭ない。学生が吉野家やさくら水産に行ったら、総理大臣と出会ったなどということが日本の国益に叶うとは思えない。警備上の観点から考えても、天下の大事を語る総理が個室で食事をすることには何の問題もないはずだ。

池上が卑劣なのは「編集の詐術」を駆使し、視聴者の劣情を刺激しているからだ。

「総理大臣だって庶民派でいいじゃないか」

「高級な料亭、バーで飲食している総理大臣では駄目だ。俺たちの気持ちなんてわからない」

「自民党の政治家は金持ちばかり。民主党の政治家は庶民派だ」

彼は巧みに視聴者を煽動しているのだ。

一つ一つの事実は重要だ。ここで虚偽があれば、それは嘘そのものになる。だが、一部の事実を巧みにつなぎ合わせた物語は、嘘ではないが真実とは呼べない。我々はそうした作られた物語の印象で何かを論じがちだが、それは「編集の詐術」で作られた物語なのではないかと疑ってみることも重要である。

池上彰がインターネットの利用者を小馬鹿にしたような発言をしていることも記憶しておくべきだろう。彼はインターネットの利用者はまだまだ少数者であり、ネット住民の感覚と現実の庶民との感覚がずれていることがあると指摘する。これは大切なことで自分たちの意見のみが国民の意見であるなどと錯覚することがあってはならないというのは常識だ。池上はさらに、ネットでの感覚とずれが生じるとネット利用者が「マスコミは偏向報道している」「世論調査も都合のいいようにしている」などと指摘することを「残念なことであり、不健全な考え方です」とまでいう。

確かに世論調査が操作されているとの議論は陰謀論じみていて、私もそうした主張に賛同するものではない。しかし、「偏向報道」しているのは事実ではないか。池上自身が菅直人総理大臣は庶民派であると国民に印象づける偏向報道をしていた張本人だ。テレビや新聞といったオールドメディアに偏向報道がなかったとは言わせない。

そして池上はネットの利用者に、上から目線で説教する。

「ネットの利用者は、まず、『自分たちの方が少数派なんだ』という自覚を持つことが大事です」（池上彰『池上彰の政治の学校』、朝日新聞出版）

これには本当に驚かされた。少数派であるとの自覚をしろというのだが、これをLGBT問題で当事者たちにも指摘するのだろうか。

ここから浮かび上がってくるのは、事実の伝達はあくまでもマスメディアに任せておけばよい。インターネットで愚かな情報に惑わされてはならない。ネットはあくまで少数者の暇つぶしのようなものに過ぎない、という驕り高ぶった姿勢だろう。テレビ離れがすすみ、ＹｏｕＴｕｂｅでユーチューバーが様々な事実、解釈が発信できるようになった現在、既に池上彰の時代は終焉を迎えつつあるといってよいだろう。

朝日新聞の「社説」「天声人語」「多事奏論」はあまりにも偏向

朝日新聞が偏向した新聞である、左傾化しているということは多くの国民が知っている。具体的に朝日新聞の記事を挙げ、批判した方がわかりやすいだろう。これらの偏向しきった報道をただすのがユーチューバーの役割の一つだと考えている。

本当に偏向した記事が多いのだが、中でも驚いたのは２０２０年4月22日に掲載された「多事奏論」というコラムである。社説や「天声人語」以上にこの「多事奏論」は過激である。

冒頭は次のように始まる。

眠い。この3日間で5時間ほどしか寝ておらず、目下、片目ずつしか開けていられないという未体験ゾーンに突入している。

3日で5時間しか寝ていないとは驚きである。私もそれほど睡眠時間は長くはない方だが、一日に最低3時間、平均して4時間から6時間は寝ている。3日で5時間というのは大変な状況だろう。同情に値するレベルと言っても過言ではない。この記者である高橋純子が寝ていない理由は、「多事奏論」の原稿が書けないからだという。随分と真面目によい文章を書こうと努力しているのか、能力が足りないのかその辺りはわからない。

寝不足だからだろうか、突如、怒りをコラムの中で他人にぶつけ始める。

そんな時はカフェに出向いて某国首相よろしくゆったりとお茶を飲んで気分転換を

はかるのがよいのだけれど、それもできない。（前掲『朝日新聞』）

これは安倍総理（当時）が自宅でお茶を飲んでいる動画をツイッターに掲載したことを揶揄しているのだろう。だが、寝不足の彼女が見落としていた事実がある。それは安倍総理がどこかのカフェに出向いてお茶を飲んでいたのではなく、自宅でお茶を飲んでいたということだ。高橋も気分転換に自宅でお茶くらい飲めばいいと思うのだが、趣旨はそこにはなさそうだ。とにかく安倍総理を批判したいのだろう。ゆっくりお茶を飲んで気分転換をはかることくらいで批判される安倍総理が気の毒である。

さらに、こういう文章が続く。果たして、新聞とはこのような支離滅裂な文章を掲載する場なのかと驚愕させるような文章だ。

星野さんに便乗して首相がＳＮＳに投稿した、自宅でくつろぐ動画を初めて見た時私は笑った。理解不能なものに出あった時、恐れをふり払うために人は笑う。まさにそれｆｄじ＆え＄％“あっ一瞬寝てた。（前掲『朝日新聞』）

こうした表現を新聞に載せることを彼女や朝日新聞は斬新だと思っているのかもしれないが、正直言って読んだときに私は不気味さしか感じなかった。仮に寝ぼけて書いてしまったなら消せばいいのだが、敢えてこのような意味不明な記号が紙面に掲載されているというところから判断すると、編集部としてこうした表現を是としたからこそ掲載されているのだろう。仮に誤りだというならば、朝日新聞の校閲とは一体何を仕事としているのだろうかという話になってくる。こんな表現を見過ごすとは彼らは給料泥棒なのだろうか。いずれにせよ、頂けない表現だ。

高橋は続ける。

完全なる客体、見られるだけの存在に甘んじていて平気なのか。正気なのか。

安倍総理がツイッターで何らかの意見を発信するのではなく、投稿した自身の姿を見られるだけの存在、客体と化しているという批判だ。政治家は言葉を重んずる職業であるべきだから、言葉による意見発信をと促す気持ちは理解できなくもない。しかしながら、無言のメッセージというものもあってよいのではないだろうか。言葉は重要だが、思いは言葉によってのみ伝わるものとは限らない。とりわけ日本においては「以心伝心」という言葉があるように必ずしも発した言葉によってのみ自らの意見を発信するというわけではない。実際に世の中にはインスタグラムという写真を中心としたＳＮＳも存在している。これは自身を客体とすることもあるし、風景や食事など綺麗に写せたものを掲載することで爆発的な人気を博しているＳＮＳである。ほとんど言葉を用いることのないインスタグラムにも彼女は嚙みつくのであろうか。そもそも彼女の意味不明な文章が優れているといわれてもこちらとしては面食らうばかりである。

　さらにその後、高橋は安倍総理に対して「正気なのか」とまで問うている。家でお茶を飲んだり、犬を可愛がることが私には「正気を失っている」とは思わない。恐らく多くの人も同様であろう。世の中には様々な方が存在するから「気に入らない」と思う人がいるのは当然だが、犬を愛で、お茶を飲む総理大臣の姿をみて「正気なのか」

と問う人はよほどの少数派なのではないか。
彼女は極度の睡眠不足のせいか、非常に攻撃的になっている様子だ。
そしてこのコラムの締めくくりは次のような質疑応答と不気味な研究宣言である。

問　いまこの時この人で大丈夫か？
答　でもこれが、主権者が7年余もこの政権を甘やかし育ててきた結果です。
ひとり鏡の前に立つ午前10時48分。カッコいい中指の立て方を、研究してみる。

「カッコいい中指の立て方」というのは、喧嘩を売るときにするジェスチャーを意味しているのだろうが、何とも不気味な話である。危機の際の宰相として安倍総理が相応しいのか否かの問いに対して、相応しくないと答えるのは自由だ。政権を批判する自由を失えば、まるで中国のような全体主義国家に陥るだろう。その意味において、政権批判を堂々と展開できるような自由を担保しておくことは重要である。しかし、いい年をした大人が「ひとり鏡の前に立」ち、「カッコいい中指の立て方を、研究してみる」というのは、そうとう奇妙で異様な光景である。少なくとも私の家族がそういうことをしていたら、直ちに病院に通わせようと思うはずだからである。

こんな会話をしている家庭があれば異常ではないだろうか。


「おい、朝から何してるの？」

「安倍総理が気に入らないから、カッコいい中指の立て方を研究しているの」

「いやいや、安倍批判はいいけど、ちょっとおかしくないかい」

「おかしいのは安倍だ！」

「疲れているんだよ。寝た方がいいよ」

「カッコいい中指の立て方を研究する自由があるだろう！」


朝からこういう会話をさせられる家族は気の毒だ。

果たしてこんな会話をしている家族はあったのだろうか。私にはわからない。ただし、彼女は自らの著作『仕方ない帝国』（河出書房新社）の中で、証拠の必要性について堂々と述べている。

「エビデンス？　ねーよそんなもん」

エビデンスとは証拠だ。証拠などない。だが、私は断言するというのが彼女の姿勢のようだ。だから私も少し彼女の真似をして、奇妙な一家の会話を妄想してみた。

理由なき憎悪の念が露わすぎる

次に挙げてみたいのが同じく高橋純子が「多事奏論」で執筆したコラム「『来賓のあいさつ』いつまで」である（2020年12月2日付）。

これは菅義偉政権が誕生した後のコラムだ。

まず内容を確認しておこう。

一月半ほど前に高橋は美味しいランチを提供する寿司屋を訪れたという。いい話だ。

美味しい物を食べることは私も嫌いではない。その店の若い店主はコロナの影響で客が減ったと嘆いていた。そして、新たに誕生した菅総理に期待していると語った。

理由を問う高橋に若い店主は答えた。「たたき上げの苦労人」のようだから、「庶民感覚」をもっているかもしれない、「僕たちみたいなののことわかってくれるんじゃないか」と期待を寄せたという。これに対して高橋は「そうかもねとそうだったらいいねとそうじゃないと思うよが胸の内で交錯」したそうだ。すこしホッとするのは、自分の思いを口に出して怒鳴りつけてやったという報告ではなかった点だろう。いつものコラムの論調で高橋が怒っている場面を想像してみるとちょっと怖い。高橋が若い店長にいきなり怒鳴り始めていたら怖かった。


「何言ってんだ!『菅が僕たちのことわかってる?』そんなわけないだろうが!!」

「え、でも、どうしてですか…」

「エビデンス?ねーよそんなもん」

高橋もここまでのことは書いていないので、そこはエビデンスなしでも信用することとしたい。コラムの内容は転じ、菅総理が記者会見を開いてこなかったことへの批判が始まる。そして、菅総理が「静かなマスク会食」を国民に提案したことに噛みつき始める。

確かに、私も「静かなマスク会食」などおかしな提案だと思った一人だから、この部分に対して批判したくなる気持ちはわからなくもない。だが、ここでまた高橋は奇妙なことを言い始める。

「この感じ、何かに似ている。そうだ。子どものころに運動会や卒業式で聞いた、来賓あいさつだ」

何故、「静かなマスク会食」を呼びかけることが運動会や卒業式の「来賓あいさつ」に似ていると思うのか。高橋は言う。

「『みなさん頑張ってください』なんて基本的には他人事、子どもの側にも『このおじさん、なんか偉いんだな』ということしか残らない。あれ。あれあれ」

「あれ。あれあれ」と高橋はいうものの、全然似ていないと思うのは私だけだろうか。確かに運動会に来ている来賓にとって運動会の成績は他人事かもしれない。卒業式も自分の子供のことのように喜ぶのは不可能だろう。だが、菅総理の場合はどうだろうか。本当に菅総理はコロナ患者の増加に対して他人事を決め込んでいると断定できるのだろうか。仮に、コロナ対策、そして経済対策がうまくいかなかった場合の最高責任者は総理大臣であり、自分自身が無為無策であったと国民から糾弾(きゅうだん)され、来る総選挙では大惨敗を喫し、歴史に暗愚な宰相と刻まれるかもしれない。このような危機の瞬間に他人事でいられるものなのだろうか。他人事のように非難しているのは高橋本人ではないのか。

一読してから、この「多事奏論」なるコラムでは何を主張したかったのかを改めて考え直してみた。

まず、菅政権に対するとりわけ理由なき憎悪の念が露わである。

「たたき上げ」の菅総理に期待を寄せる庶民には冷たい態度であしらい、総理の話し方が「子どものころに運動会や卒業式で聞いた、来賓あいさつ」に似ていると言いがかりをつける。一貫しているのは〝菅憎し〟の念だが、もう一つあるとすれば「たたき上げ」嫌いということだろう。誰かのことを「たたき上げ」を理由に擁護するのは止めよという思いが伝わってくるのである。高橋は何故このようなコラムを書くのだろうか。二つの可能性を想像してみた。

一つ目は、「エリート」といわれ、自分自身でもそう信じ込んでいる朝日新聞社員の歪んだコンプレックスの可能性だ。私たちは他の人たちよりもお勉強もしてきたし、試験の結果もよかった。だから、社会の木鐸である朝日新聞社に勤め、社会を善導するように努力している。だが、世の中を見渡してみるとどうだろう。私たちエリートの言い分など全く聞く耳ももたずに、真面目にお勉強すらしてこなかった人々が、右傾化し、自民党政権を支持し、菅政権を支えている。ネットの世界を眺めてみれば、あろうことかエリートの集団であるはずの朝日新聞を揶揄するネット右翼まで跋扈している。ユーチューバーには岩田温という右翼まで存在する。「たたき上げ」を持ち上げるこうした風潮が世の中の反知性主義を助長しているのだ。こうした反知性主義を叩きのめし、エリートの正しき言説に耳を傾けるようにしなければ日本は再び軍国主義の道を歩んでしまう。何といっても大衆は菅政権に期待するほどに愚かなのだから。何としても「たたき上げ」神話を破壊してやろう。

このような感じだろうか。

もう一つは、無理をしているという可能性だ。朝日新聞に求められているのは過激な菅批判であるはずだ。その中でもとりわけ私（髙橋）に求められているのはエビデンスを無視した暴走する力であるはずだ。そうだとするならば、中途半端な文章を書くことは出来ない。とにかく徹底的に無茶苦茶なまでに菅政権を批判しなくてはならない。そういえば、寿司屋に行ったら「たたき上げ」だから菅政権に期待するなどと言っていた店長がいた。これは問題だろう。それだけではない。菅総理の話し方は何か気に入らない。気に入らない話し方といえば、何かないか？　ああ、子どもの頃の運動会や卒業式の来賓の話だ。あれも気に入らなかった。

前者だとすれば、もう少し謙虚であれと思うし、後者だとすれば、気の毒だと思うよりほかない。いずれにせよ、余りに偏向したコラムだと思うが、ご自身で開き直られているのだから性質が悪い。「エビデンス？・ねーよ、そんなもの」。

こういうコラムを掲載する朝日新聞を真顔で読んでいる読者は気の毒なのか愚かなのか、いずれにせよご同情申し上げたくなる。

沖縄慰霊の日　朝日新聞の奇怪な論理

朝日新聞の許しがたい偏向記事をもう一つ紹介したい。

毎年6月23日は沖縄慰霊の日だ。大東亜戦争の末期、日本軍の組織的戦闘が終結した日がこの日であったためである。第32軍司令官牛島満中将（死後、大将へ）の自決を以て、日本軍の組織的戦闘が終結したとされている。なお、牛島中将の自決後も司令部の壊滅を知らずに闘い続けた日本兵もおり、完全にこの日を以て沖縄で戦いが終わったというわけではないのも事実である。

率直に言って、かつての私は沖縄慰霊の日を知らなかったし、知ったのちも特に強くこの日を意識したことがなかった。沖縄に特別な感情を抱いたこともなかったというのが正直なところなのである。意識が急変したのは、私自身が指導していたゼミ生に二人の沖縄出身者がいたためだ。一般の講義とは異なり、ゼミ生とは色々な雑談をしたり、相談を受けたりすることが多い。教師を目指して猛烈に勉強した結果、見事に合格した一人のゼミ生が合格の報告をしに来た際、こんなことを呟(つぶや)いた。

「沖縄では本土の人間を『ナイチャー』と呼んで、徹底的に嫌っています。僕の両親も大学に進学する際、『ナイチャーには気をつけろ。あいつらは人を騙すし、物を盗む』と助言していました。さらに沖縄では『右派』は本当に軽蔑されていて、ヒトラーのようにとんでもない人々だと思われています。でも、大学で先生に出会って『ナイチャー』で『右派』の中にも沖縄の人を差別しないで本当に熱心に指導してくれる先生がいると知って、驚きました」

驚いたのは私も同じだった。まさか沖縄の人々が本州の人々を蛇蝎(だかつ)の如く嫌っているなどとは想像もしていなかったからだ。私自身の意識の中では沖縄は青森県や埼玉県と同じようなものであり、本州の人間との間に精神的に深刻な亀裂(きれつ)が走っていることをまるで理解していなかった。反省した私は少しずつ沖縄戦について学び始め、その苛酷な歴史を徐々に学んでいった。

ひめゆりの塔で知られる「ひめゆり平和祈念資料館」を訪れた際、当時を生きた人々の手記を購入し、熟読したが、これは悲劇としか表現できない残酷な真実が綴られていた。当時19歳で第一外科に勤務していた方の手記を紹介させていただきたい。

タイトルは「可哀そうだから殺した」。

「アダン林のすぐ側でいきなり銃声がしたのです。びっくりして出てみると、兵隊が倒れ、まだ生きていてぴくぴく動いているんです。顔は亀甲の紺地絣で覆われていました。側に拳銃を持った兵隊が立っていました。『殺してくれというから、やっているんだよ』。その人のこめかみに拳銃を当てたまま、兵隊が言いました。倒れた人に被せた着物が揺れていました。『可哀そうに』と私が言うと、兵隊は言っていたんです。『もう意識はないよ。腸をやられて本人も助からないことを知っている。可哀そうだから殺した』と」(『ひめゆり平和祈念資料館』111頁)

平時では全く想像もできない事態だ。殺した兵隊と殺された兵隊の関係がいかなるものであったのかわからないが、想像するに戦友だったのではあるまいか。仮に戦友だったとするならば、殺される兵士が可哀そうなのは当然だが、殺した兵士も可哀そうだ。苦しんでいる自分の友人を自分の手で殺さねばならなくなった男の心情を思うと涙を禁じ得ない。そして日本兵が日本兵を殺すという悲惨な光景を目にした少女もまた可哀そうだ。いたるところでこうした悲劇が起こっていたのが沖縄戦の事実であり、こうした悲惨な歴史を二度と繰り返すべきではないのは当然のことだ。日本人が決して忘れてはならない歴史の真実だ。

しかし、２０２０年6月23日の『朝日新聞』では、「天声人語」と「社説」で沖縄慰霊の日について取り上げていたが、どちらの記事も日本と沖縄の分断をはかるかのような悪質な内容であった。「天声人語」では冒頭から次のように記されている。

「75年前に沖縄の地で戦争に巻き込まれた人々が、いかにむごい死に方をしたか。なかでも集団自決ほど、つらい気持ちになるものはない。米軍に捕まれば虐殺され強姦される。そんな恐怖が国家により日本兵により植え付けられていた」

沖縄戦で亡くなった人々がむごい死に方をしたことを否定するつもりはない。「集団自決」も日本史において特筆すべき悲劇であろう。しかしながら、問題なのは国家と日本兵が沖縄の人々を洗脳した結果、そのような悲劇が生じたと朝日新聞が断じている点である。戦時、敵兵によって何をされるかわからないと恐怖にかられるのは異常なことではない。投降の末に一体いかなる悲劇が待ち受けているのか、想像もできなかったのが当時の人々だ。

現在の我々は沖縄において投降した人々が米軍にどのように処遇されたのか結果を知っている。結果を知っている人間からすれば、このような悲劇を起こさずとも投降していればよかったと思うのは当然かもしれない。だが、当時の人々は結果を知らない。自分たちがどのように扱われるのか全く分からない状況下で、投降ではなく自死を選んだ人々が存在したのだ。

　これは悲劇である。

だが、結果を知った人間が、国家や日本兵の洗脳の故に悲劇が生じたなどと断ずるのは傲慢以外の何ものでもないだろう。日本という国家、日本兵とて米軍に投降すればどうなるのかを正確には理解できなかった。危機的な状況下で悲観的な見解が生じることは神ならぬ人間にとって異常事態ではない。結果を知った人間が平常時の感覚で訳知り顔に講釈してみせるのは死者を冒瀆する行為である。我々にできるのは運命に翻弄（ほんろう）され、悲劇の中で亡くなった人々を厳粛に追悼することだけだ。

　そしてまた我々が知っておかねばならないのは、必ずしも投降した日本兵たちが幸せな結果を迎えたわけではないということだ。沖縄戦において日本兵、日本国民が米兵に投降して悲劇的末路を迎えたという事例を寡聞にして知らぬが、南洋諸島での戦闘に参加したリンドバーグはその日記に恐るべき事実を記している。いうまでもなくリンドバーグとは、ニューヨーク、パリ間の大西洋単独無着陸飛行に成功した伝説的なパイロットである。彼の日記に従えば、米軍は日本軍の投降を認めず、捕虜を射殺していたのだという。

「わが軍の将兵は日本軍の捕虜や投降者を射殺することしか念頭にない。日本人を動物以下に取り扱い、それらの行為が大方から大目に見られているのである」（『リンドバーグ第二次大戦日記』下巻241頁。角川ソフィア文庫）

「（日本兵は）ただ祖国愛と信ずるもののために耐え、よしんば心底で望んだとしても敢えて投降しようとはしない、なぜならば両手を挙げて洞窟から出ても、アメリカ兵が見つけ次第、射殺するであろうことは火を見るよりも明らかなのだから」（同右、244〜245頁）

米軍が投降する日本兵に極めて宥和的だったというのは戦後の神話に過ぎないのだ。

そんなに「国家」が嫌いなのか？

また、次のように「天声人語」では指摘している。

「戦時下の日本は死に向かって歩かされるような社会だった。鬼畜（きちく）である敵を殺し、自らも死ぬことが国民の使命とされた。敗色が濃厚になっても戦争終結を決断できなかったのは、命を軽んじるがゆえだろう。沖縄戦はその縮図である」

「天声人語」の執筆者は常に人間は死に向かって歩かされている存在であることを知らぬようだ。人は誰しも死ぬ。その点において平等だ。身分の差も貧富の差も無関係に人は必ず死ぬ定（さだ）めにある。昨日も今日も明日も死に向かって一歩一歩進んで行くのが人間の宿命なのだ。まさかこの執筆者とて秦の始皇帝のように不老不死を願っているわけではあるまい。だが、この引用箇所の中で最も問題なのは、日本が人命尊重という立場に立たなかったことによって戦争終結を決断できなかったと歴史を全く歪曲した指摘をしている点である。日本が戦争終結を決断できなかった原因はアメリカにあるというのが歴史の真実だ。

日本は戦争終結に向けてのメッセージをアメリカに発信し、ジョセフ・グルーらアメリカの知日家もそのメッセージを受け止めていた。日本政府、そして知日家たちが戦争終結に関して最も問題だと考えていたのは、「無条件降伏」という過酷な条件だった。「無条件降伏」に拘泥していたのは、ルーズヴェルト大統領本人であった。

大東亜戦争終結に至るまでの過程を詳述した長谷川毅の『暗闘　スターリン、トルーマンと日本降伏』（中央公論新社）には次のような興味深い逸話が紹介されている。

1945年2月のヤルタ会談の際、英米合同軍事会議の席上においてイギリスのチャーチル首相は無条件降伏を見直すように次のように語った。

「もし多くの血と金をつぎこむ戦争が、それによって一年でも半年でも短縮されるならば、条件に何らかの緩和をなすことは意味のあることに疑いはない」。婉曲な表現だが、ここでチャーチルが説いていることは明らかだ。余りに過酷な無条件降伏ではなく、何らかの条件付きの降伏にすれば日本との戦争終結が早まり、それは有意義なことだと彼は主張したのだ。チャーチルの指摘に対してルーズヴェルトは冷淡に次のように答えた。

「世界で起こっていることについてまったく無知であり、いまだに満足できる譲歩が得られると考えている日本人に、そのような条件緩和を行うことが効果のあるものだとは思えない」

彼はイギリスのチャーチル首相が「無条件降伏」の変更を提案するも拒絶した。戦争終結は戦勝国と敗戦国との間の有条件降伏が当然とされてきたが、ルーズヴェルト大統領は「無条件降伏」に固執したのである。

ルーズヴェルト大統領の死後、トルーマン大統領も戦争の早期終結に否定的だった。日本は天皇陛下の身分を保障すれば戦争終結に向かうことを熟知しながらも、敢えてこれを無視して戦争を継続させた。トルーマンの望みは日本への原爆投下にあった。原爆を投下するまで日本が戦争を終結させることを妨害し続けたのが歴史の真実である。日本の鈴木貫太郎首相がポツダム宣言を受諾しなかったが故に原爆を投下されたと主張する人々が多いが、彼らは歴史の真実を知らない。日本政府がポツダム宣言を唯々諾々と受け入れることが出来ないことを知ったうえでアメリカはポツダム宣言の受諾を迫ったのだ。そしてあたかも原爆投下の責任が日本政府にあるかのような筋書きをつくり上げたのだ。

前述の『暗闘』において長谷川は次のように指摘している。

「日本がポツダム宣言という形で出された最後通牒を拒否したので、トルーマンはやむなく原爆の投下を決定したという説がある。これは戦後になってトルーマンとスティムソン（引用者注・陸軍長官）自身が主張して、広くアメリカで信じられている解釈であるが、これは歴史的事実に反する神話に過ぎない。トルーマンは、ポツダム宣言が拒否されてから原爆の投下を決定したと書いている。しかし、真実はまったく逆であり、原爆投下の決定はポツダム宣言が発せられる以前になされており、むしろ、ポツダム宣言は原爆投下を正当化するために出されたのである」（『暗闘』260頁）

朝日新聞は日本が人命を軽視する国であったが故に戦争終結を決断できなかったと説く。では、借問する。二発の原爆を投下し、東京大空襲で無辜の人々を焼き殺した米国は人命を尊重する国家であったのか。戦時下の日本では生命が軽視されていたと説き、まるで日本の判断のみで戦争終結が出来たかのように主張する「天声人語」の論理は出鱈目そのものだ。戦争は日本の意思のみでは終結できない。全く他者のことを考えられない「天声人語」の論理は滑稽ですらある。

「沖縄慰霊の日　75年前を思い　今を見る」と題した社説（2020年6月23日）でも奇妙な論理が展開されている。沖縄では例年、追悼式が平和の礎のそばの広場で行われている。しかし、２０２０年はコロナ対策のために規模を縮小する関係で、沖縄県は国立沖縄戦没者墓苑で追悼式を行おうと考えた。これに対して沖縄戦の研究者たちから次のような批判の声があがったというのだ。

「国の施設で式をするのは、国家が引き起こした戦争に巻き込まれて肉親を亡くした県民の感情と相いれない」

この論理に従えば、沖縄戦で命を落とした人々の関係者は常に日本という国家と対立していなければならないということになってしまう。追悼式だけは国家と無関係な場所で開かれるべきだとの主張かもしれないが、それほど国家を敵視するのであれば、論理的に考えてあらゆる点で国家との関係を断たなければ整合性がとれないことになる。

自動車で国道を走ることも、国立大学に進学することも「国家が引き起こした戦争に巻き込まれて肉親を亡くした県民の感情と相容れない」ということになりかねないではないか。私自身も沖縄戦の悲劇を学んでいる一人として、肉親を亡くされた方々の哀しみがどれほど深いものであるのかを多少なりとも理解しているつもりである。しかしながら、日本という国家を恨み続けることが死者への弔いとなるとは考えられない。悲劇が起こったことを忘れずにいることは大切だが、自身の祖国を恨み続けたところで死者の無念が晴れるわけではない。ところが朝日新聞はこの会場についての議論について次のように説く。

「戦後75年。会場問題は、当時の政府や軍が犯した過ちは決して消えないこと、一方で、戦争の実相の継承が難しくなっていることの双方を映し出す」

政府や軍の過ちがあったことを否定するつもりはない。いかなる組織でも過ちがあるのは当然だし、真摯(しんし)な反省も必要だろう。だが、私が問題だと考えるのは沖縄の人々が日本という国家を常に恨み続けているのが正常な感覚なのだといわんばかりの朝日新聞の論理だ。広島や長崎で原爆によって命を奪われた家族を持つ人々、東京大空襲で命を奪われた家族を持つ人々は、常にアメリカを恨み続けていなければならないのだろうか？　広島、長崎、東京でご親族を亡くされた人々の関係者の中に、ハワイに観光に行く人もいれば、アメリカに留学する人もいるだろう。常にアメリカを敵視し続ける人々は多くないはずだ。

歴史を振り返れば、国家が過ちを犯すこともあれば、耐え難い悲劇も無数に存在している。朝日新聞は「戦争の実相の継承」が重要だというが、それは真実の半分を伝えたことにしかならない。我々は歴史の事実を忘れてはならないが、恨みを末代に至るまで継承させていくべきではない。忘却は許されないが、和解は歓迎されるべきことだ。恨み千年などと主張する国家も存在するが、恨みだけを正義とするような幼稚な論理は日本には不要である。

天皇は「たんまりと富や権力を得た」存在なのか？

さらに朝日新聞の批判を続けよう。

率直に言って「こんなところで、こんな記事を書くのか⁉」というのが正直な感想だ。私は朝日新聞の批判的愛読者として社説や論考等々を中心に色々読み込んでいる。毎日、朝日新聞を長時間読み込んでいるのだから愛読者といっても嘘ではないだろう。有料購読者である私を朝日新聞はもう少し優遇してくれてもよいのではないかとすらからかいたくなる。

毎日、時間をかけて随分と読み慣れているから、朝日新聞が多少おかしなことを主張しても動じはしない。「ああ、またやっているな」と思う程度である。そもそも朝日新聞がおかしな主張をしなければ不安になる。梅雨に雨が降らない、夏が冷夏になる、朝日新聞にまともな記事が載る。どれも同じように不気味なことだ。

しかし、今回ばかりは驚かされた。

衝撃の記事が掲載されていたのは、2019年12月15日のテレビ欄である。いくら朝日新聞といってもテレビ欄に出鱈目(でたらめ)が書かれていたわけではない。番組が放映されることは嘘ではない。別に『水戸黄門』が放映されるはずの時間帯に『朝まで生テレビ』が記載されていたというわけではない。

『試写室』というテレビ番組を取り上げて、その内容を紹介するコラム記事に驚かされたのである。

この日の「試写室」では、「世界遺産『超巨大！　仁徳天皇陵古墳のナゾ』」というTBS系の番組を取り上げていた。別にここまでは何も驚かない。

驚くのは次のような記事の内容だ。

「たんまりと富や権力を得た生は、さぞ手放し難かろう。生きた痕跡として巨大な墓を造り、次に行く世での安寧（あんねい）を願うのも、さもありなん」

「名もない私の墓が跡形も無くなった後も。彼らの墓は残り続けるのだろう。生前の富と権力が、何千年にもわたって民との違いを生み出し続ける」

この記者が書いているのはレーニンやスターリン、あるいはヒトラーのような独裁者のことではない。日本史上、特筆されるべき仁政を為したといわれる仁徳天皇についての記事なのだ。何を書いているのか意味が不明といってよいだろう。そもそも「富と権力を得た生」というのがおかしいし、それを「たんまりと」などと下劣な表現で書くことも異常である。

仁徳天皇と言えば、誰もが思い浮かぶ御製(ぎょせい)があろう。

「高き屋に　登りてみれば　煙立つ　民の竈(かまど)は　にぎはいにけり」

ある日、仁徳天皇は高いところから、民の生活を観察していた。しかし、食事時になっても一向に炊事のための煙があがってこない。民衆が食べるものにも事欠くような貧しい生活を送っていることに心を痛めた仁徳天皇は、三年間徴税を中止することを決意する。このことによって、仁徳天皇ご自身の生活が大変苦しいものになったことは言うまでもない。宮殿は雨漏りするが、それを直す財源もなかったという。

三年後、再び、高き屋に登って、民衆の生活を観察すると、次々と家々の竈から煙が立ち上っている。

これに喜んで作られた御製が、先ほど紹介した「高き屋に　登りてみれば　煙立つ
民の竈は　にぎはひにけり」だ。

これほどの善政を敷いた為政者に対して「たんまりと富や権力を得た生は、さぞ手放し難かろう」というのは、歴史に対する無知、あるいは偉大な為政者に対する中傷の類ではないだろうか。「たんまりと富や権力」を得た人物ではなく、民衆のために「富」を手放したのが仁徳天皇なのだ。

こうした不思議な言説を展開する背景には一つの図式的な考え方、すなわちイデオロギーが存在していないだろうか。要するに、権力者は常に悪であるという考え方だ。古くはプラトンの『国家』に登場するトラシュマコスが説いた考え方であり、近代であれば、マルクス主義者たちが説いた考え方でもある。

例えば、トラシュマコスは、権力者が自分自身のために法律を作ると主張した。そ

して、権力者は法律に従うことが正しいことなのだと人々に教え込むというのだ。本来であれば権力者たちの利益を守るのが法律なのだが、この法律を守るのが正義、守らないのが不正義と民衆を洗脳し、法律を犯したものを懲罰するというのだ。しかし、本当に法律なき世の中が存在したら、困るのは弱者の方ではないのか？　常に権力者は悪であると決めつけ、天皇は「たんまりと富や権力を得」ようとしているなどと説く新聞は偏向している。

この朝日新聞の記者のように、権力者は全て腐敗しているという先入観を持っていては、統治という営み、政治という営みが不可能になる。いずれの世にも権力者は存在するからだ。権力者が全く存在しないという社会はアナーキーな世界そのものだろう。権力は常に悪であるという偏見が生み出したとしか思えない記事だ。

やはり朝日新聞は偏向している。

「暗殺」という事実の重みを軽視する反アベ合唱団

「国家」「天皇」のほかに、さらに朝日が嫌いなものといえば、言うまでもなく「アベ」だ。

安倍元総理が2022年7月8日、遊説先の奈良で暗殺された。民主主義の根幹である選挙の最中に総理大臣まで務めた政治家が殺害されたのだ。民主主義の危機といってよい。民主主義の原点は選挙である。選挙を否定する民主主義など有り得ない。政治家が自ら信じ、目指すべきことを国民に対して説得する。大衆の中に入り火の玉になって、自らの思うところを説く。「聴衆を決して侮ってはならない」。それが田中角栄の教えだった。大衆を説得できない政治家など、民主主義社会において不要である。民主主義とはそういうものだ。

その選挙の最中、安倍晋三元総理が暗殺された。安倍は自らの信念を国民に説いている最中に殺されたわけだ。非業の死であった。

世界各国からは安倍元総理が果たした役割、目指した理念について称賛の声が寄せられた。外交、安全保障、国家観。過去の如何なる総理と比べてみても偉大であるとしか言い表せない総理であった。世界的規模で眺めれば、これほど日本の国益、自由民主主義社会の擁護のために闘った政治家はいない。

世界の評価を一部分だけ紹介しておこう。『フォーリン・アフェアーズ』(2022年8月号)でダートマス大学准教授のジェニファー・リンドは次のように指摘している。

「20年ばかり前に(安倍元総理が)外交政策ビジョンを明確にし始めたとき、彼は日本や世界の指導者たちよりもはるかに先をいっていたし、日常に埋没していた大衆よりもはるか先鋭的だった」、「政治的立場を超えて、あらゆる人が、彼のことをビジョンあるリーダーであり、その死が日本にとって悲劇的な損失であることを認めている。」

『ウォールストリートジャーナル』(2022・7・10)の社説でも、評価は極めて高い。

「戦後の日本で、安倍氏ほど重要な指導者はほとんどいなかった」、「自国の問題に対して政策を有する熟練の政治家がいれば、その国は幸運だ。安倍氏は日本にとってそのようなリーダーだった。日本と世界は安倍氏の影響力を失ったことを無念に思うだろう」

文字通り日本が世界に誇る傑出した指導者こそが安倍晋三元総理だった。こうした世界的規模の指導者が白昼堂々、犯人の凶弾に倒れたのだ。異常事態といわねばならないし、日本の民主主義の危機に他ならない。

だが、日本のマスメディアはおかしな方向に世論を誘導しようとしていないか。

朝日新聞は7月16日付けの川柳欄に以下の作品を掲載した（一部略）。

疑惑あった人が国葬そんな国

利用され迷惑してる「民主主義」

死してなお税金使う野辺送り

忖度はどこまで続く　あの世まで

国葬って国がお仕舞いっていうことか

動機聞きゃテロじゃ無かったらしいです

もはや論評するにもあたいしないというしかないだろう。死者に鞭打つだけだ。かつての赤報隊を名乗るテロリストによって朝日記者が殺害された事件があったが、そのときにも、こんな川柳を朝日は掲載しただろうか？　あのとき、朝日新聞は言論の自由の危機だと吠えなかったか？　朝日がどんなに偏向記事を書いても、誤報虚報を発していたとしても、テロによる攻撃を擁護する人はいないだろう。朝日嫌いのマスコミでも、次のような川柳を採用することはあるまい。

利用され迷惑してる「民主主義」

この朝日に載った川柳のあまりにも恣意的な選択や内容の低さに関しては、『正論』（2022年10月号）で、全日本川柳協会副理事長の江畑哲男が「『朝日川柳』はプロパガンダ」と題して厳しく叱正していた。同感だ。

ともあれ、作家の高村薫は『毎日新聞』（2022年7月10日）で奇妙な論理を展開していた。政治家とは理念や信念を体現する存在だ。しかるに、犯人は安倍元総理の理念や信念を攻撃したわけではない。だから、この事件は極めて特殊な事件であって、「民主主義への挑戦」、「民主主義の崩壊」と捉えるべきではないというのだ。

宗教の問題とはここでは統一教会の問題に他ならない。政治家として安倍元総理が統一教会の集会にメッセージを寄せていたのは事実だ。政治家は様々な宗教の集会に参加もすれば、メッセージも送る。別段、強い信仰からの行為ではない。選挙の際の応援が欲しいからだ。これは安倍元総理、自民党に限らず、野党でも同様のことが行われている。山上なる犯人の母親が統一教会にのめり込み、身上を潰してしまったことは同情してもよい。だが、それは安倍元総理を殺害してよい根拠になどならない。全くの逆恨みでしかない。民主主義の根幹である選挙の際、政治家を殺害することは理由如何に関わらず民主主義の危機と云うべきなのだ。

安倍元総理が犯罪者に殺害された。被害者は安倍元総理であり、加害者はその犯人である。

しかし、マスメディアの報道を眺めてみると奇妙な感覚に囚われる。まるで安倍元総理が悪かったから殺害された、本当の被害者は殺人犯の方ではないだろうか。こうした奇妙な言説がまかり通っている。異常な光景だ。加害者は犯人であり、被害者は安倍元総理である。その事実は何があっても揺るがない。だが、マスメディアはまるで犯人が被害者であり、被害者である安倍元総理が加害者であるかのような倒錯した報道を垂れ流している。天下の奇観と言ってよい。こうした論理がまかり通るなら、誰もが殺された際「仕方なかったね。あの人も悪いのだから」という狂気じみた論理がまかり通ることになる。政治家は暗殺を恐れ、大衆の前で自らの主張を展開できないことになるだろう。これこそ民主主義の否定である。

我々が為すべきは民主主義を守り抜くことである。何も難しいことを言いたいわけではない。一体誰が加害者であり誰が被害者であるかをもう一度冷静に考え直すべきだ。

詭弁を弄して、安倍さえ批判すればよい、自民党を批判できるなら何をしてもよい、マスメディアはそうした奇怪な論理に立っていないか。我々が守るべきは民主主義だ。

そうした常識も覚悟も持たない「リベラル」は恥を知れ。マスメディアよ、あなたたちも同罪だ。安倍批判、自民党を否定するためならば、何をしても構わない。そうした論理は間違いである。民主主義の根幹である選挙を冒瀆した犯人こそが非難されるべきだ。

オールドメディアの呪縛から解き放たれる日がやってきた

また、安倍元総理に対する常軌を逸したとしか思えなかった批判が生前からもあったことについても触れておく必要があるだろう。総理大臣を暗殺するような空気がマスメディアや「リベラル」（左翼）を中心に醸成されていた。

最も典型的なのは政治学者・山口二郎の台詞だろう。

「安倍に云いたい。お前は人間じゃない、叩き斬ってやる」

安倍政権が集団的自衛権の限定的行使容認を進めようとしていたとき、国会を取り囲んだデモの中で彼は絶叫した（２０１５年８月30日、国会議事堂前で行われた集会）。

もちろん、彼も言葉で言っただけで、実際に殺意はなかっただろう。それは信じてよい。私は必ずしも言霊の信奉者ではない。だが、言葉は人間の理性の結果であり、またその結果を導き出す道具でもあることは事実だ。

ナチス第三帝国を思い出してみたい。彼らはホロコーストをユダヤ人大虐殺とは呼ばなかった。彼らは大量のユダヤ人を殺戮することを「殺戮」とは呼ばず「最終的解決」と呼んだ。「大量殺戮」の言葉を恐れ、当たり障りのない言葉で誤魔化した。ドイツ人がその言葉を忌避していたからだ。ナチスですら言葉を糊塗していたのに、白昼堂々「人間じゃない、叩き斬ってやる」とは異常な言葉遣いと言わざるを得ない。

ルワンダ虐殺の事例も思い出しておきたい。フツ族がツチ族を「ゴキブリ」と呼び始めたのが虐殺の嚆矢だった。人間ではないゴキブリだから殺していいという理屈だ。ロシアの作家ワシーリー・グロスマンはスターリン時代に人々が魔法にかけられたようになった様子を『万物は流転する』(みすず書房)で描いているが、このときも被害者のことを同じ人間だと思えなくなり、まるで汚らわしい豚でもみるような感覚に陥っていたことが強調される。

人間は人間なのだ。意見が異なろうが、主義主張の違いはあれども人間なのだ。善きことを行うこともあれば、道に外れたことをすることもある。しかし、人間は人間なのだ。

わが国では、時の為政者にどのような罵詈雑言（ばりぞうごん）を浴びせようとも表現の自由の名の下で認められている。「お前は人間じゃない、叩き斬ってやる」とは、恐らく最も暴虐な言葉の一つである。一般人が聞けば、ゾッとする言葉といってよい。そうした暴言を「平和を守る」と主張する人々の代表が口にしたのだから、奇怪である。何故、我が国の「平和主義者」は暴力的なのだろうか。

安倍元総理の暗殺に関してだが、残虐な言葉で人々を扇動した人々の罪も重たい。彼らが堂々とオールドメディアに出演し、あたかも有識者であるかのような顔をしているあたりに日本のマスメディアの偏向がある。

安倍元総理はオールドメディアに目の敵にされていた。そんな安倍元総理の次の言葉は今読み返してみると意味深長である。

「新聞・テレビを中心とするオールドメディアは、『ネットの情報は玉石混交』『ネットは保守的な論調で偏っている』などと批判します。しかし、大手メディアの情報にもフェイクや印象操作、意図的な『切り取り』はある。それに、メディアは長らくリベラルな風潮が支配していました。

マスコミが世論を特定の方向に誘導しようとするなか、それを食い止めているのがSNSではないでしょうか。若者は様々な情報に触れたうえで、自分の頭で考えながら取捨選択しています」（葛西敬之著『日本が心配だ！』〔ワック〕より）。

オールドメディアの呪縛から解き放たれる必要性を誰よりも理解していたのが安倍晋三元総理であった。そのオールドメディアが安倍元総理の国葬にあれだけ難癖つけて反対したのも、安倍元総理の影響力の大きさに怯えているからなのだろう。

偏向したマスメディアに打ち勝つためにもＹｏｕＴｕｂｅは重要だ。

第五章

学校の「いじめ」はYouTube教育で解消できる

「在宅登校」「在宅学習」を可能とするオンライン授業が定着すれば、「不登校」「学級崩壊」「給食の強要(お残しは許しません)」は消えていく。真に個性を尊重するために、アイヒマンを生み出す全体主義を打ち砕け!

オンライン講義の長短について

実は、ＹｏｕＴｕｂｅを最大限に活かせる分野がある。教育である。前述したように、私はコロナウイルスが世界に蔓延する前から、ＹｏｕＴｕｂｅを始めていた。そして、パンデミックとなり、それに伴い、世界ではあらゆるものがオンライン化し始めた。オンラインの講演会、オンラインの講義が激増したのである。

幸運にも、私はＹｏｕＴｕｂｅチャンネルを開設していたこともあり、オンライン化の波に乗ることができた。講演や講義のオンライン化にも簡単に対応することができた。一般の大学教員の多くは、パンデミックという状況下で半ば強制的にオンライン化させられたというのが率直なところだろう。対面での講義が不可能になったためである。

全ての講義を収録し学生に視聴させることにした。講義の内容は、かなり高度なものにした。学生たちにとって、一度視聴しただけでは理解が難しいはずだ。真剣にノートを取りながら受講しなければ、話について行くことは不可能な内容にしてみた。

ところで、講義の際、私はあえて細かなレジュメを作らないことにしている。教育的な配慮からである。教員の話を聞きながら、どこが重要であるのかを即座に区別し、重要な箇所だけメモする力を養ってもらいたいと考えているからだ。パワーポイントで講義をする教員の中には詳細なレジュメを配布する者も存在する。極めて愚かである。レジュメだけ受け取れば講義を聴く必要がないからだ。教員の側で受講生が寝ていても問題ない状況を作り出しているのだから、これは愚かとしか評せない。

確かにパワーポイントを使うことは教員側にメリットがある。作成に時間はかかるものの、一度パワーポイントを作成すれば、何年でも同じ講義をすることが出来るからだ。教員にとって、実に楽な話である。しかし、実際に講義をする以上、真剣に受講生と向き合わなければならないというのが私の信念だ。彼らが何を考え、思い、想像したのか。その一瞬に自分自身の全存在をかける覚悟が重要だ。何を質問されても応えられる。そうした状況を作らなければならない。それが教師の使命である。あらかじめ講義の方向性を固定してしまい、急な質問に答えられないようでは教員の意味がない。

ズームの欠陥と雑談の意義

オンライン講義は具体的には次のように始めた。

グーグル社の「クラスルーム」と「ミート」の二つのアプリケーションを利用することにした。「クラスルーム」では、私が教師として登録し、講義を履修した学生一人一人が受講生として登録する。ここにはインターネットの掲示板のようなものが用意されている。教師として私が学生に告知したいことがあれば書き込めばよいし、学生の質問を受け付けることも可能である。「クラスルーム」で重宝したのは、学生の提出すべき課題が一つの場所で集約されるという機能だった。50人以上の履修者がいる講義の課題をメールで受信していたら、気が滅入ってしまうし、思わぬトラブルが起こるかもしれない。だが、この機能を使うことによって、提出された課題の管理が一元化されたことは非常に有難かった。

問題は講義自体である。

一般的に遠隔講義や遠隔会議に利用されているのは「ズーム」だ。「ズーム」を使って飲み会をする「ズーム飲み」も今回のパンデミックを機に人口に膾炙（かいしゃ）した。

だが、当初よりセキュリティに問題があると言われていた「ズーム」を使用することは避けたいと私は考えていた。「ズーム」を開発した米ズーム・ビデオ・コミュニケーションズを創業したCEOのエリック・ユアンは中国出身で、中国でもサービスを展開し、研究開発拠点も置いている。断っておくが、私は創業者が中国出身者であるからこれを差別して使いたくないと主張しているわけではない。そのセキュリティのあり方に問題があると巷間噂されていたため、学生の個人情報等々を守るためにこれを使うことは避けたいと考えていたのだ。

案の定というべきか、恐るべき言論弾圧事件が勃発した。２０２０年6月13日『朝日新聞』の報道に従えば、天安門事件から31年を経て、反政府デモに関与していた人々がズームを利用した大規模なオンライン会議を企画していた。この会議には中国本土からの参加者もあった。これに対して中国政府がズーム社に会議の中止要請を行い、四つの会議のうちの三つの会議が中止に追い込まれたという。言論の自由を弾圧せよという中国政府の要求に屈するような会社には信用が置けない。何らかの策が講じられない限りズームを使うのは避けた方が賢明だと改めて確認した次第である。

話が脱線したので、話を元に戻す。問題は講義をいかに行うかということだ。当初、私はグーグル社の「ミート」を使おうと考えた。これは相手の顔を見ながら話すことが可能なアプリケーションで、一種のテレビ電話のようなものだといえば一番分かり易いだろう。

「ミート」は使い方によっては有益なアプリケーションであることは間違いない。少人数の演習ではこの「ミート」を利用していた。ゼミでは一冊のテキストを定め、演習ごとにあらかじめ決めてあった担当学生に報告をさせる。報告者以外の学生はゼミまでにテキストを読むだけでよいが、しっかりと読んできたのかどうかを確認するために私から幾つか質問をする。こういう会話をした際に重要なのは学生の表情を見ながら話をすることだ。質問自体を理解せずに当惑したような表情をしていたら、こちらも表現を変えて質問することが可能だし、相手が話している際に、うなずきながら聞くことによって自信をもって学生が話せるようにすることも教師の大事な役割だと信じている。

「ミート」は少人数の演習の場合には有益だが、それでも問題がないわけではない。いつものようにゼミの前後にお茶を飲みながら雑談したり、相談したりすることが不可能だからだ。こうした一見すると無駄に見える時間に色々な信用関係が構築されることがある。

雑談は本当に雑談だ。昨日の夕食は美味しかったか。何故サッカー観戦が好きなのか。最近見たアニメは何か。アルバイト先に嫌な上司、先輩はいないか等々。話の中身自体はどうでもよい。学生との距離を縮めることが目的だ。

『論語』曰く「信なくば立たず」。私が何よりも大切にしているのは学生との信頼関係である。信頼関係を構築する際には実際に会ってみることが重要だ。これがオンラインでは困難だ。

学びの第一歩として、教師への尊敬と信頼が重要である。その第一歩として、私は雑談をしている。つまり、双方向的コミュニケーションができるからだ。

雑談には向かないが、対面で演習をする際にミートは有用だった。だが、このミートにも大きな問題があった。大人数の講義を行う際、「ミート」は最適とはいえないのだ。小さな技術的な面から指摘しておくと、受講生のパソコンにホワイト・ボードの全体を映し出すことが非常に難しい。そのため多くの教員はパワー・ポイントやレジュメなどを映し出しながら、音声で講義を行っていく。この場合、学生が真剣に受講しているのか、寝ているのかを確認することが極めて難しい。技術的には受講生の顔を表示させることも可能だが、講義をしながらパソコン上で教員が受講生全員の顔を確認するのは困難だ。だが、技術的な点以上に問題となってくるのが、受講生全体の反応を実際に確認するのが難しい点だ。

対面講義の場合、受講生の理解度を確認しながら話すことが可能だ。眠そうな学生がいたら質問をすることも出来るし、雑談を交えて笑わせることも出来る。だが、こうした双方向性を持った講義をしていくことがオンライン講義では困難なのである。

そこで私は「ミート」を使うことを諦め、事前に全ての講義を動画に収録することにした。収録した講義の内容を次週の講義までに要約させ、レポートとして提出させるのだ。この動画収録の講義の場合、講義の中での双方向性は最初から諦めることになる。これは大きな犠牲を払う選択だが、利点もあった。私の場合、一週間その動画を掲載し続けているので、何度も復習が可能になるのだ。実際に、一度聞いただけでは分からなかったが、二度、三度聞いていているうちに内容が理解できたというコメントも寄せられた。この点はオンライン講義の長所と言ってよいだろう。

多くの受講生から「理解が深まった。繰り返して視聴すると、よくわかる」という感想が寄せられた。まさしく、これがオンライン化のメリットだ。動画は何度でも視聴できるため、理解できなかったら、繰り返して視聴して学べば良い。また、じっくりゆっくり聞きたければ、スロー再生もできる。逆に、テンポよく聞きたければ、早送り再生もできる。それは受講生の自由である。さらに、いつ、どこで視聴するかも、自由である。これほど、柔軟で効果的な学習方法があったであろうか、と感嘆した。

一方、デメリットを挙げると、動画制作が結構面倒である。話して、撮影して、音が聞こえやすいかチェックする。音声が重要だ。どれほどよい動画を作っても聞こえなければ何の意味もない。だから、音声には何よりも力を込める。これもユーチューバーとして学んだ知識だった。音が聞こえないとの苦情がＹｏｕＴｕｂｅを開始して一番多かったのだ。

このようなデメリットはあるものの、メリットと比べ合わせてみると、はるかにメリットの方が大きいように感じた。ここから、何らかの形で義務教育にオンライン講義を活用すべきではないかと考え始めたのである。

なぜ教員はオンラインが嫌いなのか？

また、私が教育のオンライン化に前向きになったきっかけは、とある政治家の友人との雑談がきっかけであった。ここでも雑談が重要だった。

ある日、別の要件で会っていた際、次のような会話をした。

友人　「なぜ小学校や中学校、高校で教育をオンライン化しないのでしょうか」

岩田「オンライン化を整備するのが難しいからではないですか」
友人「いやいや。教員の存在価値がなくなるからですよ、きっと（笑）」
岩田「……」

私は友人の何気ない言葉に衝撃を受けた。冗談のつもりで話していたのかもしれないが、自分自身で教育のオンライン化を真剣に考える契機となった。私は小中学校・高校ではオンライン化の整備が大変でオンライン化ができないと思っていた。実際は「できない」のではなく、「やらない」のではないかという発想がなかったのである。友人との何気ない雑談は新しい視点を得た瞬間だった。

この指摘を私は直感的に正しいと感じた。現在中学校で教員として勤務しているかつてのゼミ生複数に連絡をとり、教育のオンライン化について周りの教員たちの反応はどのようなものか尋ねた。小中学校の教員は対面で教えるからこそ、教育価値が高いと主張している人が多いとのことだった。そして、授業のオンライン化は不可能だとも主張しているともいっていた。オンライン化には反対だという教員が多いのだろう。そこには一理あると言って良い。

だが、オンライン化のメリットに全く目を向けないことには納得がいかない。授業、講義のオンライン化にはメリットもあればデメリットもある。しかし、オンライン化に執拗なまでに反対する教員が多いのは何故なのか。彼らの根拠を聞いてみても、全く得心がいかない。オンライン講義で生徒が得る有益さよりも、教員自身の無能力が白日の下に暴かれることを恐れているようにしか聞こえない。

確かに、動画配信は恐ろしい部分がある。自らの無知や不勉強が天下に晒されるからだ。ほとんどの小中学校の教員は真剣に学問した上で講義、授業を行っていない。他者から自身の授業を見られることを恐れる所以である。

だが、これは子供たちからしてみれば恐ろしい発想である。教員自身のことしか考えていないからだ。学校教育とは生徒のためにあるものだ。しかし、教育のオンライン化を妨げるのが教師の存在価値を守るためであるとすれば、本末転倒と言わざるを得ない。もしも、教育のオンライン化が生徒のためと結論づけられるとすれば、それを実現するのが教育の役割であり、政治の役割でもある。

私は教育のオンライン化を進めることで教育の大問題を解決できると考えた。主に、以下の三点が挙げられる。

①不登校の生徒が救われる。
②イジメから生徒が救われる。
③問題のある教員（モンスターティーチャー）から、生徒が救われる。

それぞれを順に説明していこう。

不登校の生徒を救え、ＹｏｕＴｕｂｅで子供の逃げ場を作れ

現在、全国に多数の不登校の児童生徒が存在する。その多くは、学校での人間関係に悩んで、不登校となっている。そういった児童生徒は、勉強をしたいと望んでいても、学校に行けず、学習することができない。家で自習しても限界がある。財力のあ

る家庭なら家庭教師を付けることも出来るだろうが、全ての教科に家庭教師をつけられるほど豊かな家庭は少ないだろう。学びたいと思いながらも学べない。これは紛れもない事実である。こうした児童生徒は、不登校の時間が増えるにつれ学習に遅れが生じる。そして、学習に遅れが生じることで、ますます学校に行きたくなくなり、不登校から抜け出せなくなるという悪循環に陥る。

教育のオンライン化を実施すれば、どうなるだろうか。不登校でも自宅で勉強することができる。学習の機会の均等が保障される。

そもそも、すべての児童生徒に教育の機会を与えるのは、国の義務ではなかろうか。そういった意味で、私が提案するのは、文科省が小学校、中学校、高校のすべての単元の授業を動画配信するということだ。その講師は、文科省が日本全国から最高の講師を選抜するべきだろう。文科省の全威信をかけて善き講師を選べと主張したい。日本全国の児童生徒が公平に最高レベルの講義を視聴することができる。素晴らしいことではないか。人間関係に悩み、不登校の児童生徒も当然受講できるが、出来の悪い教員のいい加減な授業でやる気をなくしている児童生徒も自宅でしっかりと学び直すことが出来るはずだ。

現在の教育体制では児童生徒たちは教師を選べない。どれほど底意地が悪く、頭の出来が悪い教員にぶつかってしまっても逃げ出すことが出来ないのだ。まるで運命であるかのように教師が定められている。異常な事態と言ってよい。

自分の教わっている教員は何かおかしいのではないか、実は学力不足ではないかと気づいてしまった生徒も最善の講師による動画を視聴することによって新たな視点を得られるだろう。繰り返すが現行制度では、生徒は教師を選べない。良い教師に巡り合えばよいが、残念ながら現実を眺めると学力の低い教員が多すぎる。生徒の「おかしい」と思ったその感性はあながち間違っていない。本当にレベルの低い教員が多すぎるのだ。

実際に私の友人の大学教員が驚いていた話を紹介しよう。何度教えても食塩の濃度に関する問題が一切解けない教え子が中学校の理科の教員になったというのだ。自分自身が解けないのだから、他人に教えられるはずもない。人当たりはよかったようなのだが、基礎学力を欠いている。私自身もこの話には驚いた。だが、大学時代までほとんど読書したことがない国語教員、社会や政治に全く興味関心のない社会科教員などが次々に誕生している事実を知ると、本当に日本の教育は大丈夫なのかと心配になってくる。申し訳ないが教員の学力が余りに低すぎる。

さて、不登校の児童生徒は、オンライン講義を受けることで、学習の遅れを回避することができる。いやむしろ、最良の学習を受けることが出来るのかもしれない。もちろん、先にも述べたように不登校の児童生徒以外も視聴でき、不登校以外の子供たちにとっても非常に有用なものとなるはずだ。さらにいえば、一念発起して勉学をし直したいと思う高齢者も勉学に励むことが出来るようになる。文字通り、生涯学習を推奨する上でもかなり便利なはずだ。学び直したいと思う人が他人の目を憚ることなく小中学高校時代に学ぶべきだった事柄を学べるのは素晴らしいことだ。

国はどんな児童生徒にも勉強する機会を与える義務がある。一人の子供であっても教育の機会を奪ってはならない。現在の学校教育と並行して、試験的に動画配信講義を行うべきだろう。この結果、多くの不登校の児童生徒が救われる。無論、学校の勉強だけが全てではない。受験勉強などしたくないとの考え方もあるだろう。だが、現実に日本は、勉強し、大学にまで進学した子供たちのほうに多様な選択肢が準備されている社会である。受験勉強を放棄すると、人生の選択肢が狭まる現実は直視しなければならない。

一人の不登校生徒の人生を救えるだけでも動画配信講義の意味がある。そもそも、現在のような教育環境の中で不登校になる生徒の方が輝かしい個性を持っている可能性も否めない。これほど画一的な教育に違和感を持つ子供たちがいても私はその存在を否定する気になれない。むしろ、「こんな教育でいいのか？」という違和感を持つ方が正常ではないか。こうした教育でいいのか。こうした教員でいいのか。こうした学校のあり方でいいのか。こうした疑問を持つ子供たちの方がむしろ正常と言ってよいだろう。現行の教育に飼いならされ、疑うことすらできない子供たちを私は哀れに思う。「不登校万歳！」とまでは言わないが、彼らの人間性は決して否定されるものではない。

また国とは別に、民間でもオンライン講義を実施していけばよい。民間の講師が競争して、よりよい動画を作成し、生徒に届ける。競争しあうことによって、より質の高い講義動画が作られていくことになり、生徒の利益になる。繰り返しになるが、教育は子供たちのためにある。教員の自己保身のためにあるのではない。オンライン講義ということであれば、もちろん私も参加していきたい。本気で取り組む。それが明日の日本を担う子供たちのためになるからだ。私の専門は政治学だ。政治に関する有用な動画を配信して、生徒のために届けていく。

様々な人生経験のある人たちが率先して、オンライン講義を配信するとよい。教育学部を卒業し、何の社会経験もないままに教員になった人物と、人生の酸いも甘いも経験してきた人物とどちらが善い教師になれるのか、火を見るよりも明らかではないだろうか。現在の教育制度は根本から腐っている。教員の既得権益を守るための教育ではなく、子供たちに有益な教育こそが求められている。

オンライン講義を配信することにより教育を変える。日本にとっての重要な課題である。

「不登校」ではない「在宅登校」の時代だ

不登校の生徒は辛い立場であるだろう。だが、耐え難い学校環境を避けているという点で、全体主義的で非人道的な学校教育の被害を免れている。

イジメを受けても、無理をして頑張ろうと、登校してしまう子供たちもいる。まずもって断言したい。無理に学校など行く必要はない。生命の方が大事である。生命の危機を感じながら学校になど通うべきではない。

何故彼らは自身がいじめられると知っている学校に向かってしまうのか。そこには様々な理由が考えられる。その一つに、学習の遅れへの恐れがあるはずだ。学校に行ってイジメられるのが嫌でも、勉強はしなければならない。だから、学校にいくしかない。そう考える児童生徒が存在するはずだ。

こうした問題を解決するためにも、やはり教育のオンライン化が有効だ。教育のオンライン化が進めば、イジメられるような学校に行く必要がなく、積極的に不登校となればよい。生命の危機を感じながら登校するくらいならば、「不登校万歳！」でよいではないか。登校すること自体が善とされている社会状況は狂っている。オンライン化が進めば、もはや不登校という概念はなくなっていくだろう。呼び方は自由だが、例えば、「在宅登校」「在宅学習」という言葉を用いるべきであろう。「不登校」という言葉には、どこか否定的なニュアンスが込められている。自宅で学習することは決してネガティブに捉えられるべきではない。私はイジメ問題に対しても教育のオンライン化が有効なのは明らかだと考える。仮に私の主張を否定するならば、別の解決方法を提案していただきたい。私は本気で子供たちがいじめで死ぬような日本を変えたいし、変えねばならないと信じている。

生徒は学校を自分の存在すべき居場所として認識している場合がある。同年代の仲間が複数集まっているのだから、健全な判断とも言えよう。だが、居場所やアイデンティティを学校、学友に限定してしまう恐ろしさについても考えておくべきだろう。仮に酷いイジメに遭遇しても、居場所への所属意識を失う恐怖から、イジメられる場所に自ら足を向けてしまう。根本的に、学校が絶対的に神聖不可侵の場所であると生徒に思い込ませないようにすることが重要だ。学校は学習する場所である。学習など人格や生命の尊厳に比べたら全く重要ではない。イジメによって人格を傷つけられ、生命を失うようになってしまうのでは、本末転倒である。こうした悲劇を繰り返さぬためにも在宅登校が一つの一般的な選択肢としてあるべきだ。

在宅登校によって生徒の居場所がなくなる、という反論もあるだろう。愚かである。やり方はいくらでもあるはずだ。例えば、在宅登校者が集まるリクリエーションを教育者側が定期的に開催するのでもよい。もちろん、参加は自由だ。参加を望まず、あくまで在宅登校で勉強したい生徒はそうすればよい。繰り返しになるが、登校することによって、人格を傷つけられ、生命を失う必要などない。無理やり登校するよりも、在宅しながら一人で学習した方がはるかによい。生命は大切だ。

「学校神話」から日本国民は覚醒すべき

２０２１年3月23日、恐ろしいイジメを契機に14歳の女子中学生が自殺した。「旭川女子中学生いじめ凍死事件」である。あまりに極悪非道の所業で、詳細に説明するとそれだけで本一冊になってしまうので、端的に説明する。

ある少女が学校に馴染めず、不良集団と交友を繰り返した末の悲劇である。いじめ事件というが私はいじめなどという言葉を使うべきではないと考える。簡単にいえばこれは犯罪である。無理やり自慰行為を強制させられるなど、あってはならない犯罪だろう。イジメなる言葉によって、犯罪を矮小化させてはならない。

他にも、同年に「大津市中2いじめ自殺事件」が起こった。

複数の生徒からイジメを受け、10月11日に中学2年生の男子生徒が自宅マンションから飛び降り、生命を落とした事件である。この事件の注目すべき点は、教室でプロレスごっこという名の暴行がなされていたにも関わらず、担任教員が止めに入らなかったこと、そしていじめられている生徒も「いじめられている」と主張しなかった点である。加害者があくまで遊びだと言い張り、被害者もそれを否定できなかった。暴行はエスカレートしていき、最終的には「自殺の練習」が強要された。自殺の練習をしなければ殴ると脅されていたのである。これだけ残忍ないじめ事件が生じながら、学校側は正そうとしなかった。「遊んでいるだけだ」との加害者の主張を否定できなかったのだ。被害者も時折、学校に行きたくないとは親族に呟いていたものの、最終的には学校で仲間が存在しなくなることを恐れて、この残忍な加害者集団との縁を断ち切るべく行動を起こすことが出来なかった。

被害者には居場所は学校であるとの固定観念がなかっただろうか。学校に行かなくて構わないとの考え方がなかったのではないか。

いじめによって生命を落とすのであるならば、自宅で自習し、のびのびと生活していたほうが善いに決まっている。今はオンライン化によってＹｏｕＴｕｂｅ、Ｖｉｍｅｏで、在宅学習の質は飛躍的に高まった。はっきり言って、学校の教員などよりはるかにレベルの高い講師の授業をオンラインで受講することができる。生徒を守らないような学校に、子供たちを行かせるべきではない。学校に行っていれば正しいと考えるのは、もはや妄想の類である。狂気と言ってもよいだろう。「学校神話」から日本国民は覚醒すべきときを迎えている。

数少ない例外を出して、学校教育を否定するのは間違いであるという反論もありうるだろう。だが、私は敢えて言いたい。こうしたいじめ問題が、氷山の一角であるとは考えられないのであろうか。最悪の事例がいじめによる死である。だが、死に至らない陰湿で悪質ないじめが世の中に存在するのは確かだろう。潜在的には多数のイジメが存在していると考えた方が合理的だ。報道されないいじめを想像できないのは想像力の欠如と言わざるを得ない。陰湿ないじめの被害者をできる限り少なくしていく。それは子供たちの学力向上よりも大切なことだ。学校教育による子供の死は根絶しなければならない。あまりに子供たちが不憫である。いじめによる死という悲劇を二度と繰り返さないためにも、教育のオンライン化は必要であると強調しておきたい。

岡本太郎を面罵した怪物教員

問題のある教員を避けて、子供たちが救われるという話に入る前に、教育の目的についてて確認しておきたい。なぜなら、教育を論ずるには教育の目的を理解することが重要だからだ。

現在の日本の教育体制は教員が存在することが大前提になっているようにみえる。マックス・ウェーバーの名著『職業としての政治』をもじって、敢えてからかうなら「職業としての教育」を守ることが第一になっていないか。そして何のために子供たちの教育が必要なのかの議論が真剣に為されていないのではないだろうか。

教育の目的とは子供たちの成長を促すことである。教育の目的を果たすことを阻害するような教員であれば、存在しない方がよい。教育の根本的な目的について考えたい

教育には二つの目的がある。

①「個性」の涵養

②「社会性」の涵養

ここで気づかなければならないのは、両者が相反する性質を有していることだ。社

会性を伸ばすことを過度に重視すると子供たちは画一化されていく。つまり、個性を失っていく。逆に過度に個性を伸ばそうとすれば社会性は育まれない。ジレンマといってよい。両者を両立させることは非常に困難だ。

この場合、年齢によって重視するポイントを変えていくことが重要だ。小学校、中学校、高校、大学と、子供の教育機関があるが、年齢が上がるにつれて個性と社会性を重視する割合を変えていけばよい。例えば、小学生はまだ個性を伸ばすほど精神的に安定しておらず、社会で生きる上での基礎を学ぶ必要がある。したがって、小学生の時期は社会性を重視する割合を大きくすればよい。一方で、大学生は基礎の学びを終えて、自ら積極的に生き方や学びを探究していく時期である。この時期には個性を重視する割合が大きくなるのは当然だ。

では、現実の日本の教育はどうなっているか。私はそこに歪(いびつ)な構造を見る。日本の教育では、小中学校でも表向きでは個性が大事だと強調されている。「個性尊重」の美名を否定する教員は殆ど存在しないはずだ。しかし、実際には社会性を身につけろとの指導がなされている。言行不一致である。これでは、生徒も保護者も混乱するだけだろう。

モンスター・ティーチャー（怪物教員）は子供たちに社会性を身につけろと言って、教室という閉鎖空間でおぞましい「社会性」なるものを身につけさせようと試みる。

モンスター・ティーチャーは昨日、今日から存在しているわけではなく、かねてより日本の教育界に棲息している。

「芸術は爆発だ」との言葉で有名な芸術家の岡本太郎の例を考えてみよう。岡本は著書『自分の中に毒を持て』（青春文庫）で、小学校一年生の時に出会ったモンスターティーチャーを紹介している。

ある日、担任の教員が子供たちに尋ねた。

「お前たちのなかで、『一、二、三』の数の書けるものがいるか」


小学校一年生であったため、基本的に誰も漢字を知らないと思われた。しかし、教育熱心だった両親に育てられ、自然に本を読んでいた岡本太郎だけが「ハイッ！」と勢いよく手を挙げた。

「書けるのか。前に出て来て書いてみろ」

黒板の前に立った岡本が「一」「二」「三」と順調に書き進め、「四」と書きあげたところで、急に教員に遮られた。

「ほうら、違うじゃないか！」

何故か、頭ごなしに否定されたのだ。聞けば、「四」の書き順が間違っているというわけだ。

「それでは違う。なんだ書けないくせに！」

岡本太郎は理不尽に教員から怒られた。岡本太郎は驚いた。間違った書き順だったのは認めても良いだろう。だが、実際に「一」「二」「三」「四」と書けたのは事実だ。書けたことを褒めるのではなく、あげつらうように間違ったことを指摘する。これが本当の教員の在り方だろうか。岡本太郎の反逆精神に火がついた。小学一年生の繊細な心をもっていた岡本太郎は学校が嫌いになってしまう。学校に行きたくないと思っていた岡本少年だが、教育熱心な母親からは「学校に行きなさい」と怒られる。結局、小学校一年生で居場所のなかった岡本少年はノロノロと小学校に向かう。嫌で嫌でたまらなかったが、何とか教室のドアを開けると、担任の教師が遅刻したことを詰る。

結局、岡本はその小学校をやめてしまった。

『今日をひらく　太陽との対話』（講談社）の中でも、岡本は若き日の教員に対する憤りを吐露している。これは岡本が小学校三年生だった時の話だ。放課後にマリ投げをしていた際、校長が通り、岡本に注意した。窓ガラスが割れてしまうから危ないというのだ。しかし、何度もマリ投げを経験していた岡本は、この柔らかいマリで窓ガラスが割れるはずのないことを知っていた。校長に柔らかいマリで窓ガラスは割れないと説明した。校長は岡本のクラスと名前を尋ね、笑顔のまま立ち去っていった。

数日後、担任教員から岡本は呼び出された。何があったのかわからないままでいる岡本に対し、担任は説教をした。悪いことをしながら校長に「口答え」したことが問題なのだという。だが、岡本からすれば口答えなどしていない。彼は事実を率直に語っただけなのだ。何が悪いことなのかわからない。嘘をついたわけでもなければ、誤魔化したわけでもない。

岡本の教員に対する不信感がますます深まった事件であった。

これはモンスターティーチャーの古い一例である。信頼関係を破壊する許し難い所業と言って良い。

岡本の場合は、結果として、そういう負の体験から偉大な芸術家になれたのかもしれない。だが、現在、同級生の前で、そのように教員から面罵（めんば）されたりしたならば、不登校や他の級友から疎んじられるような結果を招くことになったかもしれない。

ヒトラーもスターリンもびっくりの「残留牛乳事件」

次に新しい事例についても述べてみよう。私は大学で小中学校の教員を養成してきた。だから、教え子に教員が多い。彼らと会うたびに驚くべき日本の教育の惨状を知らされる。常軌（じょうき）を逸した教育が行われているのだ。本当に驚かざるを得ない。世間から閉ざされた教室という空間では、異常なことがまかり通っている。

私が聞いたモンスターティーチャーの実例の一部を紹介してみよう。神奈川県、公立小学校、五学年のある学級で起こった実話である。私は教え子からその話を聞き、驚愕し、その事件を「残留牛乳事件」と呼ぶことにした。

小学校五学年の学級で、子供たちがいつものように給食を楽しんでいた。ここに異常な部分は何もない。おかしな食材が供されたわけでもなければ、給食に毒が盛られていたわけでもない。児童たちが給食を食べ終わり「ごちそうさまでした」の合図で片付けが始まる間際、事件が勃発した。

「先生、大変です！ 残っています！」

回収した牛乳パックの一つに牛乳が残っていたのだ。給食係の児童が慌てて叫んだ。すると、担任の教員が急に怒鳴り始めた。

「残したのは、誰だ！」

その後の教室では、談笑していた賑やかな雰囲気が一変し、恐ろしく緊張感あふれる雰囲気となった。地獄である。児童からは笑顔が消え、皆、恐怖で引きつった表情をしていた。その場にはただ沈黙が流れるのみだった。

「名乗り出るまで、終わらないからな！」

担任教員は怒声を放ち、児童たちをじっと睨みつけた。給食係の児童から受け取った牛乳パックを手に持って、耳の横に持って行き、左右に揺らして「ポチャッ、ポチャッ、ポチャッ」とわずかに残った牛乳の音を確かめながら、教員は児童たちを睨み続けた。

これが「残留牛乳事件」の幕開けだ。この学級では「牛乳を残すことは悪いこと」とされていた。まるで犯罪行為のように扱われていたのである。給食係は残留牛乳をチェックする下請けの捜査官役を押しつけられていた。担任教諭は係から届いた情報を元に容疑者を探す警察官であり、罪を暴く検察官であり、断罪する裁判官でもあった。

そもそも、この担任の教員が「残留牛乳罪」という非合理で常識では考えられない珍妙な罪を立法した立法者でもある。それはまるで、立法・司法・行政の全権を委任されており総統となった、アドルフ・ヒトラーやヨシフ・スターリンや毛沢東のような絶対的な権力を有していたように見える。この後「残留牛乳事件」は次のように展開していく。

「わかった。名乗りでないなら、もう何もしなくていい」

そう言い捨てると、担任教員は給食後の昼休みの時間になっても、児童を自由にさせなかった。いわば監禁したのである。担任が自分の席に座って牛乳を残した犯人が名乗り出るのを待っている間、児童は全員、黙って自分の席に座らされた。児童たちは強張った面持ちで、緊張していた。休み時間にも関わらず、心が休まるどころか、彼らは精神的に激しく疲労していった。

昼休みが終わると「掃除もしなくていい」と担任教員は怒鳴りつけ、掃除の時間も生徒に着席を強要した。その間、担任教員が一人で掃除をし続けた。「ほら、おれ一人でもできるから」。露骨な嫌味を生徒たちに浴びせながら、彼は掃除を続けた。掃除を終えてもなお、児童たちはただ犯人が名乗り出るのを待たされた。掃除の時間の終わりを告げるチャイムが鳴ると、次に五限目の授業が始まった。その時間になって、担任の教員は厳かに告げた。

「牛乳残した奴のせいで、みんなに迷惑が、かかってるんだ。皆の昼休みもなくなって、掃除の時間も座るしかなくなって、今、五時間目になった。これ以上時間を無駄にできないし、他の関係ない子が可哀想だから授業をする」

客観的に見て、人の自由を奪っているのは担任教員である。どの児童も他人の自由など奪っていない。こうして「残留牛乳事件」の犯人は不明のまま、ただ無駄に時間が過ぎ、児童の恐怖心だけが煽られて事件は終わった。恐らく、どのような規則であろうとも徹底的に服従しなければ、恐ろしい目に遭うというトラウマが残されたはずだ。

この話を教え子である教員から聞いたとき、私は心の底から驚いた。第一に、給食の際に牛乳を残すことが人道上許されざる大罪と扱われていることに対してである。食べ物や飲み物を大事にしようという趣旨は理解できる。無闇に食べ物、飲み物を残したりするのではなく、それらのありがたみを理解させるのは食育の一種と言えるだろう。食材を作ってくれた農家の人々への感謝、食事を作ってくれた方々に感謝して、できるだけ残さないようにしようという教育方針も納得できる。努力目標として、食べ物をできるだけ無駄にしないようにするのも食育だろう。そこまでは原則論として結構な話だ。

だが、牛乳を残すことは言語道断の悪の所業であり、犯罪であるとの考え方は常軌を逸していると言わざるを得ない。ＮＨＫのアニメ番組で『忍たま乱太郎』というアニメがあった。そこに出てくる食堂のおばちゃんが「お残しは許しまへんで」と叫ぶシーンがある。だが、それは所詮、マンガでありフィクションの世界の話にすぎない。だが、実際にこうした異常な規律を教育現場で子供たちに強制するのはおかしいだろう。

他人のものを盗んだわけではない。殺人事件を起こしたわけでもない。牛乳を残すことが何故そこまで厳しく糾弾されなければならないのか。社会人の常識から考えてみれば、異常な光景というより他にない。世間で牛乳を残している人物を発見し、まるで犯罪者のように糾弾すれば、糾弾している人間の方が発狂していると思われるだろう。

いつから教育現場とは、狂気の独裁者の支配する全体主義国家になったのか。意味が分からない。食べ物を大切にするという健全な心を育むことは大切だ。だが、そうした異常な教育から健全な心が育まれるとは思わない。否、そこから生じるのは「食べ物を残すことへの恐怖心」「担任から罰せられることへの恐怖心」「隣の人間に告発される恐怖心」である。

「アイヒマン」を作る学校教育の恐怖

狂った忠義心についても触れておいた方がよかろう。担任の教員への愚かな忠義心、犯人探しへの歪んだ義務感である。牛乳を残してはいけないというルールを破った者を積極的に探し出そうとするのが、給食係の任務だ。給食係は、給食の終わりに毎回、牛乳パックを捜査する。一つ一つ手にとって重さを感じ、牛乳パックを耳元に近づけて左右に振って「ポチャッ」と音が鳴るのではないかと調べ上げる。捜査の結果「ポチャッ、ポチャッ、ポチャッ」と音がしたとき、「先生！　牛乳が残っています！」と絶叫するのだ。彼は任務に忠実なのだが、その任務そのものが正しいのかとの懐疑の心を持つことが出来ない。本来であるならば、おかしな規則があれば、それを正すべく理性を働かせるように教えるのが教育のはずだ。

しかし、この全体主義教室では理性よりも、担任への忠義心が優先される。誰がどう見ても狂気に満ち溢れている。牛乳を残すことは犯罪ではない。嫌な食べ物、飲み物を残すのも人間の自由であるはずだ。嫌なものは嫌だと言えるのが自由主義社会である。

給食係についてもう少し哲学的に考えてみると、彼は一種の道徳的な存在だと自認しているはずなのである。なぜなら、教室で強制されている規則を積極的に守ったからだ。牛乳を残してはいけないという掟がある以上、規則を守ろうとするのは、ある意味道徳的である。規則を破った犯人を発見するのが給食係の義務だからだ。約束を違反した者を積極的に見つけ出す。それが給食係の責務である。自らの任務を遂行しようとするという点では、彼は道徳的である。

だが、常識的に考えてこの異常な事態に違和感を覚えないであろうか。規則を守ることが絶対的に正しいというのは本当か。守ってはならない悪法というものもないだろうか。私は既存の規則にすべて従うべきだという論理を否定する。まじめに考えて、悪法というものも存在するだろう。世界史を振り返れば、時の為政者の誤った判断で悪法が作られることがある。では、実際に世の中で悪法が作られたら、人間は如何に行動すべきか。悪法を廃止するために、動きはじめるしかない。そのためには、現下の法律が悪法かどうかを見極める力が必要である。自分の意志で考え、そこから得た結論に沿って行動すること。つまり、カントの言う「自律」である。自律の心を養うことは教育の中核と言ってよい。教育の目的は先述のように個性、協調性を高めることだが、そのための根本には自律性が不可欠だ。自ら考え、正しいと判断したことを、積極的に行う。その中で、個性や協調性というものが真に育まれてくる。

言うまでもなく、自律と正反対の概念が他律である。自らの意志ではなく、他者の圧力によって、律せられることを他律と言う。

例えば、権力や法があるから従う。別に間違ったことではない。赤信号があれば止まる。車を止める。よく考えてみれば、ここにある論理は自然な正義ではない。赤信号だから止まるのである。何故、赤で止まり、青で進むのか。そこに深い意味はない。あくまでもこれは記号にしか過ぎないからだ。これを「私は共産主義者だから、赤で進みたい」などと言い始める馬鹿者が存在したら、社会は大混乱に陥るだろう。国家の規則に従うことは、基本的には健全なことである。

だが、こうした国家や権力による規則は常に正しいとは限らない。今回の事例はまさしくそうだ、牛乳を残してはいけないというのは、絶対正義とはいえず、非常識な規則であろう。これを正義として強要するのが教育であるならば、教育の存在価値などない。教育など一切排してしまえばよい。教員の圧力によって、常識では考えられない規則が子供たちに強要されている。食育という美名を掲げた、全体主義教育に他ならない。これは恐るべきことだ。ナチス・ドイツで存在した許されざる犯罪者と同じ論理である。

ナチス・ドイツではユダヤ人を迫害し、虐殺した。アンネ・フランク『アンネの日記』（文春文庫）、ヴィクトール・フランクル『夜と霧』（みすず書房）、プリーモ・レーヴィ『アウシュヴィッツは終わらない』（朝日新聞出版）等々の著作を読まれた方も多いだろう。あるいは『シンドラーのリスト』や『戦場のピアニスト』などの映画によって、この悲惨な事実を知った方も多いはずだ。

ユダヤ人虐殺はナチス・ドイツの総統アドルフ・ヒトラーの命令によって行われた。

彼は全権委任法によって、絶対的な権力が認められていた。ヒトラーの命令は法と等しいとされたのである。今では考えられないことだが、当時、ユダヤ人虐殺は国家によって正しいこととされていたのだ。ヒトラーは、民主的に選挙で選ばれた指導者であり、彼の権力には正統性があった。

ナチスのユダヤ人虐殺命令を遵守し、職務に忠実だった男がアドルフ・アイヒマンだ。アイヒマンは親衛隊の中佐だった。虐殺が行われる収容所へ、ユダヤ人を大量に移送することが彼の仕事であり、彼は任務を真面目に遂行した。彼は命がけで大量のユダヤ人を移送したのである。ユダヤ人から見れば、アイヒマンは許しがたい大量殺戮の張本人に他ならなかった。彼はナチス・ドイツが戦争に敗れるとアルゼンチンに逃亡した。しかし、戦後、ユダヤ人が建国したイスラエルでは、ナチス・ドイツの戦犯を必死に探し続けた。そして、情報が寄せられアイヒマンがアルゼンチンにいることを確認した。諜報機関モサドがアルゼンチンに潜入し、アイヒマンを拉致する。そして、イスラエルの首都エルサレムの裁判で彼を裁いたのである。

ユダヤ人だけでなく、世界中がこの裁判に注目した。なぜなら、ユダヤ人を大量に虐殺した男がどれほどの悪人か、どれほど反ユダヤ主義思想を持っているのかを知りたかったからである。日本人で言えば筑波大学教授を務めた村松剛がこの裁判を傍聴し記録を残している（『新版 ナチズムとユダヤ人 アイヒマンの人間像』角川新書）。

この裁判の記録をもとに歴史的な著作を執筆したのがユダヤ人政治理論家ハンナ・アーレントだ。彼女はこの裁判の傍聴を踏まえた『エルサレムのアイヒマン』（みすず書房）という本を書き上げる。人間とは何か、悪とは何かを考える際に非常に参考になる一冊だ。なお、この本を半ば原作として映画「ハンナ・アーレント」が作られている。よい作品だ。

裁判が始まると、アイヒマンがあまりにも人々の想像とかけ離れていたため、多くの人が驚愕する。アイヒマンは、その辺りを歩いている子煩悩で平凡な男と何ひとつ変わらず、これといって特徴のない小物だった。とりわけ反ユダヤ主義思想を持っていたわけでもないとも主張した。

アイヒマンに対して次のような質問がなされた。

「なぜユダヤ人が大量虐殺される収容所へ、多くのユダヤ人を輸送するような残虐なことができたのか。あなたには良心はないのか」

　アイヒマンは答えた。

「私は上官の命令に従っただけだ。私にとって良心とは上の人間の命令に従うことだ。だから、私の行いこそが道徳的である」

　傍聴者が驚く中、アイヒマンは続ける。

「一万人のユダヤ人を移送しろという命令があって、一万人のユダヤ人を移送したら良心の呵責は全く感じない。何故なら、上官に命じられた責務を全うできたからだ。しかし、八千人しか移送できなかったら、私の良心は痛む。命令を完遂することが出来なかったからだ。命令に従うことが私の美徳なのだ」

　アーレントは、思考停止状態に陥って歴史的犯罪に手を染め続けたアイヒマンを「悪の陳腐さ」と評した。ヒトラーのごとき「巨悪」だけが恐ろしいのではない。自分自身で考えることを止め、ひたすら命令に従い続ける人間が巨大な犯罪に加担することもある。

　アイヒマンの事例を眺めてみると既視感を覚えずにはいられない。まさしく「残留牛乳事件」の給食係は小さな、小さなアイヒマンなのだ。恐らく、給食係は善意の持ち主であり、道徳的であり、職務に忠実で積極的に規則を守ったのである。だが、この種の悪しき規則に従うことが、真の意味で道徳的であるかどうか、私には甚だ疑問である。否、人間として誤っていると断言せざるを得ない。

もし私がその児童たちの親の立場なら、自分の子はそのようなモンスターティーチャーがいる学校に行かせない。自分の子供をアイヒマンにするわけにはいかないからだ。ＹｏｕＴｕｂｅを視聴して、自宅で勉強できるのであれば、間違いなくそうさせる。少なくとも、先に挙げた学級で行われているのは、恐怖政治ならぬ恐怖教育であり、その目的は「街角のアイヒマン」を養成することである。当然のことだが、街角のアイヒマンを養成することは教育の目的ではない。むしろ、自分自身で考える姿勢を育むのが教育だ。この種の全体主義的教育では個性を伸ばす要素の欠片も無い。この集団化によって生まれるのは歪な社会性だけだ。協調性、社会性が強調される世の中だが、歪な体制に否と叫ぶ個性こそが重要ではないだろうか。個性の尊重と言うならば、馬鹿げた体制に徹底的に否と叫ぶ子供を育てたいものだ。

指導力不足の教員による「学級崩壊」

常軌を逸した全体主義的教室の事例を紹介してきたが、次は全くその逆の事例を紹介しよう。「放任教育」である。「放任教育」の行き着く先は「学級崩壊」と相場が決まっている。

これも教え子の教員から聞いた実話だ。

東京都、公立小学校、四学年、女性の担任教諭（30代）。事件名は「教室キャッチボール事件」と名付けた。

ある日、教え子の教員が廊下を歩いていた。偶然、四学年の学級の前を通った。少し騒がしいと思い教室を覗いてみると、異様な光景を目の当たりにした。

「いぇーい！」

教室内で授業が行われている中、一人の児童が突然叫んで、席から立ち上がった。

「キャッチボールやろうぜ！」

彼が叫ぶと、新たに、三、四名の児童が席から立ち上がった。ノートか何かの紙を丸めて、ボールに見立て、本当にキャッチボールを始めた。あらゆる生徒の頭上を超えて、紙のボールが飛び交う。当然ながら、授業を受けている児童の邪魔である。

教え子は、廊下からその惨状を目の当たりにして、呆然として立ち尽くしてしまった。キャッチボールをしている児童は馬鹿笑いをしながらボールを投げ続ける。教え子は他の児童がどのように感じているか思案し、様子を伺った。すると、多くの児童が黙って暗い表情をして俯(うつむ)いていた。彼らは明らかに、被害者であった。授業に集中したいと思っているのだが、それが許されない。

驚くべきことに、担任の女性教員は、黙ってただ黒板に文章を書き続けていた。愚かな児童がキャッチボールを始めても、馬鹿騒ぎをしても、大多数の児童は授業を熱心に受けようとしている。だが、児童が暗い表情をしていても、担任教員はひたすら板書し続けていた。数分に一度程度「やめなさい」とは言うが、義務として形式的な指導をしている、という程度の淡々とした口調であった。力がない。情熱もない。そして、責任感もない。教師として失格である。

当然、キャッチボールをする生徒は教師の言葉を無視し、騒ぎ続けた。すると、担任の教員はため息をついて、呆れたような表情をした。キャッチボールが続いたまま、彼女は授業を再開した。愚かである。何よりも重要なのは、自身の授業を真っ当な子供たちに伝えることである。教室の中で、キャッチボールが行われながら、担任の教員は「この問題についてわかる人はいますか」と、児童たちに問いかけた。一部の生徒が挙手して答えた。

教え子は、この異様な教室内の様子に衝撃を受け、目眩がしたと言う。キャッチボールをして馬鹿騒ぎをしている児童がいる中、まともに授業を受けられるはずがない。多くの児童が暗い表情をしていたにも関わらず、教師は何もなかったかのように淡々と授業を進める。問題児を放置して授業を進める担任の教員に対して、彼は失望したのであった。

その後、さすがに無視できないと思ったのか、担任の教員が教壇を降りて、彼らに近づいていった。すると、彼らは囃し立てた

「うわー！　きたー！　トイレ行こうぜー」彼らは勝手に教室の後ろの扉を開けて

トイレに向かってしまった。ニヤニヤと笑いながら、勢いよく教室を飛び出した。彼らがいなくなった後、教室内は気まずく、暗い沈黙が流れた。教え子は担任の教員と目があった。担任は気まずそうに目を逸らしたという。

これが「教室キャッチボール事件」である。

異常な管理体制を敷く教員が問題であることは間違いない。だが、同様に全く子供たちを管理できない無能な教員も問題である。

真面目に学びたいという子供たちの願いを叶えられない教師など不要だろう。こうした無能な教員には教育現場から退いていただきたいと切に願う。

ただし、教員に同情する点もある。教員には異常な子供たちに対して、ほとんど反撃の権利が無いからである。児童、生徒が問題を起こして教師が指導しようとする際、熱心に教育すると体罰、パワハラなどと言われかねない状況にある。

私はこれを「憲法九条型教育」と呼んでいる。簡単にいえば、教師が出来ることは「話し合い」だけなのだ。教師が話すことによって子供が納得すればよい。だが、子供が「何故、そんなこと言われなくちゃいけないんだ」と凄んできた場合、教師の側には反撃の権利はない。ひたすら「話し合い」を続ける以外にないのだ。

暴力児童がいるのに「出席停止処分」がゼロとは？

これも実話だが、ある小学校で男の子が女の子の頭を殴っていた場面に教員が遭遇した。

驚いた教員は叫んだ。

「おい、お前やめろ！」

男の子は教員に反論してきた。

「僕には僕の名前があります。『おまえ』ではありません。そんなことをいうと親が教育委員会に報告します」

教員は唖然としてしまった。

こうした馬鹿げた状況を改善する術は全く存在しないのだろうか？

実は現在でも「出席停止処分」を下すことが可能である。しかし、出席停止処分が実施されることは非常に稀である。

文部科学省初等中等教育局児童生徒課の調査によると、平成三十年度の小学生への出席停止処分は0件であった。前年度でも1件だ。それに対して、イジメの認知件数は425844件である。対教師暴力の加害児童数は27442人であった。

（参照『平成30年度 児童生徒の問題行動・不登校等生徒指導上の諸課題に関する調査結果について』（令和元年10月17日 https://www.mext.go.jp/content/1410392.pdf)

四十万件を超えるいじめが行われており、教師に対して暴力を振るう児童も2742人いたことが発覚しているにもかかわらず、出席停止処分は0件である。出席停止処分が実際には行使できないシステムとなっているとしか言いようがない。

それにしても、なぜ、出席停止処分は有名無実と化してしまっているのか。この原因は日教組にあると考える。日教組とは、正式名称が日本教職員組合で、労働組合の一種である。日教組は護憲派（特に憲法九条を尊重）であり、自虐史観をもっている左派の組織だ。人権尊重の観点から子供の学ぶ自由があると主張する。彼らは加害者の子供たちにも「学ぶ権利」があると声高に説く。本来、守られるべき被害者を置き去りにした議論を繰り返す。こうした左派の圧力もあって出席停止処分がなされないのだろう。

確かに私も人権を尊重する。

だが、子供だけでなく教員にも人権はある。教師の人権を守るために、教師に暴力を振るう子供を出席停止にする必要性もあるだろう。だが、左派は加害者の権利ばかりを主張する。授業を妨害していたのは誰なのかという視点が欠落している。一方に人権が認められ、他方に人権が認められないなどということがあってはならない。

児童が問題を起こしても、唯一対処できる手段の出席停止処分が形骸化したのであれば、教師に打つ手は無い。教師は如何に対抗することが出来るのか。いくら教師が善意から指導しても、児童が指導を受け入れなければ、教育は成立しない。「話し合い」だけでは解決しないとき、教師は何が出来るのか。何も出来ないのが現実だ。

児童が好き勝手にやりたい放題行い、学級崩壊となることがある。これはやはり憲法第九条の精神と酷似している。憲法九条の精神とは他者が必ず平和的であるとの前提に成り立っている。ロシア、中国、北朝鮮。こうした国々の「公正と信義に信頼して」

平和を守ろうというのだ。冷静に考えてみれば実に馬鹿馬鹿しいというよりも滑稽ではないだろうか。日本は他国を攻めない。それはいい。だが、日本が攻めないことは他国が攻めこんでこない理屈にはならない。他国には悪意も敵意もある。幸いなことに、日本は自衛隊を組織していることで、防衛出動が可能である。もし、日本を攻撃する国があれば、自衛隊の防衛力で迎撃できる。日米安保条約もあるから在日米軍も自衛隊と共に戦ってくれると思われている。これも抑止力となっている。

一方で教師の場合はどうなるか。問題児がおかしな行動を起こそうとしても、迎え撃つことが出来なければ自衛もできない。話し合いが可能なだけである。相手が話し合いに応じてくれるならばよい。だが、子供も親も話し合いに応じない相手の場合どうなるか。それでも話し合いをすることしかできない。教員は八方塞がりだ。すると、教師は問題児を放任するしか術(すべ)がない。その結果、学級崩壊を招く。あるいは、パワハラと呼ばれるのを覚悟の上で、「悪法」に等しい規則を作りだし、強権で児童生徒を従わせ、歪な社会性を身に付けさせる。

そもそも、学校教育の問題は校長にもある。教員が大きな声で指導すればよい。そう思っていたのだが、これも問題視されるのが現状なのだという。「声の大きな指導はやめてください。保護者からクレームが来ます」。実際にある小学校で校長が語ったセリフである。現場の教員からしてみれば、大声で指導しないことなどありえない。そもそも、大声の基準が不明確だ。小声と大声の明確な区別は誰にもわからない。何者がその声を大声や小声と決定するのか。誰にもできない。本気で叱る時に大声を出す必要な場面も存在するはずだ。声の大きさは教育の状況によって、大いに異なってくる。当然の話といってよい。

だが、多くの校長が事なかれ主義に陥っている。逆に言えば、事なかれ主義者であるから、校長になれているのかもしれない。教師として、人間として、クズがあまりにも多い。自分が退職するまで、何も起きないでくれと一番に願っている。校長が退任の挨拶の際「皆様のおかげで大過なく定年まで勤めあげることができました。有難うございます」などと言う。そもそも「大過なく」ということを第一に重視しているのは大問題だ。「大過」を避けて教育などできるのか。人間であるならば、大過を恐れず闘うべきだろう。闘わない人生に何の意味があるのか。多くの教師が保身第一で教師人生を終えようとしている。ここが大いに論じられるべき点だ。このような教師が立派な教育など実践できるわけもない。

なぜなら、第一に大過なく過ごすことが彼の目的なのだから、子供たちの成長など無関係だということになる。だからこそ、改革や改善よりも保身や現状維持を念頭に置いている。人間が「大過なく」などと言うようになったら、お終いである。まして、教育者が「大過なく」などと言っていたら、善い教育をできるわけがないのは明白だ。教育者などやめてしまえ。人間らしい人生もおくれない。人間も止めてしまえ。お前は安逸を求めるだけのロボットなのかと詰問したい。

これまで述べてきたように、現在の学校教育では、管理か放任かの極端な二極化を招いている。どちらも教育としてふさわしくない。

責任者の校長の多くが保身を第一にしている。このような環境で、まともな教育が行われるのか、甚だ疑問だ。否、無理だろう。だから、日本の教育は根本から腐っている。

私は教育改革としてＹｏｕＴｕｂｅを取り入れるべきであると考える。ＹｏｕＴｕ

be教育によって、児童生徒が「①不登校」「②イジメ」「③問題のある教員」から逃れることが可能になるからだ。そして、自宅で学習に集中するために、YouTubeで学ぶことを選択することが可能とすべきだと主張したい。愚かな教員のための教育はいらない。必要なのは子供たちのための教育である。本質を見誤ってはいけない。

真に求められる協調性とは？

学校教育からの離脱、在宅登校でのYouTube学習を推奨してきた。恐らく、次のような反論があるはずだ。

「在宅登校では、社会性が育たない」

自宅での学習が中心になれば、学校で行われるような集団活動への参加の機会が減ることは間違いない。社会性が身につかないという主張も理解できる。だが、本来的に現在の教育で社会性を身につけさせているのか、甚だ疑問である。社会性を身につけるとの名目でいじめという名の犯罪が繰り返されていることの方が問題ではないのか。様々な考え方があってよい。その際、決定権は両親に委ねるべきだ。

既存の学校教育を優先するか「新しいＹｏｕＴｕｂｅ教育」を優先するかの判断は両親に委ねるべきである。

例えば、ある親が所謂「社会性」を身につけるために現在の学校に行かせたいと考えるのであれば、それでよい。また、ある親が問題のある教員の下で学ぶより、家でＹｏｕＴｕｂｅを見て学ぶ方がよいと考えるのであれば、そうした方がよい。どちらが正しいということはない。どちらの価値に重きを置くかという親の価値判断次第である。誰よりも子供のことを思うのは親である。決して教師ではない。だからこそ、親に選択の自由を認めるべきだ。

私は在宅でのＹｏｕＴｕｂｅ教育も立派な教育であると主張したい。なぜなら、学校の学習の進め方は、もはや時代に合わないからだ。現在の一斉授業では、児童生徒の学力の平均に合わせて授業を進める。学力の低い児童生徒は授業を理解できず、教員はその子たちをフォローすることを心がける。では、学力の高い児童生徒はどうなるか。程度の低い問題を即座に解き終え、暇を持て余す。授業があまりにもくだらないのだ。

要するに、賢い子供ほど学校がつまらなく感じているのが現状だろう。従来の学校教育では、それが当たり前だった。学力の高い児童生徒は、社会性の名の下に、学力の低い児童生徒に強制的に合わせざるを得なかった。

だが、現在は自宅でオンライン講義によって学ぶことが出来る。ＹｏｕＴｕｂｅ教育が充実すれば、学力の高い児童生徒が学習の進度を合わせる必要がなくなり、学習したい分だけ、自由に進めることができる。私は飛び級制度にも賛成で、学力の高い児童生徒は、飛び級すれば良いと考える。自分の能力を最大限生かすべきだ。飛び級制度は個々人の学力に応じて行うべきだろう。それが教育の目的である個性の開花へ繋がるはずだ。

ここで、疑問に思う方もいるかもしれない。自宅でのＹｏｕＴｕｂｅ教育が浸透すると塾の存在価値がなくなるのではないかという疑問である。確かに塾はなくなるかもしれない。しかし、教育の目的とは子供の成長だ。予備校や学習塾が存在することが目的ではないはずだ。子供たちに必要がないならば、予備校や学習塾などすべて潰れてしまえばいい。時代の進歩と共に、仕事が消え、新しい仕事が生まれることは必然だ。

例えば、交通手段の例を考えてみよう。現在では、移動にあたっては電車や自動車が当たり前のように使われ、売られているが、電車や自動車が無かった時代は、人々は何で移動していたのか。馬車や駕籠(かご)である。しかし、現在では馬車や駕籠がなくなり、電車や自動車に代わった。これに対して「馬車や駕籠がなくなって、その仕事をしていた人たちが可哀想だ。電車や自動車を使うのをやめろ」などと言う人は、おそらくほとんど存在しないだろう。逆に、電車や自動車をよりよい自動車や電車にしようと考えるのが常識である。やがてＡＩ運転により自動運転も可能になるという。運転手が失業する時代がやってくるかもしれないのだ。だが、職業は時代とともに消え去る可能性を有している。これが現実だ。

この関係を塾とＹｏｕＴｕｂｅに置き換えてみよう。塾で学ぶことは間違いではない。善い塾の講師もいるだろう。だが、塾を守るためにオンライン講義を否定するのはおかしい。本当に必要とされる塾であれば、どれほどＹｏｕＴｕｂｅ講義が浸透しようとも必要とされるはずだ。必要とされないのであれば、潰れても仕方ない。結局、駕籠や馬車は消え去った。

学校では集団活動があり、社会性を身につけられるが、塾は勉強しか教えないという考え方がある。多くの教員が学校教育と塾の教育を比較した際に持ち出す意見だ。愚かである。確かに、塾では勉強による知育に特化している。集団活動は基本的に行わない。だが、そもそも学校教育での集団活動は有益なのか。真剣に考えてみるべきだ。真の意味で協調性が身に付く集団活動が行われているとは到底思えない。

例えば、慣例的に行われている合唱コンクールや運動会が社会性を身につけるための集団活動に当たるとされている。皆で同じ歌を歌い、学級が一つにまとまったかのように装う。それが任意ならよい。だが、教師によって一つの歌を強制され、果たして協調性を身につけることは可能なのだろうか。一つの歌を歌えば協調性が身につくなどという論理的根拠は何もない。歌いたくない歌を歌わされている児童生徒の不条理についても考えを及ぼすべきだ。協調性という名の下で、同調圧力に屈する習慣を身につけさせているだけだろう。心から納得して協力するならば、協調性と言えるであろうが、この場合はそうではない。協調性と同調圧力は区別すべきだ。学校教育では同調圧力に屈する習慣を身に付けさせ、それを協調性と呼んでいる。全く愚かなことである。勿論、国際的な常識を教えておくことは大切だ。卒業式などでの国歌斉唱が否定されることもあるが、これは国際的な常識を身につけさせているだけだ。国歌斉唱など国際社会における最低限度の社会常識であり、協調性の発揮云々の話ではない。赤信号では止まれという程度の規則である。なお、卒業式の国旗掲揚、国歌斉唱に関して内心の自由がどうのこうのといいたがる朝日・毎日新聞主催の春夏の甲子園大会でも国旗掲揚・国歌斉唱は、球児たちに「強要」されている。

「A＝あえて」「K＝空気」「Y＝読まない」の推奨

教育は平等であるべきだ。だからこそ、本来、どのような家庭でも平等に教育の機会があった。つまり、もともとが「スタートライン（機会）の平等」であったはずが「ゴールライン（結果）の平等」となってしまったのが戦後教育である。まるで、資本主義から共産主義へと転化しているかのようである。私は全体主義的教育ではなく、自由主義的教育を推奨している。学校教育ではなく、在宅でのＹｏｕＴｕｂｅ教育を推奨することが自由主義的であると強く考える。学校など行きたくなければ行かなければよい。社会性を身につけると言うが、そのためにいじめや暴力にあうならば、学校に行かない方が正しい。社会性を身につけさせるための義務教育などくだらない。そうしたところで身についた社会性など何の意味もない。奴隷になるような教育など拒否する姿勢が真っ当だろう。生命の危機を抱えて養う社会性、協調性など不要だ。

一時期、学校の運動会では全員が手を繋いで一緒にゴールするという馬鹿らしい結果の平等の実践が行われた。本当に馬鹿げている。このような横並びの教育は気持ち悪い。

他にも馬鹿馬鹿しい事例がある。ある学級では、全員が皆勤賞を目指すという目的を掲げている。一見、協調性を高めるために行っているようだが、実際はイジメを生み出す土壌となっている。ある女の子が四十度の高熱になったとしよう。もし女の子が欠席したら、全員の皆勤賞は不可能になる。だが、常識的に考えて高熱が出た以上、欠席するのが正しい。全員で皆勤賞を目指すということであれば、この女の子が「A級戦犯」扱いされることになる。女の子はそうした同調圧力に恐怖を感じ、無理に出席しようとするだろう。欠席すれば周りの学友から「お前のせいで全員の皆勤賞が無くなった」と言われるかもしれない。口に出さなくとも、心の中の思いが伝わるだろう。学級が変わるまでそうした戦犯扱いが継続するのだ。学級は基本的に一年間同じだ。鬱屈とした児童生徒から、全員の皆勤賞を台無しにした女の子を攻撃し始めるかもしれない。

これはそもそも全員で皆勤賞を取ろうという目的を設定した教師がおかしいのだ。人間は風邪にもかかれば、インフルエンザにもコロナにも感染する。それは罪では全くない。皆勤賞を取ろうという生徒児童は別に間違っていない。だが、それを全体に強要するのは間違いだ。まるで風邪にかかったりインフルエンザに感染することが、犯罪であるかのように扱うのは常軌を逸しているとしか思えない。この集団の様子はまるでファシズムである。全員での皆勤賞を目指せとの命令に服従し、病気になった他者への思いやりを欠く。極めて全体主義的である。現在の学校教育は、全体主義体制へ転じやすい。個性の尊重という美名に惑わされず本質を根本から眺めたら、歪な協調性の押し付けがある。それが全体主義へとつながる。

私は自由を重んじる。小学校、中学校では、いつも私自身、不自由を感じていた。変な教員、愚かな教員ばかりと思いながら、ぶつかることが多かった。自分が正しいと考える意見を言うのだが、それに対する教員の反論が全く支離滅裂で非合理的であった。論理の欠片(かけら)もなかった。それでいて、愚かな自分の意見を一方的に押し付けてきた。そんな私が通知表を貰えば、協調性の欄がどうなるかは火を見るよりも明らかである。「×」または「△」である。学力はそれなりに高かったのでその成績は否定されなかった。だが、協調性が無いという烙印を押された。

しかし、自分を貫いたからこそ、今の自分がある。「協調性なくて万歳！」との思いを新たにする。協調性などゴミ箱に捨ててしまえ。私は小中学校時代に自由を貫いてよかったと思っている。歪な協調性の評価が「×」であったことに、むしろ誇りを抱く。

日本では一時期「ＫＹ」という言葉が流行った。これは「Ｋ＝空気」「Ｙ＝読めない」という意味である。日本社会では空気を読むことが重んじられている。他人を揶揄(やゆ)するために、わざわざ「ＫＹ」というレッテルを貼るようになった。まさしく私がこれまで指摘してきた協調性という名の同調圧力の弊害であろう。「ＫＹ」と言うことで、同調圧力をかけ、強引に多数に従わせようとするのだ。論理的正当性は無い。

私は「ＡＫＹ」を推奨する。これは「Ａ＝あえて」「Ｋ＝空気」「Ｙ＝読まない」である。その場の空気や同調圧力に屈せず、自分が言うべきであると考える意見を述べる。これこそ、自由であり個性の尊重ではなかろうか。

私が聞いた実話で、同調圧力に屈する習慣を身につけた大学教員の話がある。

ある大学の教員が、沖縄の集団自決を巡る問題で教科書に集団自決を書き込めという運動の賛同人として名を連ねていた。友人が疑問に感じた。なぜなら、趣旨に賛同し署名した教員の専門は語学だからだ。沖縄の問題はまったく専門外であるはずだ。友人は質問した。

「沖縄問題は専門ですか」

「専門ではないですよ」

「では、沖縄問題をよく知っているのですか」

「いいえ、知りません。はっきり言えば、興味も無いです」

「では、なぜ沖縄問題でこのアピールの賛同人になっているのですか」

「みんなが書いているから、名前を書きました。書かないと、周りから浮くと思ったので。変な人（※ここでは右派を指す）だと思われるでしょ」


この教員は無自覚に同調圧力に屈していたのである。60年安保闘争や80年代初期の反核運動が盛んだった時も、安保反対や核兵器配備反対署名などを求められて安易に署名する人が多かった。もはや、聞こえのいい「ナントカへの反対声明」に署名するのは、朝起きたら歯磨きをする程度の習慣になっているから、同調圧力によって生きていることに疑問すら抱かない。愚かな人間だ。沖縄問題という大きな問題に対して、自分で真摯に考えもせず、他の大学教員が名を連ねているとの理由で自身が署名を行った。大学教員と言えどもこの程度である。自分の頭で全く考えていないのだ。「他も推して知るべし」であろう。

では、真の協調性とは何か。学校教育では、同調圧力による歪な協調性を身に付けさせられていると指摘した。その結果、思考停止して悪しき規則を疑うことができず、街角のアイヒマン養成所になっているとも論じた。

真の協調性とは何かの事例を示そう。手前味噌ながら、私の事例である。

私は政治哲学を学ぶ者として、大学で教員をしながら、メディアでも発信を行ってきた。ある時、「ＡＢＥＭＡプライム」という番組に出演した。お笑い芸人として活躍している村本大輔と出会った。出会う前まで、私は村本のことを知らなかった。彼が番組の司会役を務めていた。村本はＣＭ時間にも丁寧に質問してきた。ＰＫＯの問題だった。私もＰＫＯ問題については非常に熱心に研究していたため、丁寧に応えた。彼の謙虚さや勉強熱心さに心を打たれた。

確かに彼の発言の内容は左翼の側に寄っている。私がそうした意見に同調することは全く無い。立場は真逆である。だが、本気で日本をよりよくしていきたいという愛国心と真面目さを持ち合わせた誠実な人物である。私はその番組での共演以来、村本と親しくなった。ときどき、飲みに行くことがある。お互い誠実に自分の意見を伝え合って、理解する。楽しく談笑しながら、飲む。無論、彼の意見が右派に傾いたから、私と仲良く談笑したのではない。彼は相変わらず左派の考えを貫いており、私は右派の政治学者である。論点によっては全く意見が異なる。それにも関わらず、一緒に酒を楽しむのだ。ここに同調圧力は無い。お互いの人格と意見を尊重し、意見を虚心坦懐に語り合うのである。これが真の協調ではなかろうか。

「和して同ぜず」という言葉が『論語』にある。原文は次の通りだ。

「君子は和して同ぜず、小人は同じて和せず（立派な人物は、他人と仲よく付き合うが、安易に同調はしない。つまらない人物は、他人に安易に同調するが、けっして仲よくは付き合わない）」

この言葉に真の協調性とは何かが、言い尽くされているのではなかろうか。

結局、多くの学校教育で行われてしまっているのは、他人に安易に同調する小人を育てる教育だろう。君子は他人を尊重して調和するが、安易な同調はしないのだ。在宅でのＹｏｕＴｕｂｅ教育は、同調圧力がなく、安易な同調をする必要もない。逆に自由に学習に集中し、個性を伸ばすことができる。その上で、自分の個性を生かして調和し合える仲間と交流すればよいのである。

「在宅でのＹｏｕＴｕｂｅ教育では、交流する場がない。だから、協調性が身につかない」と言った反論が出てくるだろう。この問いには、断固として応えよう。

教育者が在宅でのＹｏｕＴｕｂｅ教育をしている児童生徒のための場を用意すればよい。例えば、レクリエーション大会、ディスカッション大会を開けば良い。もちろん、自由参加でいい。その中で、お互いを尊重し合える真の友人と出会うことができ『真の協調性』を育むことができるはずだ。

金子みすゞがその詩の中で「みんなちがって、みんないい」と述べているように、真の協調生の根本には他者の異質性への理解とそれに対する尊重があるべきだ。

ＹｏｕＴｕｂｅは全体主義的教育から子供たちを救う

最後に考えたいのは、教育に対して親と教員のどちらの考えを優先して、決定すべきか、ということだ。私の回答は親の考えを優先すべきであるということだ。なぜなら、教員は一時的に限られた時間のみに責任をもつが、親は生涯子供に対して責任を負う。親は何十年と子供に対する責任を負い続けるが、教員の職務は一年、二年程度である。その重みは、明らかに違う。親が子供に最適な教育を考えることが優先されるべきだ。

ノーベル経済学賞を受賞したフリードマンが提唱した教育クーポン制をアメリカでは実施した。これは画期的な政策で、学校を自由に選べる制度だ。自分に合ったよりよい教育を受けることが可能になったのだ。学校を選ぶ自由度が高まった。とはいえ、それにはやはり地理的制限がある。あまりにも遠い学校に通うのは現実的に厳しい。

しかし、在宅でのＹｏｕＴｕｂｅ教育は、そうした限定的な自由をはるかに凌駕(りょうが)する。在宅で日本中のあらゆる最高の講師を選んで、学ぶことができる。地理的制限は無い。英語を学びたいと思えば、ＹｏｕＴｕｂｅで海外のネイティブの英語を聴くこともできる。この画期的自由は重要だ。全体主義的教育から子供たちを救う。協調性という名の下で人間を画一化し、奴隷のような存在に育て上げ、真の意味での個性を育てない。そんな教育は要らない。

私はＹｏｕＴｕｂｅ教育に期待している。そして、確信している。ＹｏｕＴｕｂｅ講義を実現すれば、不登校、イジメ、問題のある教員から逃れることができ、児童生徒にとって最善の教育となるはずだ。これは実現可能な提案であろう。決して不可能で異常な提案をしているわけではない。つまり、できる、できないの話で言えば、できる話なのだ。問題は、文科省、教育界がやるかやらないかの話である。文科省、教育界がやると大決断を下して、徹底したならば、実現する。私も微力ながら、改革を断行することを後押ししていきたい。

将来の日本を担うのは子供たちだ。不憫な死があってはならないのは当然だが、歪な教育によって己の個性を否定されることもあってはならない。技術革新によってオンライン講義、「在宅登校」が可能となった。

日本の将来を切り拓く子供たちを応援していくのもユーチューバーとなった政治学者の私の使命である。

おわりに——保守派の狼煙（のろし）をあげよう！

ユーチューバーになると思ったことはなかった。ＹｏｕＴｕｂｅなど、馬鹿者が暇をつぶしているぐらいにしか思っていなかった。私が勤務していた大学では、教員が「監禁」されていた。教授と称する老人たちはやることがないのでＹｏｕＴｕｂｅを見ているという驚くべき事実があった。暇な耄碌（もうろく）老人たちの娯楽だと私は思っていた。率直に言って気持ち悪かった。

小学生の頃から「本を書く人」になりたいと願っていた。渡部昇一先生のご著作をよく読んでいたからだ。本を書きたいと思っていたが、幸運なことに本は何冊か書けた。しかし、テレビに出る人になりたいと思ったことは一度もなかった。テレビはくだらないと思っていたからだ。最初にテレビに出たのはＮＨＫの番組だったが、出るか、出ないかを逡巡したことを思い出す。結局、自分の意見を聞きたいと思ってくれる国民がいるかぎり言論人としてテレビにも出ようと決めた。苦渋の決断だった。何故なら、テレビで発言する人間は無責任な人たちばかりではないかと思っていたからだ。また、テレビに出演したことによって、攻撃されることも怖かった。意外なように思われるかもしれないが、人前で話すことは好きではない。静かに本を読み、本を書く方が自分には似合っている。

テレビ嫌いの私は当然ながらＹｏｕＴｕｂｅも嫌いで、おかしなチンドン屋がはしゃいでいるくらいにしか思っていなかった。確かにくだらないチャンネルが多い。見るだけ時間の無駄と言われて仕方のないチャンネルも存在している。フェイクも多い。

だが、私が間違えていた。ＹｏｕＴｕｂｅには日本を大きく変革させる可能性がある。いつの時代にも時代に応じた媒体があるはずだ。江戸時代にＹｏｕＴｕｂｅを望むのは沙汰の限りだろう。しかし、現代、ＹｏｕＴｕｂｅを毛嫌いし活用しない言論人に、我が国を変革する力があるとは思えない。江戸時代では、駕籠で移動するのが一般的だった。現在、駕籠を使う人は誰もいない。時代には時代に応じた媒体がある。私の確信である。ツイッター、フェイスブック、インスタグラム、全て活用すべきだ。同じようにＹｏｕＴｕｂｅも利用しなければならない。今まで左派に牛耳られていたマスメディアの偏向報道を正すためには、あらゆる媒体を使用すべきだ。思想において保守的であっても、若い人たちが利用する媒体を毛嫌いしてはならない。それが私の信念だ。

朝日新聞をはじめとする偏向マスメディアの問題点を国民に周知させることが出来るのはＹｏｕＴｕｂｅだろう。安倍元総理の国葬、集団的自衛権を含む平和安全法制、そして憲法改正。具体的事例を挙げていけばキリがないが、朝日新聞、テレビ朝日の報道は常に偏っている。これを中立的な、客観的な意見であると思い込む人間がいればテレビ左翼「テレサヨ」になる。彼らは極端に偏向している。しかし、その偏向を偏向として気づいていない。クレイジーである。偏った思想傾向を個人の立場で徹底的に批判できるのがＹｏｕＴｕｂｅの利点だ。これを活用しない言論人はあり得ない。

ＹｏｕＴｕｂｅを始めて、志のある一般国民との交流ができるようになり非常に感謝している。「日本にまともなメディアが欲しい」「テレビの報道はあまりに偏向している」「そういう偏向はやめてほしい」。彼ら彼女らの期待に応えられたのが『岩田温チャンネル』だった。私はそうした支援者の声を聴き、確信を深めた。間違っていないと。敢えて言うならば、この道しかないと思った。支援者の皆様に心より御礼申し上げたい。本書が書けたのも皆様のおかげだ。あなたたちがいなかったら野垂れ死んでいたかもしれない。本当に感謝を申し上げたいと思います。

本書で詳述したようにＹｏｕＴｕｂｅには教育でも画期的な活用法があるはずだ。これまでの日本の教育は変えなければならない。具体的な方法が提示されないことがほとんどだった。私はＹｏｕＴｕｂｅによって日本の教育が大きく変わり、いじめや不登校の問題が解決できると主張した。過激な意見だと思われた方も多いかもしれない。だが、子供たちのいじめによる死や不登校による不幸な人生はなくさなければならない。左翼偏向イデオロギー教育により、子供たちを第一に考える教育論が欠けていた。教育は左翼の為にあるわけではない。常に児童生徒の為にあるべきだ。Ｙｏｕ

Ｔｕｂｅには可能性がある。一人でも多くの子を愚かなモンスターティーチャーから救いたい。

私は大学教員を辞めてユーチューバーになったからこそ分かるＹｏｕＴｕｂｅの現実がある。限りない将来を切り開く子供たちをＹｏｕＴｕｂｅで救う。日教組をはじめとする愚かな教員たちによって子供たちの人生が破壊されてはならない。国家が率先して救出すべきだ。時代遅れの全体主義的教育などやめてしまえ。子供たちを第一に考えた教育があるべきだ。おかしな教育を変えるのは我が使命であると信じている。本書をお読み頂いた皆様に改めて申し上げたい。日本の将来を担う若い人たちを見捨ててはならない。そうした思いでＹｏｕＴｕｂｅを始めた。ユーチューバーになったのは冒険であったが、決して間違っていないと確信している。

間違っているのは既存の政治学者たちである。政治学者の存在にも改革が必要である。象牙の塔の中で現実を一切知らない人たちが政治を語る馬鹿さ加減。変えていかなければならない。ユーチューバーになることには勇気がいる。自分自身の意見を白日のもとに晒しださなければならないからだ。だが、政治家にすべての責任を求めるならば、政治学者にも責任が必要であろう。覚悟なき者は去れ。私は保守派の政治学者として、ユーチューバーとなり狼煙(のろし)をあげたのだ。第四章で論難したが、デモで、安倍晋三総理に対し、「お前は人間じゃない。叩き斬ってやる」などと狂気じみた大言壮語をした政治学者山口二郎よ、悔しかったらユーチューバーになってみろ。既存メディアにドップリとつかり象牙の塔にこもり、時折デモで絶叫するような政治学者など過去の遺物である。時代には時代にあった媒体があり、時代には時代にあった政治学者が必要なのだ。

令和四年十月吉日

岩田 温

※本文中、敬称を一部略しました。

岩田 温（いわた あつし）
1983年生まれ。政治学者。ユーチューバー。早稲田大学政治経済学部政治学科在学中に、『日本人の歴史哲学』（展転社）を出版。同大学大学院政治学研究科修士課程修了。現在、一般社団法人「日本歴史探究会」代表理事。専攻は、政治哲学、政治思想。YouTube動画「岩田温チャンネル」はチャンネル登録者数10万人を突破。著書に、『偽善者の見破り方』（イースト・プレス）、『「リベラル」という病』（彩図社）、『エコファシズム』（扶桑社）など。

政治学者（せいじがくしゃ）、ユーチューバーになる

2022年11月3日　初版発行
2022年11月19日　第2刷

著　者　岩田 温

発行者　鈴木 隆一

発行所　ワック株式会社
東京都千代田区五番町4-5　五番町コスモビル　〒102-0076
電話　03-5226-7622
http://web-wac.co.jp/

印刷製本　大日本印刷株式会社

ISBN978-4-89831-875-1

WAC BUNKO

己（おのれ）も国も自信を持たなきゃ！

江本孟紀
舞の海秀平

WAC

己も国も自信を持たなきゃ！

◉目次

「甘やかす」一方で、老人（森元首相）には「ネットリンチ」／すぐにケガして休む力士や選手には唖然呆然／投げ過ぎが肩肘の故障を招くなんてエセ科学だ／球児の球数制限は高野連の単なるパフォーマンスか？／「ランニング」が一番！／体重を増やすだけで「芯」がない力士は強くなれない／「ちゃんこ」を嫌がりコンビニ飯を有難がる？／力士は野球選手よりまだハングリー精神がある？／いつまでも「現役」にこだわるな／「鉄拳制裁」がダメなら、せめて「叱咤罵倒」を／不甲斐ない選手に「金返せ！」と罵声を浴びせなくなった観客／勝った関取が付け人とグータッチするとは……

第三章

中国に物言えぬ日本は「独立国家」なのか？

サッカーくじ（ｔｏｔｏ）導入で日本の子どもは不良化した？／反日教組は小学生の時からの筋金入りだった！／国歌を歌えないスポーツ選手は誰のせい？／「中国批判」ができない政治家＆財界＆マスコミ／日本が乗っ取られるという危機感が欠如している／相撲も国家も〝専守防衛〟では勝てない

取材協力　佐野之彦
装幀／須川貴弘（WAC装幀室）

はじめに　野球と大相撲――コロナに負けてたまるか！

「中国武漢」発のコロナに負けてたまるか

江本　中国武漢発のコロナウイルスが世界に拡散しだした2020年1月以降、もう一年半近くが経過し、世界中の国民が苦しんでいます。2021年5月末時点で、1・7億人が感染し350万人もの人が亡くなっています。日本人も死者は13000人に及んでいます。経済状況も悪化し、相次ぐ緊急事態宣言もあって、ずいぶん閉塞状況に追い込まれて、さまざまな業界が苦しんでいます。スポーツの世界もまともにその影響を受けていますが、プロ野球や大相撲はそれでもへこたれずによくやっていると思うんですよ。

舞の海　ええ。相撲協会は公益財団法人ですので、国の方針に従うことが大前提だったのですが、それでも観客を制限してなんとか継続できています。現在（２０２１年５月）両国（東京）でしかやれないのは残念ですが……。ただ、力士たちは、自由に外出できない状態ですし、何度もＰＣＲ検査を受けなきゃならない。しかし、今日は陽性なのに明日は陰性になるような不確かな検査に振り回されてしまってますよね。そもそもＰＣＲ検査というのは、コロナのウイルスを見つけ出すものではないですからね。

　力士や若い親方たちはかなり参っていますね。そのうえ、昨年（２０２０年）5月に三段目の勝武士（高田川部屋）という力士が新型コロナに感染して亡くなったことで、よりいっそう神経質になったようです。

江本　まだ28歳だったんですよね。

舞の海　はい。さらに、協会の上層部の方々は年輩者たちですから基礎疾患を持っている人が多いので、厳格に対応するのも仕方ないかなと。その点、プロ野球は上手にというか柔軟に運営しているようですね。

江本　まあ、そうなんですが、昨年は「ペナントレースを中止したほうがいい」と主張する球団もあったんです。でも、２度の延期を経て、なんとか２０２０年6月19日に開幕できました。とても勇気ある決断だったと思います。経済界の重鎮である斉藤惇コミッショナーが政府関係者と巧みに交渉して、内々に開幕時期を決めていたんです。あそこで始めていなければ、おそらく中止になっていたでしょう。

幸い、今年は予定どおりに2021年3月に開幕して、昨年は中止になったセパ交流試合も5月から開催できた。セ・リーグもクライマックスシリーズを実施する予定です。プロ野球は日本のスポーツ界をリードしなきゃならない立場ですし、それが示せてよかったですよ。

舞の海　プロ野球はコロナ禍の前までは、どんどん観客動員数が伸びて盛り上がっていたので、ファンからの要望の声も大きかったのでしょうね。

江本　まさにブーム到来といった感じで、ここ数年は全球団が黒字経営。パ・リーグなんかひと昔前は人気がなくてね、赤字続きだったのがウソのようでした。

舞の海　コロナ禍前までは、スタンドも大盛り上がりで、相撲と違って応援もにぎやかでしたからね。

江本　それはそうなんですが、僕から言わせるとアレが気持ち悪くてね。野球を観に来ているのか、ドンチャン騒ぎしたいだけなのか、ワケのわからないのが大勢集まって踊っているのを見ると、「球場は居酒屋でもカラオケボックスでもないぞ」と言いたくなってた（笑）。球団としては、金を払ってくれたらそれでお客さんだから、どんな人がやって来ようがいいわけです。でも、こういう人気は長続きしないですよ。野球もロクに見ずに歌って踊ってる連中は、すぐに飽きて別の場所へ移っていくと思うんですよね。

舞の海　それが、コロナ禍によって一転、おとなしくなっちゃいました。

江本　そういう意味では、コロナがガツンと一発食らわしてくれたわけです。ついでに言うと、あの風船飛ばしが禁止になってホッとしてるんです。以前から僕はアレが大嫌いでね。何万人もの唾液が舞い上がって……飛沫の雨を降らすなよって。だから、今後コロナがおさまって入場観客数の制限がなくなったとしても、あの場違いな大騒ぎと風船はそのまま禁止にしてほしい（苦笑）。

舞の海　たしかに、清潔とは言えないですね。でも、お客さんのニーズにも応えていかないと、観に来てくれなくなりますよ。

江本　そこが難しいところなんです。球団はそろばん勘定を最優先させるので、お客が入らずに赤字が増えるといろいろと考える。なかには、「二軍は金にならないから必要ない」とか言いだす球団もあるんです。

舞の海　つまり、リストラ、首切りってことですか。

江本　そう。球団によって温度差はあるんですが、こういう事態が続くと本気でそう考える関係者が増えるかもしれない。大相撲はどうですか。

舞の海　協会の収入は本場所に加えて地方巡業などの入場料と放映権料です。このままコロナ禍で入場者が制限され続ければ本当に厳しい状況になるでしょう。地方巡業もままならない。それに、相撲観戦に付き物の飲食やお土産の販売などがなくなったり大幅に減ったりして、関連業者の人たちも大変です。

江本　野球と相撲、どちらも国民的人気のプロスポーツである以上、周辺ビジネスへの影響も考えなきゃいけない。テレビやネット観戦だけではどうしても成り立たない部分がありますからね。

恐怖を煽る無責任な発言

舞の海　それにしても、コロナに対する日本人の恐怖心は相当なものですね。もちろん、気を付けなければならないのはわかりますが、ちょっと過剰ではないですか。

労働省）。

江本　まったくですね。日本では、コロナで亡くなった方々が今年5月末の時点で1万3000人程度。そのうち、70歳以上の割合が80％以上（2021年5月18日時点／厚生労働省）。

僕も70代のひとりですし、4年前には大病も患っているので「気を付けて下さい」とよく言われるんですが、いっぽうで毎年、ガンで亡くなる人々が35万人以上（37万6392人／2019年）もいて、心疾患や脳血管疾患による死亡者もそれぞれ20万、10万を超えています（同年）。これはコロナとは関係ない。コロナによる死亡者数は、「関連死」や「その疑いあり」も含んでいるというので、実態としての「コロナ死」は、全体の死亡者数からしたらほんのわずかです。もちろん、重症になったら苦しいでしょうし、お気の毒に思いますが、それはどんな病気でも同じでしょう。

舞の海　日経記事（2021年3月29日）によると、2020年1年間の日本の死者数は平年を下回っています。欧米ではコロナによって死者数が平年を上回る「超過死亡」になったところが多いのに異例ですよね。記事によると、2019年にくらべても9373人減っており、毎年2万人程度死者が増えていたことも考えると、実質3万人ちかく死者が減ったことになるそうです。通常の肺炎やインフルエンザによる死者が大幅に減ったとのことです。マスク着用やうがいの効果もあったのでしょう。

江本　不幸中の幸いですね。アメリカではコロナによる死者は60万人弱。日本より人口の少ない英国で13万人弱、フランスで11万人弱。

舞の海　ええ。それと、スポーツ観戦の場から「感染者」が発生したという話はほとんど聞きませんし、ましてやクラスターになったケースはないはずです。こういう実績をもとに、もっと入場規制を緩和するよう、業界全体が働きかけるべきではないでしょうか。

江本　去年10、11月には横浜スタジアムと東京ドームで観客上限緩和の実証実験が行われて、ほぼ満員の観客を入れて試合を行ったのですが、クラスターの発生は確認されなかったんです。オーナー会議の南場智子議長（DeNA）ははっきりと「乗り越えられない課題は発見されていない」と明言しています。事実、昨シーズン中に観客のなかから新型ウイルス感染が確認された事例はたった2件だったといいますから、予防に気を付けさえすれば入場制限は撤廃していいんじゃないかな。政府とか自治体とかは、グランドの調査をしたのかね？

舞の海　その実績もふまえて、今年は開幕からある程度観客を入れて興行を行っていましたよね。

江本　はい。1万5000人くらいは入れていましたね。でも東京をはじめ主要な都道府県で全国的な緊急事態宣言が2021年4月以降に矢継ぎ早に発令されたのでまた5000人や無観客試合を余儀なくされてしまった。暑くなるとウイルスの活動も弱くなると言われていますが、夏のシーズン中にはフルで動員してもらいたいです。

舞の海　国技館や地方場所でも早く「満員御礼」の幕が見たいです。

江本　医学的な話をする資格は僕にはないけれど、コロナに関して言うと、明らかに日本人は中途半端な情報に操作されているとしか思えません。そもそも精度の低いＰＣＲ検査で陽性になった人たちを無症状であっても、みんな隔離、入院させるなんてナンセンスですよ。

舞の海　実際にコロナウイルスが原因で亡くなられたり苦しんだりした方々もいて、お気の毒とは思いますが、同時にその影響で営業時間が制限されたりしたために生活苦に陥ったり、リストラされて自殺された方々もいます。そういう状況はなぜ数値として出てこないのか。コロナの実態と影響について、マスコミで伝えられていることだけが真実なんでしょうか。ワイドショーでコメンテーターが恐怖を煽る無責任な発言をするたびに、倒産する会社や命を絶つ人たちが増えていることを彼らはわかっているのかと感じます。

なかには、「そこまで恐れる必要はない」「季節性のインフルエンザと同じ対策レベルにすべきだ」という意見を発信している専門家の先生も大勢いるのに、メディアは真面目に取り上げようともしません。これこそ偏向報道じゃないですか。この実態についてはあとで詳しく議論したいと思います。

江本　悲観的な「ストーリー」のほうが日本人には受けるんですよ。「コロナは怖い」という不安を煽る論調で足並みを揃えて、国民を洗脳しているかのようです。スポーツ界はもっと多様な見解に耳を傾けて、独自のやり方を発信し模索していくべきなんだけれど、どうも同調圧力というやつにやられている。

舞の海　相撲協会の親方たちは東大の先生方にレクチャーを受けて、それをもとに感染症対策を行っていますが、「もっといろんな意見を聞いて判断して下さい」と、私はずっと言い続けているんです。政府や東京都などに協力するべきところは協力して、というか自分達でも能動的に上限を上げていき、興行を元通りにするための工夫をしてもらいたい。そのために、ちゃんと情報収集して自分たちの頭で考えていくべきなんです。その点、江本さんが言われたように、実証実験を行ったプロ野球やJリーグはうまくやっていると思います。

江本　去年、一時、観客上限が5000人になったとき、神宮球場では見た目それ以上の観客がいた。ほとんど満員に見えた。「ああ、これはしっかり売ったな」と、みんなで話していました。

舞の海　国民も納得できるような方法で、マスコミをうまく使って「球場は安心ですよ」とアピールしていますよね。相撲界にも、そういうしたたかさが欲しいんですよ。

「たかがスポーツ」じゃないんだ！

江本　マスコミは日本人の国民性をよく知っているから、空気を読んで巧みにネタを切り出すんです。特にテレビのワイドショー。政治家や官僚のスキャンダルは実にしつこく取り上げる。菅（義偉）首相の長男が総務省の役人を接待した話なんか典型的で、野党の議員が国会で役人を追及したり、首相を問い詰めたりするのを面白おかしく報道していましたね。しかも、「何を食べたか」みたいな、どうでもいい話も含めて……。日本人は政府や権力者がいじめられるのを見て楽しむ傾向があるんだけれど、そのくせ、本音のところでは保守的で、大多数が立憲民主党などの野党には天下を取らせたくないと感じているようです。

あっ、これ、法政大学出身で菅首相とは母校が同じだというつながりがある、元参議院議員としてのコメントです（笑）。

舞の海　なるほど。その都度に出てくる新奇な情報には飛びつくけど、すぐに忘れていくわけですね。

江本　飽きるんでしょうね。テレビ番組にとって、政治も経済もオリンピックも、全部「情報という消費財」ですから、本質的な議論などする時間もないし、しても意味がないと考えているんです。

舞の海　しかし、スポーツ界はそういうメディアとうまく組んでいかないといけませんよね。

江本　ひとつは、スポーツ選手がもっと積極的に発言するべきだと思うんです。これはコロナに限ったことではなく、自分たちの仕事に重大な影響のある社会的な問題が起きても、一斉に口をつぐんでしまう。全部が受け身なんです。だから社会的に低く見られてしまうんですよ。言いたいことがあればどんどん言って、世論をリードするぐらいの存在にならないと。巨額の税金を払っているのだから。
今回の東京五輪のスッタモンダを見ていても、日本のアスリートからは何のメッセージも聞こえてこないじゃないですか。賛否はあるかもしれないけど、テニスの大坂なおみ選手のように黒人差別の反対を訴える「マスク」をしたりするようなパフォーマンスをする日本人アスリートがいてもいいいと思う。

舞の海　空気を読むというか、世の中全体の流れに沿って生きて行こうということでしょうか。余計なことを口にすると、立場が悪くなる。日本では、出る杭は打たれるからですね。

江本　「たかがスポーツ」という烙印を押されていると思い込んでいるからじゃないでしょうか。でも、実際はそうじゃないと思いますよ。自分たちがやっていることは人々にとって必要なんだという自覚があれば、スポーツ選手は自信をもってメッセージを発信できると思います。
ということで、これから、元スポーツ選手の我々2人が、言いたい放題で日本の大問題について論じ合っていきたいと思います。

第一章

「ハングリー精神なき日本」に明日はあるのか?

池江選手のように「努力は必ず報われる」と悟った我が中学時代

江本　舞の海さんは、きっと小さい頃から運動神経が発達していたんでしょうね。

舞の海　相撲が強かったのは確かです。でも、小学生時代から背は低いほうで、並ぶと前から3、4番目でした。それでも、「そのうち大きくなるだろう」とタカをくくっていて、身長が入門規定の173㎝にまで伸びたら、大相撲の世界に飛び込みたいと考えるようになったんです。

江本　小さい頃から力士になる夢はあったんですね。

舞の海　そうですけど、実は野球も大好きだったので、中学校でどちらをやるか迷ったこともあるんです。私は左投げ左打ちなので、王貞治さんにすごく憧れていて、ファーストミットを買ってもらい、そこに王さんのサインを真似して書いていました。で、相撲とどちらを取るかとなったとき、相撲を教えてくれていた先生に、「野球は9人揃わないと全国大会へ行けないけど、相撲は強くなったらひとりでどこまでも上に行けるぞ」と言われて。それが殺し文句だったですね。

江本　それからメキメキと強くなって……。

舞の海　いや、中学に入る頃になると、どんどん実力的に置いて行かれるようになって、背もぜんぜん伸びないし、「こりゃダメだ」といったんは相撲をあきらめかけたんです。ところが、中学の顧問の先生がすごく熱心に引き留めてくれて、それで続けることにしたんです。

江本　そのとき諦めていたら、「技のデパート」を見ることはできなかったんだ。

舞の海　まあ、そういうことですね。ただ、高校へ進学する際は相撲の実力では無理だったので、隣町の（青森県立）木造高校に実力で入学したんです。たった半年だけでしたが、中三の後半の、あのときだけは真剣に勉強しました。必死に頑張ったおかげで、成績順位もどんどん上がり「努力は報われる」ということを初めて知ったし、競争に勝つ喜びも体験できました。「人と競い合うって楽しいものだな」と、感じたんです。個人的には、たかが高校受験の話ですが、けっこう大きな出来事で、後々の自分を支えてくれたとも思っています。

これって、競泳の池江璃花子選手が、日本選手権の女子100メートルバタフライで優勝し、東京五輪の切符を手にした時に涙と共に語った言葉、「すごくつらくてしんどくても、努力は必ず報われるんだなと思った」に匹敵するものだというと叱られるかもしれませんが……。

「早稲田」「法政」が無理で「日大相撲部」へ

江本　いや、まったく同じですよ。彼女はすごいね。白血病と闘って、東京五輪への切符を手にしたんだから。1年延期になったことが彼女にとっては不幸中の幸いだった。もっとも延期になった五輪が無事開催されるかどうか……。

それはさておき、高校進学で、また相撲部の門を叩くことになったわけですね。

舞の海　そうです。木造高校の相撲部は、当初私が目指していた地元の鰺ヶ沢（あじがさわ）高校に比べて稽古がキツくなく、土日も休みと聞いていました。中学3年のときに見学に行ったときも、ぬるーい稽古を見せられて「だいたい、ウチはこんなもんだ」とか説明されたので、「これは楽でいいや」と思って入部したんです。

でも、完全に騙されました。入部すると毎日のように猛稽古で、3年生でも先生に竹刀でめった打ちにされるんです。1日に1本ずつバラバラになっていくんですよ、稽古（けいこ）

が。本当に恐ろしかったです。

江本　その猛訓練で力をつけて日大へ進学したんですね。

舞の海　そうです。相撲部の先生が、当時の日本大学相撲部の監督（田中英壽・現日大理事長）の木造高校の先輩だったので、その2人によって私の進学先が決められてしまったんです。

江本　ということは、舞の海さんは、希望していなかったの?

舞の海　ええ。本当は東京六大学に憧れていまして。いわゆるブランド志向というか、早稲田大学に行きたかったんですよ。二部（夜間）でもいいから早稲田大学へ行けば練習も厳しくなさそうだし、4年間、大学生活を謳歌できそうだなと。

江本　プロになろうとは全然考えていなかったんですね。

舞の海　そうですね。ただ、早稲田には推薦枠がひとつあったのですが、全国大会優勝の実績がなければいけなかったので、諦めるしかなかったんです。というか、その前に日大に決められていました。

江本　法政にくればよかったのに。相撲部は賑やかで楽しそうでしたよ、僕らの時代は。

舞の海　ええ。相撲部の先生が法政大学出身だったので、「もしや」とか、失礼ながら早稲田が無理なら「せめて法政でも」という期待があったんですが、監督同士の人間関係によって有無を言わさず、という感じでした。

「ベンチが厳しすぎるから辞めてやる」と言い出す若者？

江本　でも相撲の世界では伝統ある強豪の日大に入学できたということは、高校時代にも相当な実績を残したということですよね。

舞の海　団体戦で全国の準決勝に進めば推薦してもらえることになっていて、高校生活最後の3年の秋に一度だけ、2位になったんです。そのおかげです。私の実家は婦人服の販売をして生計を立てていて、経済的に余裕があるわけではなかったのに、教育には非常に熱心で、兄と姉も東京の大学に進学させていました。だから、先生も気を遣って下さって、奨学金を得られるよう取り計らってくれました。当時は両親も先生の決めたことには従うのが常識でしたから。

江本　普通、そうですよね。いまは違うんですか。

舞の海　はい。大学からスカウトに来るような実力のある高校生の場合、親の要求が凄(すご)

くて、待遇面にあれこれ注文を出すんです。寮の環境から小遣いの有無に至るまで、上から目線でチェックするらしいです。

江本　それって、どうなんですか。

舞の海　間違っています。いくら実力があっても、それでは子どもが天狗になってしまいますよ。絶対に将来のためになりません。

江本　ですよね。他の運動部も同じなのかな。もし僕が大学野球部の指導者だったら、そんなヤツ、願い下げですね。もしくは入部早々、鼻っ柱を折ってやりますけど。

舞の海　そういう過激なことをすると、いまではたちまち事件になりますよ。「ベンチが厳しすぎるから辞めてやる」なんて言い出すかも（笑）。

江本　ハハハ。しかし、甘やかしているとロクな人間になりませんから。まあ、この話はまた後にしましょう。じゃあ、舞の海さんは天狗にならない程度の実力で、下から這い上がっていったわけだ。

舞の海　そういうことになりますかね。入学した頃は日大でレギュラーになれるとは思っていませんでしたが、4年生のときにようやく「昇格」しまして、授業料も全額免除になりました。

長嶋茂雄さんに憧れて立教を目指したけど……

舞の海　江本さんは野球界のエリートコースを歩んでこられたと思っていたのですが、実はそうではなかったということを最近知りました。

江本　そうですよ。何の苦労も知らず順風満帆にスターになった選手がいるいっぽうで、僕みたいに、「裏口」同然（ドラフト外で東映フライヤーズ入団）で、プロ入りしてくる者もいる。面白い時代でした。

舞の海　高校3年（高知商）のときには、部員の不祥事かなにかで1年間の対外試合中止となり、出場が決まっていた春の甲子園にも出場できず……。

江本　あのときはかなりヤサグレましたね。目標を奪い取られて、抜け殻みたいになりましたから。それでも、ドラフト4位で西鉄ライオンズから指名されたんです。

舞の海　どうしてプロ入りしなかったんですか。

江本　どうしても東京六大学へという気持ちがあったので、断ったんです。

舞の海　六大学志向だったんですか。私と同じですね。

江本　子どもの頃から長嶋茂雄さんに憧れていたからです。高知の田舎暮らしだったので、野球専門誌は貴重な情報源。そこに載っていた六大学野球特集を読んで、もうどうしようもなく「ここで野球をやりたい」と思うようになったんです。

舞の海　プロよりも大学野球ですか。

江本　そう。自分で言うのもナンですが、もし、あのとき西鉄へ入っていたら、「黒い霧事件」（１９６９年に発覚した、西鉄ライオンズ・現埼玉西武ライオンズ選手による八百長事件）に巻き込まれていたかも知れません、きっと（笑）。

舞の海　……なんて反応したらいいかわかりませんが、結果的には六大学へ進んだのだからよかったですよ。

江本　しかし、憧れていた長嶋（茂雄）さんの軌跡を追って、立教大学へ進学できると思っていたのに、寸前で落とされたんです。部長や監督から「合格」を確約されていたのに……もうショックで、人間不信に陥りましたよ。それで、絶望して高知市内をブラブラしていたら、法政に進学した先輩とバッタリ会って、「お前、ウチに来いよ。セレクションはこれからだぞ」と言われたんです。捨てる神あれば、拾う神ありです。それで高校三年時の年の暮れ近くの12月20日に法政大学のセレクションを受けて、１００人くらいいたけど、そのなかで一発合格。ありがたくお世話になることにしました。学費も寮費も免除の特待生でしたから、警察官だった親父も喜んでくれました。

舞の海　エリートだったんですね。

江本　あの頃は、エリート中のエリートでしたよ。入学式前の春季リーグ戦からベンチ入りして、「ああ、俺はやっぱりすごいんだな」とノーテンキに自画自賛、前途洋々でしたね（笑）。

舞の海　いいですね。じゃあ、大学時代はけっこう楽しかったんじゃないですか。

江本　練習はメチャクチャキツいし、先輩からのシゴキなどもけっこうあったけれど、思い返せばいい時代でしたね。

舞の海　私も、稽古（練習）はキツかったけれど、それ以外の時間はバカなことばっかりやっていました。

江本　そうそう、特に合宿所生活ではね。僕ら、武蔵小杉（神奈川県）の寮は色気もなにもなく金もなく唯一の息抜きといえば……。夏の夜になると、グラウンドにカップルが来てイチャついたりするもんだから、覗きに行って嫌がらせしたり、冷やかしたり……。気が付かれないようにそーっと近づくと、すでに先客がいるんです。相撲部の連中がでかいカラダを縮めて覗いているんだ。いやいや、みんな、やることは一緒だなと。

舞の海　自分も、タオル一丁で風呂の順番を待つ間、よく女子高生が通りがかるので……あ、これ以上は言えません（笑）。

江本　まあ、時効とはいえ口にできないことはいろいろありますよ。でも、学生時代は面白かったですね。いい思い出です。

「裏口」から東映入団に成功？

舞の海　大学での野球は順調だったとおっしゃいましたが、それは最後まで続かなかったと伺っています。

江本　プロ入りを目指す学生にとって、いちばん重要なのがドラフト直前にある4年の秋季リーグなんですよ。その大事なシーズンの直前に監督とひと悶着ありまして、僕はユニフォームを着ることすら許されなかった。おかげでドラフトからもお呼びがかからなかったんです。

舞の海　だから、熊谷組で社会人野球も経験されている。

江本　入社後は、工事現場の器材の数を調査したり、給料計算をしたり入札に都庁に行ったりでした。寮が飯田橋にあったので、仕事と練習が終わるとよく後楽園球場の外野席へプロ野球を観に行きました。当時、7回以降は入場無料だったんですよ。そこで巨人・阪神戦を観ていると、目の前で長嶋茂雄さんや王貞治さんが打席に立って、大学で1年先輩の田淵幸一さんがマスクをかぶっている。「チクショー、俺も絶対にここで投げてやる」と誓いました。自分もプロでやれると確信していたから。

舞の海　私にも似た経験があるんです。学生時代はちょうど昭和と平成に時代がまたがっていたのですが、そんな頃（日大経済学部在籍中）、ときおり授業をサボって水道橋のキャンパスから総武線で両国まで行き、国技館の2階席で大相撲を観戦したんです。横綱・千代の富士さんが強くて、いつも満員のお客さんがいて、華やかな雰囲気でした。「ああ、自分もここで相撲が取りたいな」と、漠然とした目標のようなものが心に宿りましたね。後楽園球場のお話を聞いて、思い出しました。

江本　しかし、現実は厳しくてね。プロ野球に入るにはドラフトにかからないと思っていた矢先、都市対抗野球の予選を目前にして、今度は急性盲腸炎で入院してしまったんです。

舞の海　またもや、アピールのチャンスを失ったんですね。
江本　そう。おかげでドラフトではまたも大学時代と同じく音沙汰なしでした。
舞の海　それは、心が折れそうになりますね。
江本　まったくです。よく「江本はひねくれ者だ」と言われ続けてきましたが、なぜそうなったのか、よくわかったでしょう(苦笑)。
舞の海　そこまでツキに見放されても、よくプロになれましたね。
江本　「念ずれば花開く」ですよ。大学の先輩のスポーツ記者が、東映フライヤーズのスカウトから「ドラフト枠に欠員ができたけど、いい選手がいないか」と聞かれて、僕のことを推薦してくれた。それで、声をかけられて、すぐに飛びつきました。
　しかし、会社や知人からは「お前、騙されているぞ」と引き留められ、おふくろも大反対でしたが、親父だけが「悔いを残すな」と言ってくれて、その一言だけが頼りでした。
舞の海　ぎりぎりの滑り込みで……。
江本　そうです。その年のプロ入りの最後の一人で、だから「裏口」入団みたいなものなんです。時すでに2月16日で、2月1日からキャンプイン。とっくにキャンプは始まっていました。日本橋の球団事務所で、契約金400万円、年俸120万円でサインして、あと「ユニフォームを好きなのを選んで持っていけ」と。カゴの中に「42」と「49」が残っていたので、人が嫌がる「49」をわざわざ選んで、伊東のキャンプ地へ独り向かった。条件なんてどうでもよかった。それがプロ生活の第一歩です。

舞の海　入団記者会見とかは？　よくあるじゃないですか。監督と握手したり、ユニホームを着たり。

江本　あるわけないでしょ。ひっそりの入団で新聞にも片隅に2行しか出なかった！

舞の海　なるほど。自分の場合も、普通は大学から入門すると記者会見があるんですが、身長が足りなくて一度不合格になったりしたこともあってか、開いてくれなかったんです。今のお話を聞いて、また昔のことを思い出しました。

江本　当時、キャンプの宿舎なんて10畳くらいの大部屋にせんべい布団を敷いて、10人で寝泊りするような、とてもプロ野球チームとは思えない待遇でしたよ。

舞の海　新弟子みたいです。相撲も同じ。

江本　そう、僕も新弟子。そこで、プロというのは厳しい世界だってことを知りましたよ。キャンプ地に着いたら、先輩の張本（勲）さんに呼ばれてね、いきなり開口一番「お前、ここへ来たらもうケンカなんかしたらダメだぞ」と言われた。どうも自分の性格を見透かされているようでしたね。ハリさんは10畳の部屋にひとりでした。後で監督の部屋に呼ばれたら、6畳間だった。「張本さんのほうが広いんだ。さすがスーパースターは違う。プロ野球ってすごいところだな」と、しみじみ思いました。

小柄でも一味違ったのは「若松と舞の海」

舞の海　でも、かつてはドラフト外で入団されて一流にまで昇りつめた選手がたくさんいらっしゃいましたよね。

江本　僕が東映に入ったときの先輩だった大杉勝男(関西高校↓丸井↓東映・日拓・日本ハム↓ヤクルト)さんはノンプロを経てテスト入団でした。「月に向かって打て」という助言を受けて通算486本塁打をかっ飛ばし、セ・パ両リーグでそれぞれ1000安打を打った大打者です。後輩にも大野豊(出雲商↓広島/テスト入団)や西本聖(松山商↓巨人/ドラフト外↓中日↓オリックス/)らがいました。みんな「底辺」から這い上がっていったんですよ。

舞の海　そこまで江本さんの気持ちを支えていたものって何だったんですか。

江本　長嶋茂雄さんと同じ空気を吸う——その一念ですよ。それがなかったら、とっくに挫折していました。だからよく言うんです、「人間、いくらでも挫折はやってくる。でも諦めたらおしまいだ。志を持って、常に高いところに目標を置いて生きろ」って。

舞の海　ライバルの存在というのも大きいんじゃないでしょうか。

江本　ええ。同期で意識させられた選手といえば、若松勉（北海高→電電北海道→ヤクルト）です。若松とは社会人時代に対戦したことがあったんですよ。「なんかちっちゃいヤツが出てきたな」と思って、初対戦の時にナメて投げていたらポンポンポンと3安打されたんです。なにしろ、168センチしかないんだから、子どもに投げているみたいなもんでした。

舞の海　私とちょうど同じくらいです。

江本　そうそう、そんな感じ。ところが、手首が強くて入団してからホームランもよく打つ。その内「こいつはとんでもない打者だ」と感じました。ところが、ドラフト3位でプロに入った頃は、余り注目されていなかった。

舞の海　ところが、素晴らしい成績を残されましたね。

江本　そうです。球史に残る記録を次々に打ち立てた「小さな大打者」です。ヤクルトスワローズの監督として日本一にまでなりました。そういう姿をずっと見ていて思ったのは、「やっぱり根性が違う」ということです。「やってやる」、「見返してやる」という気迫です。練習量も半端なかったといいます。あの小さなカラダで、同い年でもあったし、阪神時代に対戦するごとに刺激を受けましたね。しかしよく打たれましたが、いい刺激でした。

舞の海　自分も相撲界では圧倒的に小さかったので、その分、強いカラダをつくって技を磨き、工夫を怠りませんでした。野球と相撲では状況は違うものの、江本さんが小柄な若松さんのことをそう見ていたとは、なんだか嬉しくなります。

頭にシリコンを埋め込んで身長検査をパス

江本　舞の海さんは学生時代、国技館で大相撲を観戦して、自分もこれならできると感じたんですね。

舞の海　そこまで大それたことは考えません。ただ、少し意識するようになったのは、2、3年の頃ですね。部のなかで実力が認められると、相撲部屋に出稽古へ行かせてもらえるようになるんですが、そこで私は、三段目の力士にはほとんど負けなかったんですよ。

江本　それはすごい。

舞の海　そうなんですが、幕下の上位に当たるとどうしても勝てなくなる。そうこうしていくうちに、自分がどのへんのレベルにいるのかがよくわかるようになります。つまり、幕下の中堅あたりです。「それなら、もっと稽古をして強くなれば、幕下を乗り越えて十両にはなれるんじゃないか」となるんですね。

江本　具体的にプロへの道筋が見えてきた、と。

舞の海　それが、そう簡単じゃないんです。自分では日々強くなっていく実感があるのですが、いかんせん体重が軽いのが問題でした。監督からは「90キロを超えたらレギュラーにしてやる」と言われていました。だから、奨学金を全部食費に使う勢いで食べ続けました。それで、4年になってようやく90キロを超えることができたんです。

江本　でも、身長は伸びなかったんですね。

舞の海　伸びませんね。いくら食べても伸びなかった。そのおかげで、新弟子検査のときに苦労することになるんです。

江本　シリコンを頭に埋め込んだという話ですね。背丈が身長制限に足りないからといって、よくもそんなことを思いつきましたね。

舞の海　結果的にはそうするしかないと、思い込んだからです。最初は卒業前の三月場所に兄弟子から鬢付け油の塊をもらって、髪の毛のなかに入れて臨んだんですが、検査当日の大阪がなぜかとても暑くて、溶けて流れてしまったんです。おかげで「不合格」ですよ。しかたないから東京へ戻って、かかりつけの病院に紹介された美容外科の先生に相談したら、「シリコンを入れる方法がある」と言われて、その手でいくことにしたんです。

江本　そこまでしてプロになりたいと思う根性がすごい。

舞の海　自分で言うのもなんですが、私は性格が変わっているというか、あのときは特にアタマがオカしかったんじゃないかと、いまでは思います。「挑戦したい」と思ったら、もうブレーキがかからないんですよ。見境なく進む。猪突猛進なんです。

江本　そのようですね。もし、真面目な性格だったら身長制限に引っかかった時点であきらめるんじゃないかな。思考回路が普通じゃなくてよかった(笑)。

舞の海　いや、本当は出羽海部屋の親方(元横綱佐田の山)に根回しをお願いしてもらっていたので、親方が気を利かせてくれていれば4センチぐらい身長が足りなくても「合格」のはずだったんです。ところが、親方は何もしてくれていなかったんです。

江本　それは、「こんな小さいカラダではプロでやっていけるわけないから、やめておけ」という意味だったのかもしれませんね。

舞の海　いや、後から聞いた話では、親方は「あのカラダでどうしても入門したいなら、一度不合格になっても挫(くじ)けずにまた戻ってくるはずだ」と考え、わざと口をきかなかったらしいんです。つまり、やる気を試されたということです。

江本　そうだったんですか。でも、シリコンまで埋め込んで挑戦してくるとは、親方も予想していなかったでしょうね。

舞の海　していなかったと思います。ですから、たとえ身長が足りなくても、おそらく二度目の検査では通してもらったと思いますが、自分としては一度失敗しているので、後には引けないという覚悟をもって臨んだわけです。絶対に４センチ足して、「１７３センチになってやる」と決心していました。

江本　痛かったんでしょ。

舞の海　それはもう、激痛が何日も続きました。頭皮を切ってシリコンの袋を入れ、２日に１回、生理食塩水を注入していくんですが、麻酔が切れるともう痛くて吐き気がすごくて、痛み止めも効かず、夜も眠れませんでした。それに髪の毛がごっそり抜けていくんです。シャワーすれば排水口が詰まるし、朝起きると枕にビッシリとついている。検査に合格してすぐに生理食塩水は抜きましたが、2度目の手術でシリコンを取り除いたのは、初土俵を踏んだ後です。

江本 つまりシリコンが入ったままデビューしたわけだ。

舞の海 そうです。幕下付出しで、6勝1敗でした。

江本 僕の場合もそうだったけれど、そこまでしてプロの土俵へ執着できたのは、自分が置かれた状況に対する「怒り」のような感情があったからですよね。いい意味での「ハングリー精神」も。きっと、それらが原動力になったんですよ。

舞の海 おっしゃるとおりです。本来なら「身長173センチ以下では入門できない」というルールがあるのだから、それに素直に従うのがまともな人間ですよね。でも、私はどうしてもそのルールに納得がいかなかったんです。「なぜ173センチなんだ。170なくても、工夫次第で勝てるはずだろう」と。その規定を作った相撲協会を心底恨みましたね。その怨念がシリコンを使っての入門につながり、その後の現役生活のエネルギーになったと思っています。

江本　僕もこれまで人に裏切られたり、規則に縛られたりしてたくさん逆境に立たされてきましたが、そのたびに「なにくそ」という気持ちを忘れずに生きていたからこそ、やってこれたんです。それにしても舞の海さん、あなたも実は相当「ひねくれ者」なんですね（笑）。

舞の海　自分でもそう思います。ちなみにその後、身長制限が167センチにまで下がりました。

江本　それは舞の海さんの一件があったからですか。

舞の海　というより、新弟子検査を受ける人数が、少子化もあって徐々に減ってきていることが大きいのだと思います。門戸を広げておかないと、なり手が増えないのですよ。

江本　なるほど、そういう時代なんですね。しかし、あなたの功績も大きかったはずですよ。大きな力士ばかりのなかで、小よく大を制すというか、相撲の新たな醍醐味を示してくれたのだから。

「横綱・江本」もあったかも？

舞の海　いま、ふと思ったのですが、江本さんは小さい頃から体格がよかっただろうから、きっと相撲界に入っても出世していたんじゃないでしょうか。

江本　実を言うと、僕の父親は大の相撲好きで、子どもの頃は相撲ばかり取らされていたんですよ。で、中学生のときに、カラダが大きかったので相撲部屋に誘われたことがあるんです。地元・高知で巡業があったときに、当時の伊勢ヶ濱親方（元横綱・照國）が中学校の校庭にやって来て、僕の足や尻をパンパン叩いて「こりゃいいぞ」とか言うんですよ。

舞の海　親方はよくわかっていたんですよ。昔もいまも、相撲界は江本さんのような体型をいちばん求めているんです。最初から太っている子はいらない。入門して、鍛えながらカラダを大きくしていけばいいんです。そう言えば、亡くなった400勝投手の金田正一さんも「ワシが相撲取りになっとったら、絶対に横綱になっていた」とおっしゃっていました。

江本　あの人の性格からして、そう言い放つでしょうね。僕も小学生の頃からスポーツは万能で、どんな競技でも一番でした。相撲取らせても柔道をやらせても、負けたことがなかったんです。で、誘われて、ちゃんこをごちそうになりました。

舞の海　本気で誘われていたんですね。

江本　アルミのお椀のゴハンを「ほら、たくさん食え」とか言われてね。周りを見たら力士たちはビールかなにかをぐいぐい飲んでいました。その雰囲気というか第一印象が「どうも自分には向かないな」と。相撲は大好きだったんですけどね。

舞の海　せっかく横綱になれたかもしれないのに。

江本　そうかな。相撲取りになっていたらもっと充実した人生になっていたのかな。

舞の海　ちゃんこを囲んだときに「これだ」と思っていたら、入門していましたね。

江本　かもしれない……いや、やっぱりアルミのお椀で飯を食べるのは嫌だった。それに、ちゃんこのときにゴザを敷いて、冬だったので炭をおこして食べたんですが、寒くてしかたがない。なんとなく「これは違う」と感じてしまったんですね。

舞の海　それは残念。

江本　その代りというとアレですが、野球選手になってからは、球場でも相撲をよく取っていました。ブルペンで暇なときは、そこでよくブルペンキャッチャーを投げ飛ばしたり、プロレス技を繰り出して、四の字固めをキメたりしてね。最初のうちはよかったんですが、そのうちモニターが設置されたおかげでベンチにバレて、電話がかかってくるんです。「誰だ、相撲取ってるのは！」って。

舞の海　怪我でもしたら大変じゃないですか。

江本　いや、軽いウォームアップですから大丈夫（笑）。プロになっても、このようにアホなことばっかりやっていましたネ。

舞の海　そんな野球選手、見たことないですよ（笑）。

師匠・野村監督への恩返し

江本　舞の海さんは、相撲の世界が自分に合っていたと思いますか。

舞の海　そう思います。出世するもしないも、自分次第というところがよかった。稽古の量もそうですし、出稽古も本人任せで自由にやらせてもらいました。部屋によってやり方は違うのでなんとも言えませんが、強い力士を求めてどんどん出かけていけました。逆に親方の目を盗んでサボる者もいますし、努力の方法はその力士の心がけによって決まります。

江本　相撲は、本当に個人の力だけですもんね。

舞の海　はい。風邪をひいたり、足が痛いと言ったりして簡単に休む者もいます。ですが、出世のチャンスは全員に平等に与えられています。前述したように、小学校時代の恩師も「野球は9人揃わないと全国大会に行けないけど、相撲は強くなったらひとりでどこへでも行けるぞ」とよく言ってました。ですから、江本さんみたいに「ベンチがアホやから相撲が取れない」というのは、ないんです。仮に親方が江本さんが言う「アホ」でも、自分の力で勝てば出世できるのが相撲の世界なんです。

江本　ハハハ。そういう意味では、僕も性格的には個人競技向きでしたね。集団プレーの野球の場合、ピッチャーといえども、グラウンド（マウンド）で好投していても、エラーで足をすくわれたり、いざとなったら「交代」を告げられるときもある。自分のせいで負けることもあるが、人のせいで負けることもあるスポーツですからね。

舞の海　それでも、ピッチャーはいいですよね。グラウンドの一番高いところから見下ろしながらプレーできるから。打者と1対1の勝負ができるし。

江本　自分が投げないと試合も始まらないからね。だから、ピッチャーでよかったと思います。野手なんか、打ちたくても犠牲バントをさせられたり、塁に出たらバッターを助けるために走らされたり。そういうのがあるから。

舞の海　その点では、ピッチャーは団体競技のなかで、ひとりで個人競技やっているようなもんですね。

江本　ただ、そういうことばっかりやっているから、南海ホークス時代には、野村（克也）監督にいつもボロクソに言われていましたよ。「ピッチャーというのは勝手なことばかりして、自分を中心に世の中が回っていると思っている連中ばかりだ。江本を見てみろ」って。その通りなんだけどね（苦笑）。

舞の海　でも、ベンチからの指示に従わないといけない場面もあるでしょう。「この打者は歩かせろ」とか。

江本　そういうときは、面倒くさいから1球で1塁へ行かせるときもありました。

舞の海　え？　どうやって？

江本　ぶつけりゃ済むでしょ。僕は昔から「申告敬遠」をやっていたんですよ（笑）。

あっ、ここでひとこと、野村さんのことを……。

というのも、実は南海時代に三冠王を取り、南海ホークスの監督をして活躍したノムさんは、女性問題があって監督を解任されて以降は、ロッテや西武の選手として45歳まで現役を続け、そのあとはヤクルト、阪神、楽天の監督を歴任し，野球評論家としても活躍しました。しかし、なんといってもノムさんといえば「南海ホークス」。でも、南海ホークスを振り返る展示施設「南海ホークスメモリアルギャラリー」（大阪球場跡地・なんばパークス9階）には野村さんの功績を讃えるものが何も展示されていなかった。

ご本人から展示を断られていたこともあり、また南海に対して、ある種の確執があってのことでしたが、去年の2月に亡くなる前から、そういう長年のわだかまりもなくなっていました。そこで、野村さんの名前をメモリアルとして改めて残そうということで呼びかけをしたんです。クラウドファンディングという形で、募金も集めて、パネルを一新し「野村克也」の名前を残し、ガラスケースを追加し、南海の選手・監督時代の野村さんを偲ぶ展示物を飾ったりしました。是非、大阪に来られたら一度見学にきてください。

第二章

日本のスポーツ界はもはや「仲良しクラブ」か？

「愛のムチ」は「暴力」じゃない

江本　いまやスポーツの現場、特に学校では「愛のムチ」が許されなくなっています。なかには、「わかっちゃいるけど、やめられない」という指導者もいます。知り合いの某高校野球部の監督が言うには、「最近、教えるのに苦労している」と。手をあげたくてもできないし、声も荒げず丁寧にやっていると、生徒たちもなかなか本気で上手くなろうしないというんです。

わざと「じゃあ、シバキ倒せばいいじゃないですか」と言うと、「最後はそれしかないんです」と真顔で返すんです。でも、正直にそれを実行すると、今や「指導者失格」「暴力肯定」「暴力監督」のレッテルを貼られて〝犯罪行為〟として捕まるので困っている監督、コーチが大勢いるらしい。

舞の海　ここでブッ叩けば、技術も身につくし精神的にもタフになるのが、指導していてわかるんでしょうね。「懲らしめられない人間は教育されない」というのは古今東西の人間の共通項。昔からのメカニズムだから仕方ない。

江本　難しい問題ですが、いまみんなが苦しんでいるところは、そこだと思います。誤解を恐れずに言うと、僕は指導の最終手段として愛ある「鉄拳制裁」は必要だと思っているんですよ。「最近は、『愛のムチ』のことを『暴力』と呼ぶらしいな」ってよく言うんです。それらは別物だということを訴える意味でね。

舞の海　自分も体罰を受けたから下の子たちも同じように扱うというような、言わば「暴力の連鎖」を肯定するつもりはありません。ただ、いま振り返ると、あの理不尽さを経験していてよかったなと。財産とさえ思えます。人生、その後も〃理不尽〃な目にたくさん遭遇したときに、免疫ができているほうが強いですから。大学時代に引っぱたかれておくと、プロになって親方にバーンとやられても「あ、やっぱりここにも鬼がいたか」と思えて、そんなにショックは受けません（笑）。

江本　あの経験が一種の連帯感を生むんですよね。中学、高校、大学の野球部で一緒に張り倒された仲間とは、しんどいときを共有した者同士の絆というのがあります。コロナじゃないけど、言うなれば「集団免疫」みたいなものですよ。「赤信号みんなで渡れば怖くない」じゃないけど「みんなでぶたれたら怖くない」みたいなもの（苦笑）。

ボコボコにされそうになったら歯向かえ

舞の海　ただ、私も稽古ではけっこうしごかれましたが、要領がよくて、実はあまり叩かれなかったんですよ。酷い目にあうのはいつも同じ部員ばかりで、スケープゴートにされていたみたいです。ちょっと可哀そうには思うんですが、そういう役回りの人間っていますよね。

江本　いるいる。だいたい、どんくさいヤツが狙われてブン殴られたりするんです。法政（大学）の野球部でもそうでしたよ。要領よく立ち回れない選手はうまくなれないし、出世しないんじゃないかな。僕なんか、実はほとんど殴られたことはありません。

舞の海　ですよね。

江本　やられるヤツは徹底的にやられるんです。しまいには気を失って、便所の裏のゴミ箱に捨てられたりする。本当に酷かったですよ。毎晩、先輩に正座させられてパンパン叩かれて、うめき声が聞こえたりするもんだから、近隣の住民からクレームが来るんですよ。「いいかげんにしろ」と。それが日常茶飯事でした。でも、ちゃんとそういうヤツのことはフォローしていくので、連帯感はしっかりしているんです。

舞の海　私の時代もそうでしたが、大学の体育会系は常に上級生との戦いみたいなところがありました。それが同期の結束につながる。

江本　だから、弱みを見せたらダメなんです。殴られるときは、「来たな」と感じたら歯向かうぐらいの気概というか姿勢を時には見せるんです。「いまは先輩だからやらせてやるけど、後々、どうなるかわからんぞ」という雰囲気をつくる。そうすると、向こうも手控えてもう手を出そうとしません。人間って弱いヤツにはとことん攻撃的になるので、逃げているうちは相手も殴りやすい。そういう関係を自分でつくっていかないといけない。これもコミュニケーション術のひとつだと思いますね。ボコボコにされて引っ込んでいるようじゃ、一流のスポーツ選手にはなれないですよ。

若者を「甘やかす」一方で、老人（森元首相）には「ネットリンチ」

舞の海　私がプロの世界で強くなれたのは、「ダラダラ稽古したり手を抜いたりしたら、またしごかれる」という恐怖心が根底にあったからです。その気持ちが、辛くても稽古に向かわせたんですよ。ところが、現在の相撲部屋の様子からは、そのような緊張感ある精神力を感じません。はっきり言って「ぬるま湯」なんです。でも、親方がもし手を出したりしたら犯罪です。ある事ない事で、週刊誌ネタやワイドショーの餌食になってしまう。しかし厳しさという概念がはっきりしない。

江本　プロ野球界もそういう風潮が近年蔓延しています。監督やコーチになると、会議で「選手には怒鳴らないように」「パワハラしないように」という忠告から始まります。だから、コーチは選手の尻をなでてばかりいる。公式戦や日本シリーズを観ていても、投手がベンチに帰ってくるたびにコーチがそばに寄ってきて優しく言葉をかけているでしょ。「あのボール、よかったよ」なんて言って、〝怒(ど)ついたり〟することはほとんどなく、最後には「頑張れよ」ですから。見ていて気持ち悪くてね。でも、そういうことをテレビやラジオの解説で言うと、実にウケが悪い。

舞の海　「何を言っているの、この人」みたいな目で見られたり、鼻で笑われたりしますね。どうしてここまで感覚が乖離(かいり)してしまったんでしょうか。

江本　上の立場にいる人間が下に気を遣う、見ようによっては媚びを売るかのような態度をとらなければ、関係を保っていけないということでしょう。

舞の海　それから、弟子がなかなか出世できないでいると、親が乗り込んできて「ウチの子が強くなれないのは親方の指導が悪いからだ」と、クレームをつけるケースがあるんです。とうとう相撲部屋にモンスターペアレントが現れる時代になりました。

江本　それは論外ですが、世間では、ちょっと気に入らないことがあるとすぐにキレて、攻撃的になる人間が増えましたよね。

舞の海　私もそう思います。このところ、日本人の権利意識が過剰に強くなっている気がするんですよ。

江本　まともな判断力や思考力がなくなってきたのかもしれませんね。煽り運転も酷いけど、コロナ禍で流行った「自粛警察」などもその一例ですよ。「間違ったことをしている相手」を懲らしめているつもりなんだろうけど。

舞の海　「マスク警察」に「帰省警察」……いろいろありましたね。

江本　「正義感の暴走」とか言われていましたが、あれは単に抜け駆けしている人間に対する妬みでしょう。スキャンダルを起こした有名人をSNSで攻撃するのも同じ心理。森喜朗元首相の「女性蔑視」発言批判なんか、その最たるものだった。いくら〝元首相〟という権力者だったとしても、80歳過ぎた老人の発言の真意を歪めて、ありとあらゆる罵倒をした。いわゆる「ネットリンチ」は、やる方は顔や名前を隠しているだけに余計タチが悪いですね。

すぐにケガして休む力士や選手には唖然呆然

舞の海　プロ野球選手の場合は、中学、高校の頃から組織のなかでプレーしてきて、その後にドラフトを経て入団するので、本人も意志をしっかりもってその世界に入ってくるのでしょうが、大相撲の場合、なかには「言うことを聞かず、どう扱っていいかわからないから」とか「口減らし」のような理由で子どもを相撲部屋へ預ける親もいます。なかには「母親が再婚して、ふたりの時間が欲しいから」連れてこられた子もいたりして……。当然、そういう中学生は相撲が好きで入ってきたわけじゃないので、意識は低いし根気もない。だから、出世する可能性はほとんどありません。

江本　なんと言うか、親が手に負えなくなった子どもを相撲部屋に連れてくるというのは、本来は家庭で行うべき教育やしつけを全部親方に押し付けるということですよね。いわば「育児放棄」じゃないですか。

舞の海　はい。当然、きつい稽古には耐えられないので、すぐ逃げる。で、また連れてこられる。その繰り返しということもあります。

江本　それは大変だ。しかも以前のように「鉄拳制裁」は使えないとなれば、厳しいしつけもできませんね。しかし、そもそも中卒で入門する子は少ないんじゃないですか。

舞の海　そうなんです。わんぱく相撲大会の横綱クラスに目を付けておけば、その子らはすでに相撲に目覚めているので、高校、大学を出てからでも入門してくる可能性は高いし、行儀作法を一から教えなくてもすみます。だから、いつ辞めてしまうかわからない、相撲未経験の中卒の子よりも、現在はそういう相撲エリートたちが多くて、幕内力士のなかには少年時代にライバルだったり、高校の先輩・後輩だったりという関係がけっこう見受けられるんです。

また、その系譜や人脈がスカウトするときに役立つ。それでなくとも相撲界に入ろうという子が減少しているので、部屋の隆盛を図るうえでそのような方法はやむをえない面もあります。現在の相撲部屋はそういう流れになりつつあります。

たぶん、江本さんやその上の年代の方々は、同じスポーツ選手でもカラダが頑丈だったんじゃないですかね。いまの力士を見ていると、体重はあるけれどすぐに怪我をする

しょうだい

し、とにかくひ弱なんですよ。昨年の十一月場所でも、新大関だった正代が土俵下に着地しただけで左足を痛めて休場してしまいましたし、朝乃山も右四つになって得意の形で寄っていって、転んだ拍子に右肩の筋肉を怪我して休みました。痛めた一番を何度見ても、なぜあの程度のことで怪我してしまうのかまったくわかりませんでした。最近の力士を見ていると、昔だとありえないことが多すぎるんですよ。

江本　それは、コロナの影響で稽古が不足していたからじゃないですか。

舞の海　たしかに、稽古量が足りない。でも、コロナを言い訳にサボっているフシがありました。筋肉がきちんと鍛えられていないから、わずかなことが大きな怪我につながるのです。そういう風潮が相撲界全体に蔓延しています。こんなことでは、お客様からお金をいただいてお見せする相撲は取れません。

江本　プロ野球でもね、外野フライを取るときにジャンプして飛びついて、ドンと着地しただけで腰を痛めたとか、フルスイングしてわき腹をおかしくしたとか、なかにはブルンと振っただけで骨折したヤツもいる。近ごろは、そんなバカげた事例がたくさんあります。

舞の海　相撲界では「医者の言うことを聞いていたら稽古はできない」と、よく言われてきましたが、いまはちょっとどこかが痛いとなれば、すぐに医者が「大事をとって休んだほうがいい」と忠告して、それに従ってしまう。医者の言葉を金科玉条にしているうちは、力士は強くなれないと、私は思うんです。こういうことを口にすると、暴論だとか医学を軽視しているとか反論されますが、それが長年相撲界を見てきた私の率直な感想です。

投げ過ぎが肩肘の故障を招くなんてエセ科学だ

江本　プロ野球選手も全体的にカラダが弱くなっていますよ。医学や科学的な情報があり過ぎて、それが万能であるかのように扱われている。そういう無駄な知識が増えたせいで、本当の鍛え方をしていないから弱いんです。

舞の海　野球だと、特に投手のみなさんは大切に扱われているような気がしますね。

江本　ええ。腫れ物にでも触るようです。先発投手は1週間に5、6イニング投げるだけ。100球投げたらそろそろ降板、みたいな。それで勝利投手になってヒーローインタビューを受けたりして……。僕の現役時代のころを思えば信じられないですよ。

舞の海　球数を抑えるのは、肩や肘を保護するためですよね。

江本　そんな理由をくっつけていますが、子どもの野球には制限も多少は必要でしょうが、プロ野球で、それぐらいで故障するヤツは辞めてしまえと言いたいですね。以前は9回完投が大前提で、全精力を使い果たしてマウンドを降りるのが当たり前でした。しかも、次は中4日や5日で登板していたんです。ドーム球場なんてない時代に、熱帯夜のなかで汗だくになって僕らは投げ続けていた。今は中継中にアナウンサーが「次で100球目です」なんて言っている。「それがどうした?」という感じです。100球なんてただの通過点ですからね。

舞の海　子どもの頃、テレビ観戦していて、先発投手が7、8回まで投げて、あと1、2回で完投、完封できるかどうかという楽しみがありました。

江本　それが本来の先発投手の姿なんです。使い過ぎ、投げ過ぎが肩肘の故障を招いて、それが選手寿命に影響するという論法がまかり通っているけれど、だったら、かつての投手たちがシーズン200イニング以上投げ続けることができたのはなぜか研究し説明してもらいたいですね（143試合制だった2019年、両リーグの最多投球回は大野雄大（中日）の177・2回と千賀滉大（ソフトバンク）の180・1回）。

舞の海　相撲の場合は稽古のノウハウが伝統的に受け継がれているので、新しい方法論が入り込む余地はあまりないのですが、野球は違いますよね。

江本　そうなんです。日本人は外国、とりわけアメリカの影響をモロ受けやすいので、この現象もそのひとつじゃないかと考えています。「肩肘は消耗品なので過度に負担をかけるな」という考え方は、球団との契約で百球ぐらいの制限を決めているような米国メジャーの受け売りなんですよ。でも、そう主張している当の米国では、なぜあんなに肘を壊して手術する投手が続出しているのか。科学の進歩に反比例するかのようで、何のための科学なのかさっぱりわからない。そういうくだらないエセ科学理論に日本人は振り回されてほしくないです。

舞の海　日本人は外圧に弱いとよく言われますが、これもその一種のようですね。

江本　この場合、「外国の思想にかぶれている」と言ったほうが正しい。そうなる理由は「なんだか目新しい」というだけです。ようするに、「正しいか正しくないか」ではなく、「新しいか古いか」で判断し、取捨選択するクセがいまの日本人にはある。「その考え方、古いよね」と切り捨てることが「正しい」と勘違いしているんです。よく考えてからモノゴトを判断しろと言いたいですよ。

舞の海　いっぽうで世の中全体が過保護になってきたというか、指導者やその上の立場の人々が責任を追及されないために、リスクを回避しているという面もありますよね。

江本　それは大いにあるでしょう。昔の監督やコーチは責任なんてコレっぽっちも感じていませんでしたよ。壊れた選手はその場から消えるだけで、「続けたいなら自力で這い上がって来い」という発想。壊れてしまうのか、壊れずに踏ん張るのか、それもまたプロの世界におけるサバイバル競争だったんです。いまは「選手に怪我させたら投げさせた自分の立場も危うくなる」という考え方です。こういう悪循環がもはや高校野球にも及んでいることは、舞の海さんも知っているでしょう。

舞の海　はい。何年も前からそういう風潮があることは知っています。２年前でしたか、現在、千葉ロッテマリーンズの佐々木朗希投手（当時＝大船渡高校／岩手）が地方大会の決勝に登板しなかったことで話題になりましたよね。

江本　４回戦で１９４球、準決勝では１２９球投げていましたね。だから、決勝は投げないと。あれは監督の判断だったように伝えられていますが、実は誰かのアドバイスを聞いた本人が申し出たらしいです。決勝の前に中２日で計３２０球以上も投げさせておいて、その後で「１００球で肩が壊れる」とは理解しづらい。

舞の海　他の部員たちはみんな甲子園を目指しているわけじゃないですか。それなのに、個人の立場を優先させていいものでしょうか。学校関係者も含めて、周囲の人たちは納得したんでしょうか。

江本　したことになっています。そして美談として広まって、監督の英断には賞賛の声が集まる。でも決勝で敗れた、ほかの選手たちは内心では「あの野郎」と思っているかも知れません。うっかり口に出すと、森元首相みたいに、SNSでバッシングされるから控えているんでしょう（苦笑）。

球児の球数制限は高野連の単なるパフォーマンスか?

舞の海　江本さんは、そんな個人の事情で甲子園を目指す他のチームメイトが道づれになることをどう思われますか。

江本　その点については、球数制限だの過保護だのとは切り離して考えるべきですね。というのも、僕は「甲子園」を美化する風潮にはまったく同調できないんですよ。なにしろ高校生のときに「甲子園」から拒絶されていますし（高知商3年時に、部員の不祥事によって内定していた春の選抜に出場できなかった。さらに1年間の対外試合一切禁止)。甲子園大会は、NHKと朝日・毎日新聞社のための高校野球ではないかと思えるぐらいです。

舞の海　同じ野球に携わる人でも「甲子園」は様々な考えがありますね。

江本　はい。だからあの大会自体に個人的には興味はないんです。ただし、球数を一律に制限する必要はない。実は今年の春の選抜大会から、ひとりの投手が1週間に500球以上投げてはいけないというルールが適用されることになった。「高校生の肩肘を守る」ということを錦の御旗にしてね。

ただ、よく考えてみて下さい。1大会で500球投げるのって、せいぜい決勝戦までひとりで投げ抜いた投手だけですよ。1回戦で負けたらもうそれで終わりですから。それに、全国の高校生のなかでプロに進む子がどれくらいの割合でいるのか。毎年、4000校前後あるなかで甲子園に出場できるのは50校ぐらい。ほとんどの投手は地方大会でわずかのゲームで終わる。なのに、一律で球数を制限することにどれだけ意味があるのか。このルールは単に、高野連（全国高校野球連盟）による「自分たちは正しいことをやっています」というパフォーマンスに過ぎません。

舞の海　かなり細かいルールの設定が必要ですね。

江本　実際、ムチャクチャ投げろと言う人はいません。痛いと投げられないので無理に投げることは実際はない！　何球投げたら人の肩肘は壊れるのか、誰も医学的に証明できていないのに、米国の言っていることに盲目的に従っているだけ。いちばんけしからんのは、それに反対する意見をバカにしたり、封じ込めようとしたりすることです。無根拠に怖がって、何も考えずに「右へならえ」をしているように見えます。

舞の海　スポーツを仕事にしている以上、怪我は付きものですが、それでも、先ほども話したように、なぜ怪我をするのか、その理由がわからないことが最近多いんですよ。

江本　そこが一番重要なんです。だから、プロセスに目を向けなきゃいけない。怪我をする前にどのような行動をとってきたのか、その点について誰が分析して、対策を講じているのかもわからない。選手が故障して離脱したというニュースはしょっちゅう聞こえてくるけれど、そこに至る過程の話は全然出てこないんです。もちろん、そのなかには「投げ過ぎ」という理由もあるでしょう。もし、そうであれば投球数をセーブすることを考えればいい。

舞の海　ところが、原因の多くはそこにはないんでしょうね。

江本　ないんです。故障の原因はほとんどがトレーニングとフォームにあります。メジャーの影響からか、外国人の真似をして汚い投げ方をする投手が多くなったんです。真っすぐを投げる際に、やたらと肩に力を入れている。投げ終わった後に一塁側にカラダが流れる。あれがカッコいいと思っているのかもしれないが、日本人が彼らと同じように投げてもダメです。肩肘を壊す可能性が高まるうえに、コントロールも悪くなる。全身でその変化球にしても、肘を使うときの支点の置き方を間違えている投手が多い。全身でその投げ方をカバーするようなフォームを作っているかというと、そうでもない。

これでは、いくら球数を減らしても壊れます。でも、いくら忠告しても若い投手は聞く耳をもっていない。見てくれ、カッコいいほうをとっちゃうんです。

舞の海　球数を制限したところで、型が間違っていればいずれ怪我をする。逆に型がしっかりしていれば、耐久性も増すんですね。それは、相撲もまったく同じです。

江本　あらゆる競技に共通することでしょう。人それぞれフォームには個性があります。でも、ピッチングにせよバッティングにせよ、基本的な部分を外してしまってはカラダが悲鳴をあげて当然です。だから、肩肘が壊れる理由を「投球数」だと決めつけないで、ちゃんとその原因を探っていけば、真の怪我防止策が確立するはずです。そういう大事なことに全然着目しないで、リハビリの苦労話や復活劇など美談ばかりをスポーツマスコミは伝えたがる。これでは、いつまでたっても日本の野球は進歩しません。

競泳の池江選手にしても、一日何百メートル以上泳いではいけないなんて制限されたら、あんな復活は無理だったでしょう。人一倍練習したからトップになれたんですよ。

「ランニング」が一番!

舞の海　そうですよね。どんなスポーツでも質の良い練習量がものを言う。あと、型をしっかり身につける以前に、カラダの作り方を誤っているんじゃないでしょうか。このところ、相撲界は大型化の一途をたどっていて、ビッグサイズの力士が多くなりました。しかも、太り過ぎて鉛をカラダに張り付けて相撲を取っているようなものだから、ちょっといなされただけですぐに転んでしまう。カラダがちゃんと絞れていた昔の力士は、バランスを崩しかけても強い足腰で持ちこたえて、そこから反撃体勢をとっていたんです。投げをうたれても簡単には転ばないし、そこから本当の攻防が始まりました。
ところが、いま見ていると、投げられたらその体勢のまま土俵下へ落ちていくので、怪我につながるケースが多くなったんです。

江本　実はプロ野球でも同じことが言えるんですよ。「もっと筋肉と体重を増やせ」とか言われるものだから、競ってカラダを太くしようとする。それでホームランを50本、60本と打てる選手が生まれているかといえば、そんなことはない。せいぜい10本か20本ぐらいしか打てない選手になっていくんです。西武ライオンズには太目の選手が何人かいますが、彼らは「天性」の部分で打っているだけ。巨人の岡本（和真）も、もう少し絞ればカラダに切れが出て、もっとホームランを打てるようになりますよ。

舞の海　相撲も野球も、見た目の体格とパワーは別物だということでしょう。

江本　そうです。なぜ昔の野球選手は故障が少なかったのかと言えば、カラダを徹底的に絞って痩せていたからです。そのためには、ランニング中心のトレーニングをしなければならない。走ることで贅肉や無駄な脂肪を落とし、スタミナを養ったんです。

舞の海　ですが、最近では「走ること」が無駄みたいに扱われていませんか。

江本　時代遅れみたいに言われている。いつの間にかランニングが「悪」みたいに言われ始めて、うっかり「走り込め」なんて口にするとバカにされ、「投げ込め」なんてアドバイスしたら白い目で見られます。なぜなら、故障するといけないから……。

しかし、何十年も日本の投手たちは走り込み、投げ込んで歴史を作ってきたんです。その過程のなかで故障する者は淘汰され、しない者だけがプロフェッショナルとして生き延びてきた。「もうそんな時代じゃないです」とよく言われるが、「じゃあ、どんな時代なんだ」と問いたいですね。壊れないように恐る恐る投げさせて、できるだけ長持ちさせる時代ということでしょうか。

舞の海　趣味でスポーツをやっている近所の仲間同士の「仲良しクラブ」はそれでいいでしょうが、プロがそのレベルでは困りますね。プロの世界は厳しい競争社会ですし、怪我はつきものですから、それを恐れていてはのし上がれませんよ。

江本　ええ。そもそも、１００球限定で1週間に1度投げていれば、本来は体力が有り余ってしまうと思うんですが、体格だけ大きくして、絞る練習をしないからスタミナがついていかないんです。だから、若いうちは締まったカラダでも、早くからブクブク太っていく。ちゃんと管理していれば、そういうことにならないはずです。自己管理のできていない選手ほど怪我もしやすいんですよ。

それから、ベンチに戻るたびに水をグビグビ飲む先発投手が多いのも気になりますね。適度な補給を超えて飲んでいる。水をエネルギー源だと勘違いしているんじゃないかな。

僕は感覚的にわかるんですが、試合中に水をたくさん飲むと体力がもたなくなります。あれではすぐにバテしまう。完投を前提に投げていないことが、あの行為でわかってしまうんです。

体重を増やすだけで「芯」がない力士は強くなれない

舞の海　これは勝手な想像ですが、昔の力士のほうがいまの力士より断然強かったと思うんです。元横綱の輪島関は１３０キロでしたが、現在の平均からすれば軽量の部類に入ります。千代の富士関は１２７キロで大横綱になりました。白鵬も入門したときは70キロぐらいしかなかったのに、強くなった。日馬富士も小さかったけれど、瞬発力を存分に生かして出世しました。

江本　大型化と強さは比例しないんですね。

舞の海　そう思います。なんと言うか、カラダの中に「芯」がないような、相撲の「強度」がなくなってきたように見えるんですよ。体重はけっして強さのバロメーターではないのに、現代の力士はみんなそれを求めてしまうんです。

江本　鍛える方向性を間違えているんだ。

舞の海　はい。日馬富士や白鵬がその逆だったように、最初から太っているより、本当に強くなる者は徐々にカラダが大きくなっていきます。あの若貴（二代目・若乃花、貴乃花）にしても、入門してから1回痩せて、そこからたくさん稽古をして筋肉をつけていきました。

江本　序の口、序二段クラスの力士を見るときは、痩せているほうが、見込みがあるということですか。

舞の海　少なくとも太っているよりはいいです。最初の頃は環境にも慣れていないし、気疲れもしますから、太りたくても太れないものです。筋肉も落ちますが、そこから新しく作り上げていくんです。よく相撲取りは大食漢というイメージがあると思いますが、それも人それぞれで、大きい力士だからといって人一倍食べているわけではありません。

江本　舞の海さんは食べて強くなっていったんじゃないですか。

舞の海　私の場合は、油断するとすぐに痩せてしまう体質だったので、必死でした。飲みに行っても、必ず最後は焼き肉屋さんとかに寄ってたくさん食べる。それで、なんとか体重を維持していたんです。激しい稽古をした後は、どうしても食欲が落ちるんですね。だから、食べるときは頑張って食べるんです。

江本　つまり、バクバク食べてばかりいるお相撲さんは、実は稽古量が少ないということでもあるのかな。

「ちゃんこ」を嫌がりコンビニ飯を有り難がる？

舞の海　正確な因果関係はわかりませんが。それから、いまの若い力士たちは、ちゃんこを囲んでもあまり箸をつけないんですよ。

江本　えぇ？　じゃ、いったい、何を食べているの？

舞の海　周りにおいてある唐揚げやとんかつ、それに冷凍食品などでご飯を食べる子が多くて、焼きそばなんかも人気のようです。私らの頃はちゃんこ以外には焼き魚と漬物ぐらいしかなかったんですが、いまでは副菜が主菜にとって代わっていますよ。

江本　本当に？　ちゃんこも時代遅れってことですか。

舞の海　伝統ですから、ちゃんこは作りますけれど、食べる比率がどんどん低くなっているんです。たまにお客さんが食べていたりすると、「え、ちゃんこ、お好きなんですか」

なんて若い子に珍しがられたりして……。

江本　高カロリーなものばかり食べて、太るだけ太って、カラダ作りを怠っているんじゃないですか。そういえば、見た目に綺麗なお相撲さんが少なくなってきたのも、そのせいかもしれませんね。

舞の海　プロ野球選手も体格だけ立派になって、中身が伴っていないとのことですが、それもやはり食事が関わっているんでしょうか。

江本　たぶん、そうではないかな。食に頓着しないというか、興味がない。これは好みもあるから無理に変えろとも言えないんですが、とにかくコンビニ飯全盛の時代です。いい給料をもらっている主力選手が、遠征先でもどこでも新人と一緒にコンビニでおにぎりや総菜を買ってきて食べて満足している。それで本当にいいのか、と言いたい。

舞の海　そうですか。美味しいものを食べて、「また頑張ろう」じゃないんですか。

江本　そうじゃないんです。腹いっぱいになるんだったら、高級レストランでもコンビニ飯でも同じだというバカげた考え方なんです。

舞の海　「バカ」と言うと、コンビニ業界からクレームが来そうで怖いですね。

江本　あ、いや。近ごろのコンビニには美味しいものがたくさんあるからね。僕もよく食べていますよ（笑）。年輩者には量も手頃だし。

舞の海　コンビニのおにぎりも、精魂込めて作っていますから。でも、プロ野球選手たちは大金を稼いでいるのだから、もっと贅沢すればいいのに、とは思いますね。

江本　僕らは金のないときから、毎日のようにステーキ、寿司、中華と食費には糸目をつけませんでした。それがモチベーションにつながると考えていたからね。たぶん、豊かさの基準がその頃とは違うんでしょう。いまの若い選手たちは、いいもの食べて、遊んで、それを励みにまた頑張っていい成績を残そうというのではなく、堅実に、同じ美味しいものでもコンビニにしておこうという考え方なんです。

力士は野球選手よりまだハングリー精神がある？

舞の海　一流選手でも、しっかり貯金するようなタイプが多いんですね。

江本　そうですね。それこそ時代を反映している。日本経済が右肩上がりのときは、野球選手もその「景気」に乗せられていたのが、不景気になってくると、守りに回るんだと思います。ただ、世の中の情勢とは逆に、コロナ前まではプロ野球は観客動員数が伸びていて、球団も儲かるようになった。おかげで、年俸もどんどん高騰していました。

舞の海　しかも、球団と複数年契約を交わす選手が大勢いますよね。つまり、結果がどうあれ給料を確保できるって、相撲界から見たらちょっと信じられないんですよね。

江本　ああいうアメリカ的な年俸制度は、選手をダメにしますね。活躍してもしなくても向こう何年かは給料が変わらないとなれば、モチベーションをどうやって保てばいいのかわからなくなるでしょう。巨人の坂本（勇人）や丸（佳浩）なんか、日本シリーズでホークスに2年連続4連敗しても悔しそうにしている様子が見えない。何億円ももらって複数年契約ですから、経済的に安泰でハングリー精神が欠如しているためと映ってしまう。

舞の海　なんだか、羨ましくなってきました。

江本　まあ、やっかみ半分で言っているんですけどね（苦笑）。安い給料でヘトヘトになるまで投げていた自分と比べて……。でも、ヤクルトスワローズがFAを行使させないためなのか山田哲人と7年契約で40億円の契約を交わしたと聞いたときは驚きましたよ。前の年、最下位だったチームの柱ですョ。打率2割5分4厘、12本塁打、52打点が去年の成績ですよ。それなのに、この先7年も5億ずつもらえるのかって。バカバカしくて解説するも嫌になります。

舞の海　そういう意味では、相撲は一番一番が勝負ですよ。勝ち越しがかかった取り組みを「給金相撲」と言いますが、あれは8番勝つと「勝ち越し1点」で50銭の「力士褒賞金」をもらえるからなんです。9勝すれば3点1円50銭。これを4000倍した金額、つまり8勝なら2000円、9勝なら6000円がそれ以降の場所ごとに基本給に加算されていくんです。これは減ることはなくて引退するまで続きます。平幕が横綱に勝って金星を手にすれば10円増加するので、これまで金星を5個取った力士は自動的に毎場所20万円ずつ上乗せされていくという仕組みになっている。だから、みんな必死なんです。

江本　優勝したり、三賞を取ったりしたらまた加算されるんですね。

舞の海　そうです。優勝賞金が1000万円、三賞は200万円です。白鵬は44回優勝しているので、その賞金だけで4億4000万円を稼いだことになります。基本給は番付によって決まっていて、横綱は月額300万円ですが、さきほどの褒賞金や優勝賞金、それに懸賞金などを足してざっと年収1億円は超えるでしょうが、それは白鵬だからであって、平均すればプロ野球選手の比ではないですよ。

江本　懸賞金は、力士にとって大きなモチベーションになるんじゃないですか。ハングリー精神を刺激する制度ですね。

舞の海　その通りですが、ああやってあからさまに土俵上でいただくわけで、「税金はどうしているんだ。払っているのか」とか言われてしまうんですよ。あれは1本7万円と決まっていて、そのうち協会が経費として1万円を抜き、3万円を所得税として預かるので、力士の手元に行くのは3万円です。聞くところによると、プロ野球選手は試合に勝ったら勝利給、ホームランを看板に当てたら100万円とか、いろいろな「ボーナス」があるようで、それに比べると力士のほうがずっと質素だと思います。

江本　たしかに、最近のプロ野球選手は力士に比べても、待遇に甘えていますよ。5、6回しか投げられないような投手を重宝がって、彼らに何億も払っているようでは、どんどんレベルが低下して、そのうちファンに飽きられて衰退していくと思います。分業制というが……。

舞の海　複数年契約にこだわるようで恐縮ですが、まったく活躍しなくても翌年同じ額の給料を受け取れるとなると、ファンは納得しないんじゃないですか。

江本　しませんよ、全然。みんな気が付いているはずです。こういう契約の方法もまた、球数制限と同じようにメジャーリーグの真似をしているだけなんです。悪しき追随主義。コリジョンルール（本塁での衝突を防止するための規則）やリクエスト（ＭＬＢではチャレンジ）、申告敬遠などのルール改正も、全部後追い。なんでもアメリカが正しいと思い込んでいるからね。たまにはこちらが主体的にアイデアを示して、アメリカ側の間違いを正してもらいたいものです。

いつまでも「現役」にこだわるな

舞の海　最近の力士はひ弱になったと言いましたが、それはなにも肉体だけの話ではないんです。彼らの相撲人としての生き方を見ればわかります。いい相撲を取って場所を盛り上げようとか、その地位に課せられた責任を全うするよりも、とにかく自分を守ろうとする。肉体が脆くなったから気持ちが弱くなったのか、その逆なのかわかりませんが、がんがん稽古して周りの手本になって、太く短くでもいいから花を咲かせて、散り際の美学を意識するような力士はいなくなりました。

江本　いまの某外国人横綱が典型じゃないですか。何場所も連続して休んで、たまに出てきてもお茶を濁しているだけのように見えます。すぐに休場してしまう。

舞の海　まあ、そうですね。彼らは1場所でも長く現役を続けようという、それだけが目的化しているようです。「お前なんか、横綱になってもいないくせに偉そうなことを言うな」と叱られそうですが、あのような傲慢な態度を放っておくと、横綱という名誉ある地位がどんどん汚されていくようで、黙っていられなくなるんですよ。

江本　横綱とは、安住していい地位じゃないですものね。

舞の海　そうです。そもそも横綱とは、大関の中でも特に強い力士に与えられる「名誉の資格の称号」であって、本来の番付にはない名誉職ですから、負けたり相撲が取れなくなったりしたら潔く退くべきなんです。過去には、1年以上休めば復帰できた横綱もたくさんいたと思いますよ。でも、それは許されませんでした。そういう覚悟と矜持（きょうじ）が求められる立場であることを理解し、振る舞ってほしいのです。

江本　プロ野球界にもいますよ。いつまでも現役にしがみつこうとする選手が。

舞の海　相撲界も、横綱に限らずそういう考え方をする力士が多くなってきました。まるで世の中の定年延長みたいですよ。安定志向で、毎月給料をきっちりいただき、定年、つまり引退までの日々を無事に過ごしたい……。そういう気分が手に取るようにわかります。

江本　土俵上の力士が本気で勝負にいっているか、怪我を怖がりながらテキトーに相撲を取っているか、ちゃんと見ていれば観客にも伝わりますよ。本物のブチかましは音が違う。勝負にかける気迫がこちらまで届きます。それを、怖がっていると、逆に怪我する可能性が高いと思うんですけどね。

舞の海　そうなんです。手を抜くとかえって危険です。江本さんのように「殴られそうになったら向かっていく」ぐらいの気持ちにならないといけない。これは、しごかれた経験がないと体得できないのかもしれませんね。

「鉄拳制裁」がダメなら、せめて「叱咤罵倒」を

江本　手を出さず、口だけで指導をしても、強いスポーツ選手は育ちません。「鉄拳制裁」を時代遅れと言うのなら、せめて、ときには厳しい言葉を浴びせたほうがいいと思います。「叱咤罵倒」はまだ許されるでしょう？

舞の海　どうですかね。「叱咤激励」ならいいかな（苦笑）。言葉も厳しすぎるといまや

「パワハラ」と見る向きもありますから……。

江本　僕はテレビ、ラジオで解説するときには「叱咤罵倒」いや、言葉による「愛のムチ」を入れるようにしているんですよ（苦笑）。気がゆるんでいたり、褒められて調子に乗り過ぎていたり、地位や環境に甘えていたりする選手には、遠慮なくビシバシ言うようにしています。監督やコーチがぬるい態度をとっているなら、せめてOBがしっかり指摘してやらないといけませんから。

舞の海　そうですよね。毒にも薬にもならないような、耳ざわりのいい放送だけ聞かされても退屈なだけです。

江本　NHKの相撲解説では、舞の海さんはその点、厳しいことも口にするし、ときどき北の富士さんと言い争いになっても、けっして挫けませんよね（笑）。

舞の海　あちらが何か見解を述べられても、私は違うと思ったらちゃんと反論するようにしています。それより困るのは、コロっと負けた見ていてつまらない取り組みで、「こんな相撲、お金を取って見てもらうレベルじゃない」と、いう相撲も多々ある。それでも何とか細かい技術を探ります。

江本　それはまた、どうして？

舞の海　解説者として職場放棄になりますので……。

江本　いやいや、見て感じたことはどんどん、ストレートに口にしたほうがいいですよ。そうしないと、こっちにストレスがたまってしまいますよ（笑）。

舞の海　よくファンの方から「舞の海さんは力士を褒めてくれるから嬉しい」とか「いい解説ですね」と声をかけていただくのですが、内心、ちょっと忸怩たる思いをしているんです。

江本　持ち上げたりやさしくしたり、それぱかりでは本人のためにもならないし、視聴者も本音の解説を求めていると思いますよ。いい相撲を取ったときにはちゃんと褒めてあげればいいんだから。

舞の海　そうですね。

江本　プロ野球の場合は、各地方の放送局に元プロ野球選手の解説者が大勢いるんです。彼らはどんなに酷いプレーを見ても選手をほとんどけなさないし、ベンチの采配にもケチをつけません。なぜかと言うと、自分もまたユニフォームを着たいからなんです。コーチなどへの復帰を前提にしているから、球団と使ってもらっているマスコミにゴマをするようなことばかり発言する。

舞の海　協会にいる親方は、親しい部屋の力士についてはどうしても目線がやさしくなるんですよ。

江本　身内に甘くなるのは人情というものかもしれませんが、公正な解説者という立場を忘れてもらっては困りますよね。ある地方のテレビ局に、地元の解説者とふたりで何度か呼ばれたことがあるんですが、「江本さん、バランスをとるために遠慮なく厳しい解説をお願いします」と頼まれたので、思い切り言いたいことを言っていたら、プロデューサーが代わったとたん、「もうちょっと手加減してもらえませんか」だって。その瞬間、やる気が失せましたよ。

不甲斐ない選手に「金返せ!」と罵声を浴びせなくなった観客

舞の海　それでも、プロ野球界はまだ辛辣なコメントを許す度量があると思います。テレビ解説でもそうですが、江本さんはスポーツ紙のコラムですごく刺激的な評論をされていますよね。あれを相撲界でやったら、絶対に協会から非難されますよ。

江本　というと、相撲協会は言論の自由を認めていないんですか。

舞の海　いえ、そういうわけではないです。私が現役の頃、師匠（元横綱佐田の山）から「厳しい批評をする人の意見ほど大切にしろ」と言われた事があります！　また、私の師匠は知識人の方々にも「もし私に間違った言動があったら遠慮なく叱って下さい」と自らを正していました。その辺、野球界はどうですか。最近は少し違う感じがします。

江本　その点について言うと、いちばん批判に寛大なのが読売ジャイアンツです。

舞の海　へぇ？　意外な感じがしますね。

江本　みなさん、巨人は親会社が読売新聞だし、メディアに対して締め付けが厳しいように思われるようですが、けっこう何を言っても大丈夫です。「金持ち喧嘩せず」のところがある。その点、さっきも言ったように、酷いのは地方の球団です。すぐに「あんなことしゃべってもらっては困ります」とか、抗議してきます。だから将来の就職先を失いたくない解説者たちはベンチャラばかり並べるわけ。目も当てられない内容でノックアウトされて、ベンチに戻ってきた投手には「次の登板に期待しましょう」と。「すぐに二軍へ落とせ」と思っていても、口にはしない。忖度解説。まあ、それを聴いてファンも喜んでいるらしいから、「偏向報道」が正当化されるわけです。

舞の海　言い方の問題もあるでしょうが、その言葉が的を射ていれば誰からも文句をつけられる筋合いはないですよ。ファンはちゃんとわかってくれると思います。

江本　そういえば、ファンについても、どうかと思うときがあるんですよ。それは、ノックアウトされて交代させられた選手によく拍手をするでしょう。高い給料もらっていながら2、3回でノックアウトされた投手に対して、ベンチの上のスタンドで立ち上がってパチパチやっている光景をよく目にするでしょう。あれは見ていて気持ちが悪い。

舞の海　相撲でも、負けた力士が花道を引きあげるときによく見ますね。負けても、あと一歩だったというような、見応えのある相撲ならわかるんですよ。賞賛や激励の意味がこめられていますから。現役の時、負けて花道をしょげて帰ってきたら、師匠に「同情されて嬉しいか？」と言われてハッとした事があります。

江本　相撲は1対1の勝負だから、負けた結果は全部自分ひとりが背負うわけですが、野球はチームスポーツですから、不甲斐ない投球をしたら、その代償はチーム全体が払わないといけない。だから、観客から「負けたらお前のせいだぞ」「どうやって責任取るんだ、バカヤロー」「金返せ！」と、不甲斐ない選手が罵声を浴びせられて当然なんですよ。それを温かい拍手で迎えてしまうんですから、応援する側もユルくなったもんです。

舞の海　拍手された選手は、「こんなに同情されて、オレはなんて情けないんだ」と落ち込んで、発奮材料にしてほしいですよね。

江本　それが、そうでもないんです。「助けられた」「ホッとした」と感じている。これでは選手が絶対に成長しません。生っちょろい評論ばかり聞かされているから、ファンも選手を甘やかすような態度をとってしまうんでしょうね。

勝った関取が付け人とグータッチするとは……

舞の海　私が現役だった頃は、負けた力士が引きあげてくると、殺気立っているので付け人は声をかけられないどころか、近寄れない雰囲気がありました。付け人はそもそも関取とは番付が違うので、黙って身の回りの仕事をするだけの存在なのですが、最近は仲良く会話しながら帰ってくるシーンがモニターに映ったりして、正直驚いています。

江本　勝った関取が帰ってくると、たまに付け人とグータッチしていますよ。

舞の海　あれなんかは、ちょっと考えられないんですよね。上と下の者がそんなにフレンドリーになってしまうなんて、規律はどうなっているのかと心配になります。

江本　プロ野球では、ベンチの中で選手より大喜びして、一緒にはしゃいでいる監督がいるんですよ。僕から見たら、選手になめられないか気になってしかたがない。それに、まだ試合は終わっていないのに、一球一打で大騒ぎしてどうするって。

舞の海　いますね、そういう監督さん。

江本　某カントクなどは……。今年は、少しは大人しくなっていますが、ベンチは采配を振るう所。点が入ったら、すぐに次の展開を考えるのが監督の仕事ですから、あれだけ派手にバカ騒ぎするってことは、考えなしに野球をやっている。ファンやマスコミが喜ぶと思っているからでしょう。

舞の海　なるほど。たぶん、そういうカントクは選手に親しまれたいんでしょうね。上下関係を徹底させるよりも、友だち感覚を大切にして、その場を明るくしたいと。相撲界でも花道のグータッチがあるんですから、野球がその上をいくのは当然とも思えます。

江本　いやいや、アレは真剣勝負をやっている最中の態度ではないですよ。そんなカントクについては、あのノムラさんや僕らが新聞でちょっと批判めいたコメントをすると、ムキになって「ガッツポーズは絶対にやめない」と強がりを言ってました。こうなると、もはや価値観の違いとしか言いようがありません。目クジラを立てるほどのことではありませんが……。

舞の海　中国とアメリカとの「新冷戦」みたいなものですね（笑）。しかし、野球は団体競技ですし、指揮官が厳しくなければチーム全体が緩んできませんか。

江本　おそらく、監督像の概念が以前とはまるっきり変わってしまったんでしょうね。規律よりも明るい雰囲気づくり、トップダウンの統率力より選手とのコミュニケーション能力が重視される時代になった。そのほうが勝てるというのだから、しかたないですが、ピリピリした勝負の厳しさはどうしても伝わってこない。球界全体が「仲良しクラブ」みたいになってしまって、僕は非常に危機感を抱いているんです。監督は、戦う前から敵愾心（てきがいしん）を持って欲しい。

第三章

中国に物言えぬ日本は「独立国家」なのか?

サッカーくじ（ｔｏｔｏ）導入で日本の子どもは不良化した？

舞の海　日本人はスポーツが大好きで、それぞれの競技を存分に楽しんでいる方々がたくさんいらっしゃるのは承知しています。ただ、社会的に見てその地位がどれだけ確立されているかというと、どうも疑問なんですね。

特に政治家にとっては、スポーツは政治利用の対象でしかないようにも思えます。江本さんは参議院議員を２期12年間務めてらっしゃったので、そのへんの事情は身をもって体験されてきたのではないですか。

江本　ええ。まず言えるのは、政治家の言動には必ずその裏に思惑や狙いがあるということ。コロナ対応にしても、五輪組織委員会のゴタゴタにしても、政治家はそれを政治利用することを考えます。近いところでは次の選挙、最終的には政治家としての自分の将来を見据えて、いかに存在感を示すか、もっと言うといかに権力を手にしたり維持したりするかを念頭に置いて発言し、行動する。小池百合子都知事は特にそれが顕著ですよね。コロナ会見のときの危機を煽るかのようなパフォーマンスだったり、五輪組織委員会の会長交代劇で自分の立場を最大限にアピールしたりするのを見れば、よくわかります。森元首相に対するバッシングが盛り上がった時も、ザマミロといわんばかりのクールな対応をしていましたよね。

舞の海　たしかに……。ともあれ、スポーツ界からも国政にたくさんの方が進みましたが、江本さんは特に目立つ存在でしたね。

江本　1期目がスポーツ平和党（1992年）、2期目に民主党（98年）から立候補しました。その間、総理大臣が8人代わりましたよ。

舞の海　たしかに、その頃の総理大臣は本当に長続きしませんでしたね。「使い捨て」内閣だった。

江本　僕が阪神タイガースで現役だったときは、6年間で監督が4人代わりました。ほとんど同じペースだった（苦笑）。

舞の海　ですね。でも、民主党に所属されていたのが意外でした。

江本　当時の民主党は「二大政党制」を目指して自民党に対抗する形で結党したばかりで、新進党などの解散したいろんな党からの寄せ集めだったので、右も左も同居していて、なんでもありの状態。僕は右派系だったけど、まとまりが悪かったんです。でも、古い政治に新しい風が吹き始めた時代だったし、いろいろな考え方の政治家がたくさんいたので、刺激的ではありました。

舞の海　スポーツに関わる法案としては、江本さんはサッカーくじ（ｔｏｔｏ）の導入に向けて尽力されたと伺っています。

江本　そうなんです。麻生太郎さんを座長にして、超党派で、あの法案（スポーツ振興投票法）を通すのに5年かかりました（98年成立）。民主党は党議拘束なしの自由投票だったので、半分の議員は導入反対に回りました。

舞の海　やっぱり、まとまりがなかったんですね。

江本　全然ない。まあ、いま野党第一党の立憲民主党だって、相当バラバラですけれどね。それはいいとして、ｔｏｔｏはいまやすっかり定着して、２００２年以来、これまでスポーツ振興のために約２０００億円を助成していて、ほかに約１０００億円が教育、文化の振興や自然環境の保全などの事業に充当されています。ただ、論戦をしている最中は共産党をはじめ日弁連、地婦連、主婦連、それにＰＴＡ連合会までがタッグを組んで総攻撃してきました。朝、議員会館に行ったら抗議のファクスが山のように届いていて紙が詰まっているし、使い始めのパソコンにも抗議のメールが殺到するし。

舞の海　抗議の内容はだいたい想像できます。「教育上よろしくない」ということですよね。

江本　そうです。ほとんどが、その一点張りです。そのほかにも、賭博法に抵触しない確率だからギャンブルではなく「くじ」だと言っているのに、ギャンブル依存症が増加するだの生活破綻者が続出するだのと、ありえない理由を列挙してくる。そして、廃案に持ち込もうとしてきたんです。そういう反対勢力の声が大きいものだから、世論もなんとなくそんな気分になってしまって苦労しました。

舞の海　導入から20年経って、サッカーくじが原因で子どもは不良化したんでしょうか。あまりそんな話は聞かないんですが。

江本　全然そんなことにはなっていないでしょう。「ｔｏｔｏ依存症」が社会問題になりましたか？　とんでもない。それどころか、青少年の健全育成や東日本大震災の復興支援の財源にもなっているんですよ。昨年12月には、スポーツ振興投票法の改正案が賛成多数で可決しまして、バスケットボールもその対象になりました。つまり、Ｂリーグの試合の「くじ」が新商品として販売されるようになるんです。

舞の海　江本さんたちが取り組んできたことが、さらに大きく育っているという。

江本　はい。だから、あのとき攻撃をしてきた組織、団体にはしっかりその落とし前をつけてもらいたい。メディアにもしっかり検証してほしいんです。いま物議をかもしているIR（統合型リゾート）についても、この法案の推進をしていた自民党議員の「汚職」事件が発覚したこともあって、「カジノ法案」とか言って左巻きの議員たちが大反対していますが、もっと冷静に議論してもらいたいですね。

変な言い方ですが、日本人はどうも国民を子ども扱いするというか、「ギャンブル＝害悪」と単純に決めつけて大人の発想ができない。もちろん、カジノは「くじ」じゃなくて正真正銘の博打ですから、きちんとした制度設計をしなければなりませんが、それにしても、日本人はヘンにナイーブ過ぎますよ。

反日教組は小学生の時からの筋金入りだった！

舞の海　江本さんはまた、「国旗・国歌法（国旗および国歌に関する法律）」の成立（1999年）にも尽力されましたね。私にとって日章旗や君が代を大切にするということは当然という意識でいましたから、この法案が提出されるまで、それが法律で定まっていなかったことを恥ずかしながら知りませんでした。

江本　ほとんどの国民が知らなかったんじゃないですか。日本人がいかに曖昧な状態で国の象徴を扱ってきたか、ということですよ。法律ができる前も、慣習として日の丸を掲げ、君が代を歌ってきた経緯がありましたが、特に君が代に関しては公立学校の卒業式などで「歌わない、歌わせない」行為が頻発していました。ただ、スポーツ大会では日の丸は何となく認めていましたが。

舞の海　反対していたのは日教組（日本教職員組合）の先生たちですよね。彼らや共産党の教師やその支援者たちは、君が代の「君」は天皇の意味であり、「軍国主義につながる」と言い続けていますが、その理屈自体、私には理解できないんですよ。

江本　まったく同感。当時、このままでは反対する人たちに論拠を与えることにもなって、国旗国歌に関する論争が果てしなく続いていくという懸念があったんです。それはよくないし、きちんと法制度化しないといけないという気運がようやく高まったんですよ。

舞の海　しかし、法律ができた後も、なお国旗や国歌に対して反発する動きはあるようですね。

江本　ええ。掲揚や斉唱は「強制しない」ということになったのでね。しかし、法律のおかげで国民の意識に強く定着したことは確かだと思います。また、国旗や国歌の意義というものを考えるきっかけになったはずですよ。

「イデオロギーに関係なく、人々の心には故郷への思いや原点を見つめる気持ちがあるでしょう。だからこそ、その象徴として国に国旗や国歌が存在するのは当然ではないか」

――僕は、そんなことを参議院の国旗国歌特別委員会で審議する時、野中広務官房長官などを相手に質問していたんですよ。なにせ日教組相手には小学生の時から僕は闘っていましたからね。

舞の海　えっ？　小学生の時から？

江本　僕の地元の高知県は日教組の強いところ。子どものころ、「勤評闘争」というのが全国的にあったけど、とりわけ高知では激しかった。教員にたいする勤務評定をすることに対して、日教組が教職員の団結を破壊し，教育の権力統制を意図するものとして反対した。公務員には認められていないストなどをやるものだから、逮捕者も出た。僕の親父は警官だから、そういうのを捕まえて警察の留置所に入れたりするわけ。すると警察に日教組の連中が押しかけて、「不当逮捕許さない」「税金ドロボー」「権力のイヌ」とシュプレヒコールする。「俺のオヤジがなんで税金ドロボーなんだ」と子ども心にも反撥して、警察署前にやってきたデモ隊に、屋上から「俺の親父が税金ドロボーだと？　お前たちこそが税金ドロボーだろ」と吠えて、バケツに入れた水を屋上からぶっかけていたこともありました（苦笑）。

舞の海　親思いの、心あたたまる、いい話ですね（笑）。

江本　そういえば、その国会での質問を院内放送で聞いていた小渕（恵三）首相から「ブッチホン」がかかってきて、「素晴らしかった。よく言ってくれました」と、えらく丁重に褒められたんです。日教組推薦の議員もいる民主党の一議員が、自民党の大親分から電話をいただくなんて、恐縮しまくりでした。

舞の海　そうですか。小渕さんは「気配りの達人」だと聞いたことがあります。

江本　そうなんです。「小渕さんから電話をもらったら、後で胡蝶蘭が届くよ」と言われて、まさかと思っていたら、本当に届いたんです。総理大臣になるような人物は、人の気持ちを巧みにつかんでいくのだな、さすが田中角栄、竹下登の系譜を継ぐ人物だなと感心しました。すいません、話がそれちゃいましたね。

舞の海　いえいえ。相撲の世界にも礼節を重んじる伝統があります。地位が高まったからといって下の者を見下したり、不遜な態度をとったりするのは礼を失すること、道に外れることとされています。

国歌を歌えないスポーツ選手は誰のせい？

舞の海　話を元に戻しましょう。国旗や国歌は、スポーツとは切り離せない存在ですよね。国際試合の場では両国の国旗を掲揚して国歌が流れますし、オリンピックでは勝者を称えるために、表彰式で使われます。

江本　大相撲では、表彰式の前に流れますよね。

舞の海　はい。通常は自衛隊の音楽隊が演奏してくれるのですが、コロナ禍の現在は歌入りの録音を流しています。観客には、心の中でのご唱和をお願いしています。

江本　高校野球でも、甲子園で開会式の際に必ず演奏しますね。選抜大会では高校生の独唱です。プロ野球では、パ・リーグは毎試合前に君が代を流します。元会長の中澤不二雄さんが「国歌斉唱は当たり前のこと」として、１９６３年（昭和38年）に毎試合前に流すことにしました。いっぽうセ・リーグは最近までやらなかった。僕が阪神にいた時代には聞いたことないですからね。一度「なぜ君が代を流さないんですか？」と聞いたら、「クレームをつけられるから」という答えでした。

舞の海　君が代反対派の人たちが怖かったんですか。

江本　そういうことでしょう。「波風を立てたくない」というのが本音だと思います。なんとなく、セ・リーグっぽい。で、やっと2014年（平成26年）になって、連戦の第1戦だけ国歌斉唱を行うことにして、現在に至っているんです。

舞の海　法律が整備されたことが影響しているんですかね。

江本　それもあるでしょうが、当時、すでに施行から10年以上経っているのでね。時の安倍晋三政権の姿勢に同調したという面もあるんじゃないでしょうか。どうあれ、日の丸に対してはほとんどの国民が受け入れていますが、君が代には少数派とはいえ屁理屈をつけて批判する人々がまだけっこういるんですよ。

舞の海　日本国民には思想信条の自由が保障されている（憲法第19条）ので、国旗を掲揚したくなかったり、国歌を歌いたくなかったりする人は別に好きにすればいいと思います。ただ、君が代の「君」が天皇だとしても、それは日本の「象徴」を指すことになる。いまの日本は国民主権下で、それと矛盾することのない象徴天皇制の国であることは、誰だって知っています。これのどこが軍国主義につながるのか、私にはさっぱりわかりません。もちろん、それを「天皇の御代(みよ)」として歌う自由だってあるはずです。

江本　先ほど法律によって強制することはないと言いましたが、そのおかげで現在でも君が代を歌わない学校は一定数あるんですよ。とはいえ、日本の学習指導要領には「国旗を掲揚するとともに、国歌を斉唱するよう指導するものとする」と明記されているので、生徒に歌わせない教師は完全に失格なんですけどね。

舞の海　そういう教師にはすぐ辞めてもらいたいものですが、罰則はないのですか。

江本　あることはある。職務命令違反ということで、時には戒告や減給の処分を受けますよ。でも不当処分だと言って裁判に訴えたりすると、時には下級裁判所で、その訴えが認められることもある。

舞の海　だいいち、学習指導要領に背くような考えの持ち主がなぜ教師になれたのか。厳しくチェックしてほしいと思います。なかには、小中学生の時代に、音楽の教科書に書かれてある君が代の歌詞の上に「校歌」を貼り付けて、見えないようにした学校もあるそうですね。

江本　ありますよ。だから、国歌を一度も歌ったこともないし、歌詞も知らない。学校を卒業したら国歌を習うこともないから、そのまま大人になってしまう人も出てくるわけです。誰かが歌うのを聞いて、初めて日本の国歌に「歌詞」があることを知ったという人もいます。プロ野球にも、そういう選手がけっこういるんじゃないかな。ほとんどブラックジョークみたいな。

舞の海　国立大学では卒業式に国歌斉唱がなかったり、あっても曲だけ流したりして起立もさせないところがあるそうですね。これでは国民統合の象徴である国旗や国歌への敬意も芽生えにくいと思います。

江本　困ったことですよね。国の旗や歌を尊重しない人間は、外国に行ってもその国の国旗や国歌を尊重できないでしょう。敬意の払い方を知らないんだから。グローバル化がどうのとよく言われますが、そんな「半人前」の日本人は世界へ出て行くべきではないでしょう。国際的なマナー違反を犯す可能性すらありますからね。

舞の海　国旗・国歌への国民の意識が統一されていないことはとても残念です。

江本　ついでに最近の動きをひとつ言っておくと、今年2月、国旗損壊罪の適用を自国にも適用するための刑法改正案を自民党議員が提出したんです（審議未了で廃案）。日本の法律というのは謙虚にできていて、外国の国旗を破いたり燃やしたり、傷つけたりすると罪に問われるんですが、自国の旗、つまり日の丸をどうしようとお咎めはないんです。諸外国では、自国を含めてすべての国旗に適用するか、中国やフランスなどでは正反対で、自国の国旗を損壊すれば刑罰の対象となるのに、外国の国旗には何をしてもいいことになっています。

舞の海　また、なぜそんなことになっていたんでしょうか。

江本　「敗戦国だったから」という理由だそうです。「日の丸は自国のみならずアジア諸国に悲惨な戦禍をもたらしたのだから、戦前戦中の国旗は使うべきではなかった」というのが、共産党をはじめとする日の丸否定派の基本的な主張なんですよ。当然、今回の法律改正にも彼らは反対しています。

舞の海　国の象徴に対してそこまで自虐的になれるとは……。

江本　日の丸について言えば、戦後何度か意識調査がされてきましたが、だいたい85%前後の国民が「日章旗は日本の国旗にふさわしい」と答えています。もう答えは出ているんです。だから、いちいち法律を改正して「日の丸損壊の罪」を設けなくてもいいとは思いますが、どうもいまのままでは釈然としない部分が残っていたのです。

舞の海　ぜひ、法律は改正していただいて、それを契機にもう一度、日の丸の尊厳を国民に再認識してもらいたいものです。

江本　まあ、ことほどさように、戦後数十年間、国旗・国歌の問題を曖昧なまま放置してきたツケが回ってきているわけですよ。

「中国批判」ができない政治家&財界&マスコミ

舞の海　戦後の日本は、いわゆる「平和憲法」のもとで米国に守られながら経済大国になったわけですが、このところ、国の力がだんだん衰えてきていると思うんです。そして取って代るように、隣にいる中国が相対的に強くなってきました。経済力にしても、安全保障面にしても、大きな存在になってきましたよね。いままで敵とは思わず受け止めてきた相手が、徐々に力をつけて、相撲に譬(たと)えれば、日本は気が付いたら土俵のはじっこあたりまでジリジリ押し出されそうになっている。

江本　そうですね。経済的にはすっかり追い抜かれ、IT分野やAIなどの先進技術では水を開けられっぱなしですね。その間に中国は軍事力も増強してきました。そして、いま米国と互角に渡り合おうとしています。米国にとって、もはや中国が最大の脅威・

仮想敵になったことは間違いない。バイデン政権でも、トランプ前政権同様に、中国への警戒を怠ってない。

舞の海　ウイグルへの弾圧も「ジェノサイド」と認定していますからね。すると、日本は、今後はどういう態度で臨めばいいんでしょうか。

江本　まず、日本は米国にとっての最前線なのだから、もはや「守ってもらっている」という意識ではなく、「米国を守ってやっている」という姿勢で臨むべきだと思います。

舞の海　ようするに、それだけ中国の脅威が増しているということですよね。

江本　ええ。だから、中国にとって太平洋への通り道である尖閣諸島、台湾周辺の海域、東シナ海、南シナ海を制圧するためには、地政学的に日本が目障りになる。だから、もっと米国に日本の戦略的な重要性を堂々とアピールしなければダメですよ。四月の日米首脳会談では、そのあたりがちょっと話題になったかならなかった感じでしたが……。

舞の海　日本は「米国の軍隊を人質にとっている」ぐらいの姿勢で臨まないといけませんよね。日本のあちこちに米軍がいれば、中国もうかつに手を出せない。少なくとも沖縄の米軍基地は尖閣防衛の観点からも重要ですよね。そう考えて、日本は巧みに立ち回らなければなりませんね。

江本　そうです。横須賀は第七艦隊の基地(旗艦/揚陸指揮艦ブルーリッジ)であり、原子力航空母艦ロナルド・レーガンの母港なんです。海外の港を母港とする米空母はこれだけです。その海軍力も横須賀の基地のメンテナンスする施設や能力なくして稼働できない。日米双方がお互い、依存しあって協力しているわけです。

そしてその第七艦隊はどこを見張っているかといえば、地球の約半分の面積、太平洋の西側からインド洋に至るまでの海域です。主たる目的は何かって、それは中国の海洋進出を阻止するために決まっているじゃないですか。

舞の海　もちろん、それは日本にとっても脅威ですが、米国にとっても同じですね。

江本　彼らはもっと感じているでしょう。台湾や日本がもし中国の傘下になったら、グアムやハワイが太平洋での前線基地になるけど、かなり後退したところから、中国と対峙しないといけなくなるからね。中曽根さんがレーガンさん相手に語った「不沈空母」という言い方はちょっと気に入らないけれど、日本なくして米国の安全保障は地政学的にも成り立たないんですよ。

いっぽうで、沖縄の海兵隊や三沢の空軍基地にしたって、過去にアフガニスタンやイラク攻撃の発進基地になっていたし、青森に設置したXバンドレーダー(高性能ミサイル追尾レーダー）だって、米国本土を標的とするミサイルを防ぐためなんだから。まあ、それがひいては日本を守るということにつながるので、ずるい米国は、恩着せがましくふるまって「駐留費をもっと負担しろ」とか言ってくるんです。

舞の海　トランプ（前大統領）は「全部日本が負担するべきだ」なんて言い放ったこともあった。

江本　あれは大統領選のとき、無知な米国民を騙すためにやった、単なるアジテーションですけどね。バイデン（大統領）はよくわかっているから、日米は現実的に協議を進めています。それでも、現状維持で約２０００億円も負担することになっている。まさに「思いやり予算」という名の「みかじめ」です。そういう本質的なことを日本国民ひとり一人が認識しないと話になりません。

舞の海　私は、もっと日本国民が自国に誇りを持てるような外交をしてほしいんです。日本人は生真面目で、交渉下手であることを見透かされているような気がしてなりません。中国に対する態度だって、なんかこう弱腰というか、気を遣っているようでならないんですけれど。

江本　最近（２０２０年12月）、中国の王毅外相が来日したときも、あちらが尖閣諸島の領有をはっきり主張したのに対して、茂木（敏光）外相はその場で反論すらしませんでしたね。政治の後ろ盾となっている経済界は中国との関係を損ないたくない。ウイグル問題で、強制労働で収穫している綿花などの材料を使うのはおかしいと批判されても、ユニクロを展開するファーストリテイリングの柳井正会長兼社長は「ノーコメントだ」と述べるだけ。だから、日本政府も経済界も中国に対して奥歯にモノが挟まったような言い方しかできないんだと思うけれど、あれでは完全に中国にナメられます。議会もウイグル問題でジェノサイド決議どころか、中国を名指ししての非難決議すらままならない。与党にも反対する政治家がいるから呆れる。

舞の海　もう、一事が万事で、見ていて歯がゆいんですよ。ウイグルにしても尖閣にしても、なぜガツンと言わないんですか。「人権弾圧は許さない」「勝手に日本の領海に侵入するな」「帰ったら習近平にそう伝えろ」「尖閣に問題なし」と。向こうは、平気の平左で、ウイグルは平穏、尖閣は我が中国領土だと言いたい放題。

江本　日本はいつも「大人の対応」です。それが通用するのは文明国家どうしの場合。中国共産党による一党独裁国家相手には通じないことはわかっているはずなのに。だいいち、尖閣の領海内に、毎日のように入り込んでいる中国の武装艦船のことを「公船」

と呼ぶこと自体おかしいんですよ。政府はともかく、メディアまでそう報道している。あっちは沖縄の漁船を「正体不明の偽装漁船」とか失礼千万な言い方をしているのに。

舞の海　本当は波風が立っているのに、たいしたことないように国民に伝えているわけですよね。

江本　侵入してきているのは、人民武装警察の「海警」という組織です。去年、組織改編が行われて、共産党の人民軍事委員会の下に置かれています。「俺たちはヤル気だぞ」ということです。しかし、平和ボケしている日本のマスコミは、実態を伝えようとはまったくしていないんです。

舞の海　最近、日本人が大勢利用しているＬＩＮＥの個人情報が中国に筒抜けになっていることがバレましたよね。あれを聞いて、ここまで日本人は平和ボケしているのかと、驚きました。財界がビジネス面で中国を無視できないってことはまだわかるんですが、そういう目先のことばかりにとらわれていると、気が付いたら日本の中身が全部中国に改造されてしまうんじゃないかと不安です。そうなったときにはもう手遅れですよね。

江本　だから、政治家もそうだけれど、マスコミもしっかり「国益とはなにか」を考えて報道してもらいたい。

日本が乗っ取られるという危機感が欠如している

舞の海　それにしても、中国はそんなに「海」が欲しいんですか。

江本　はい。なにがなんでも欲しい。防衛省の関係者や歴史家の先生からもよく聞かされるんです。中国は「大陸国家」で、いつも「陸」でばかり戦争をしてきた国だし、いっぽう海に対しては目をつぶってきたというんですね。過去に海へ出ていって勝ったためしもなく、それが「負の歴史」になっていて、コンプレックスでもあったと。元寇では神風に2度も追っ払われ、アヘン戦争では英国に香港をぶんどられ、日清戦争では日本に負けて領地(台湾)を奪われた記憶があるから。

舞の海　だから、大国になったいま、積年のうらみを晴らしてリベンジしてやるぞということですか。

江本　そうですね。もちろん、「台湾」など中華帝国時代の領土を回復したのちには〝世界征服〟が最終目的なんでしょうが、そういう、屈辱を晴らしたいという思いもある。

舞の海　なんか、そういう、いまに見てろといった、モチベーションを個人や国が持つこと自体は大事だなとは思います。勝負の世界に通じるものがあるような……。でも、他人や他国を踏みにじって、自分だけがのしあがろうというのは間違った動機ですよね。そんな価値観が許されるわけがない。

江本　彼らにはそういう国家の大計（野望）があることをよくわかったうえで相手しないと、大変なことになりますよ。恐ろしいのは、中国には「人口侵略」という長期戦略があるってことです。なにしろ人の数だけはやたら多いですから、どんどん日本にやってきて、さっき舞の海さんが言っていたように、気が付いたら日本列島が中国人だらけになって、日本人は日本国の領土（土俵）から追い払われて国土そのものが乗っ取られるかもしれない。

舞の海　南モンゴルやチベットやウイグルのように、日本人が少数民族になって迫害されてしまうんですか。とんでもない話ですね。そういえば、何年か前（2014年）にロシアがクリミア半島に侵攻して、ウクライナから奪い取りましたよね。あれと同じようなことを中国がしでかさないとは限りませんね。

江本　可能性がないとは言えません。ロシアは武力を使って併合してしまった。戦略拠点として、ロシアはどうしてもあの場所を手に入れたかったんです。現地のロシア系住民が脅威にさらされているというのも口実のひとつでした。何年もかけて、用意周到にやったんです。当然、ウソや捏造を使ってのプロパガンダを徹底しました。

舞の海　南モンゴルやチベットやウイグルへの進出というか侵出だって同じようなものじゃないですか。国際社会からソッポを向かれても、やると決めたら絶対にやるところが恐ろしい。

江本　以前、参議院の外交防衛委員会の委員をやっていた頃、委員長に「質問はありますか」と言われて、僕はこう言ったんですよ。「日本の領土を奪うために、中国人が漁船で1億人押し寄せてきたら、いったい誰がそれを止めるんですか」って。領海に入ってきたら自衛隊と海上保安庁の役割はどう分かれるのか、上陸したら警察が捕まえるのかなど、はっきりしないから尋ねたんだけれど、役人から鼻で笑われましたよ。「そんな空想的なアホなこと、ここで質問するなよ」みたいな態度だった。

舞の海　それ、20年ぐらい前の話ですよね。でも、いままさに「そこにある危機」になっているじゃないですか。フィリピン沖、南沙諸島にもこの3月以降、中国船が200隻以上停泊したりして示威行動をしていた。尖閣にもかつて似たようなことをした。

江本　尖閣周辺が慌ただしくなってきたものだから、最近、自民党の国防部会あたりが盛んに議論を始めましたね。いまだに海からの攻撃、侵入、島嶼防衛に関する態勢が整っていないということ。このユルさには正直、呆れていますよ。

舞の海　まったくですね。自衛隊基地周辺などの私有地を外国資本が購入することを制限しようとかやっていますが、日本の政治家やマスコミはその頃からいまに至るまで、「線が細い」というか、芯がないような気がします。それでは外交をやっていてもすぐに寄り切られてしまいますね。

江本　中国は、普通の国家が考えもつかないような、いろいろな「ひねり技」を出してくるので、本当に警戒しなきゃいけません。

舞の海　日本は自国を脅かし、国益を脅かす国ばかりに囲まれているのに、なぜこれほど国民は呑気でいられるのか、よくわからないんですよね。

江本　たしかにね。台湾、尖閣、ひいては沖縄や日本本土と太平洋が欲しくてたまらん中国に加えて、こちらにミサイルを向けて虚勢を張っている独裁国家（北朝鮮）、北方領土を返しもせず平気で武力侵攻するような国（ロシア）……それに「反日」が国是の隣国（韓国）。かなりヤバい国々が揃っているんだけれど、けっこうノホホンとやってますね。

舞の海　「平和ボケ」なんですかね？　だとしてもこれだけの「危機」に直面しても、未だに憲法9条も改正されない。国会でも、空想的平和・理想主義のホンワカした人たちの声がけっこう大きくて、まともに議論すらできていませんよね。

江本　ぜんぜん話が進まないんですよ。国会でなにをやっているかというと、この数年、モリカケやら桜を見る会、最近ではコロナ禍で自民党（&公明党）議員が銀座で遊んでいたとか、役人たちが大勢で宴会やっていたとか、菅（義偉）首相の長男が総務省の幹部を接待した疑惑とか……ともかく、野党が政権の不手際やミスを追及するだけの場になっている。少なくとも、国民にはそう映っていますよ。外交安全保障や憲法問題など、もっと重要なテーマがたくさんあるのに、「週刊文春」や「週刊新潮」を手にして、その記事を根拠に罵詈雑言浴びせて、政府の足を引っ張るだけのパフォーマンスを繰り返している。不毛な議論が延々と続いています。

舞の海　追及するときの、野党議員の態度が居丈高で気持ち悪い。

江本　僕らスポーツマンから見たら、ああいう礼儀知らずはいちばん許せない態度ですよね。それこそ、いっぺんシバかないとわからんと思うんですよ（笑）。

舞の海　気持ちはわかりますが、国会の公開の場で、「江本議員」がシバいたら大変です

（笑）。それこそ除名？

江本　ちょっと言い過ぎたけど、それぐらい腹立たしい。当然、国民からも共感されないと思います。

相撲も国家も〝専守防衛〟では勝てない

舞の海　安倍政権時代には前進するかと思えた憲法改正の動きも、止まったままですね。

江本　立憲民主党や共産党は、国民投票法の改正案を巡る憲法審査会に出席しようとすらしなかった。今年の通常国会でも改正案に関してやっと採決が行なわれ成立することになりました。総選挙前に改正案が成立したら、旧総評系官公労組合（自治労・日教組など）の支持層から総スカンを食らうのが怖かったんでしょうが、さすがにサボタージュも限界と判断したのでしょう。それでも、立憲民主党がCM規制などについて「3年をめどに検討し、必要な措置を講ずる」という付則を盛り込む修正案が認められたとして、当面改正案の提出はできないとか抗弁しています。

舞の海　どうしようもないですね。そもそも、専守防衛という考え方自体が私は納得できないんですよ。敵が攻め込んできたら戦う、それまでは戦えないと言ったって、それで本当に国を守れるもんですか。敵国が日本に向けてミサイルをぶっ放したり、ぶっ放そうとしていたら、その発射基地、敵地を攻撃するための攻撃能力を持ってはいけないとは？　それでも日本が守れるとは？

江本　妄想でしょう。

舞の海　これまた相撲にたとえると怒られるかもしれませんが、よっぽど力の差がないかぎり、先に攻めさせておいて勝ち切るのは難しいです。立ち合い負けしたら、偶然勝つこともありますが、かなり分が悪い。大鵬さんクラスの強い人なら盛り返せるけれど、普通の横綱でも無理ですよ。だから、この9条がいまだにそのまま残っていて、改正に反対する人たちが大勢いるってことが信じられません。

江本　憲法問題でいちばん不思議に思うのは、反米を唱える左派がその嫌いな米国が押し付けた憲法をどうして後生大事に守ろうとするのか、ということです。単純によくわからない。

舞の海　おっしゃるとおりです。

江本　もちろん、日本人が独自に草案した部分もあるからといって、それを根拠に「押し付けではない」と言い張る人々もいるわけだけれど、そもそも占領軍に統治されていたときに作られた憲法ですからね。GHQがOKを出さなければ通るわけがないのは当たり前です。

舞の海 そういう屁理屈を針小棒大に主張されると、「あ、そうか。押し付けられたんじゃないんだ」と誤解して護憲に回る人たちも多くなりますね。

江本 それは、いわゆる「東京裁判史観」とやらに洗脳されているだけです。

舞の海 いまの憲法って、家に他人が入ってきて、「きみ、ここを掃除しなさい」とか「あなたがた家族はこういう生活をしなさい」と言われて、それに従っているのと一緒じゃないですか。家族のルールは家族だけで決めるべきでしょう。米国にルールを押し付けられたままで、平気でいられるのが不思議です。

江本 共産党なんて、もともと現憲法の制定に大反対していたんですから。戦後間もない頃、野坂参三議長（当時）は国会で「わが党は民族の独立のためにこの憲法に反対しなければならない」と演説している。正論ですよ。その後、「自衛隊は憲法違反だから解散させて、憲法改正の後に自衛軍を創設しろ」とも主張しました。れっきとした改憲政党だったのに、いまや「憲法9条こそが日本の宝だ」みたいなことを言っている。いったい、どうなっているの。護憲を唱えている人たちの頭の中身は、きっとグチャグチャなんですよ。

舞の海　おかげで、自衛隊は手足を縛られたまま軍備だけさせられて、未だに一部の国民からは冷たい目で見られてしまっている。平時は自衛隊を毛嫌いして、いざとなると自衛隊に頼る。

江本　普通の国は、自国の「軍隊」や「軍人」のことを尊敬して頼りにしていますよ。国を守ってくれているのだから、それが国民の総意というもんでしょう。ところが、日本はそうなっていない。「警察」や「自衛隊」に対して「税金ドロボー」と罵っていた人たちがいた歴史的事実は忘れてはいけない。本当は日教組こそ「税金ドロボー」だったともいえるわけですが、それはともかくとして、平和ボケもたいがいにしろと。

舞の海　せめて憲法改正の発議をする条件を変えてはどうかと思うんです。たしか、現在は衆参両議員のうち3分の2の賛成で発議できることになっていますが。

江本　憲法96条でそう定められていますね。たしか2016年の参院選で改憲派が3分の2以上になったときに「改憲論が加速する」と言われましたが、その2年前に自民党が作った「憲法草案」が突っ込みどころ満載だったこともあって、世の中の空気がそうならなかった。結局、次の参院選（2019年）で3分の2割れしてしまいました。

舞の海　でも、自民党（公明党）以外の野党にも改憲派の議員はたくさんいると思うんですよ。

江本　国会というところは駆け引きの場だから、どうしても党利党略が優先されるんです。憲法審査会でも、国民投票には金がかかりすぎるとか、テレビCMを流せるのは金を持っている与党だけなので不公平だとか、そんな細かい話ばっかりしていた。もっと大局的に議論してもらいたい。

舞の海　そうですよね。私は、あの前文からして変だと思うんです。「平和を愛する諸国民の公正と信義に信頼して、われらの安全と生存を保持しようと決意した」とありますが、いったい何ですか、これ。中国や北朝鮮に日本の安全と生存を託したい人なんているんですかね。護憲派の教師たちは子どもにどう教えているんでしょう。

江本　都合が悪いからスルーでしょう。だいたい、日本語としてもおかしい。そのまま70年以上、よく改正もせずに過ごせたと思います。

舞の海　それから、日本が戦後ずっと平和と安定を手にしてきたのは「憲法9条があったから」というのが、護憲派の一貫した主張です。それもおかしくないですか。

江本　ウソです。自衛隊と日米安全保障条約があったからです。抑止力のない平和はありえない。それはもう常識でしょう。ウクライナがロシアに侵攻されたのは、ウクライナがＮＡＴＯに加盟していなかったから。ＮＡＴＯに加盟しているバルト三国は大丈夫。

舞の海　たしかにそうなんでしょうが、ただ、日米安保条約が機能しているからそれでよいという発想自体がどうも釈然としません。ともかく、他人に守ってもらっているという状況そのものが居心地悪くてしかたがないです。

江本　米国の力だって、いつまで続くかわかりませんよ。相対的に中国が上回ることだって十分にありえる。

舞の海　相撲の世界でも、インタビューされた力士が「いや、明日は真っ向勝負でいきます」と言っておきながら、翌日の立ち合いで変化することがあります。私も現役時代、「この相手はそんな立ち合いをしたことはないけれど、もしかしたら今日やるんじゃないか」と想定しながら土俵にあがっていました。どんな展開になってもいいように準備だけは怠らない。経験を積むごとに、そういう気持ちが養われていきました。

外交や防衛だって同じではないですか。日本が有事になったときに果たして米国は助けてくれるのか、全面的に信用していいのかどうか。日本は米国にとってしょせん他人だし、彼らは自国の国益しか考えていないのだから、日本がいくらか傷ついても気にしないでしょう。期待するほど手を差し伸べてくれなかったときに、日本は自力で戦うことも想定しておかないといけない。日頃から一定の力をつけておかないとダメだと思うんです。

江本　自力で戦える準備をしておくことは当然として、米国がアテになるかどうかは状況次第でしょうね。日本のみならず台湾有事となっても、米軍にそれほど期待はできないけれど、近所にある台湾になにか起こりそうになったら彼らは本気で乗り出すでしょうね。台湾海峡は死活的な場所ですから。安倍前首相が提唱した「自由で開かれたインド太平洋」構想はそういう意味で中国に対してかなり大きな脅しになっているとは思います。クアッド（日米豪印戦略対話）の協力関係がもっと強化されていくといい。それなくして中国の野望を挫くことはできませんよ。

いずれにせよ、中国相手にはアメ（経済協力）ばかりではなくムチ（制裁）も時には見せながら出方をうかがうことが大切だったんです。それを怠った日本やアメリカは大きな代償をこれから払うしかない。

第四章

「暴走するメディア・SNS」から日本を救えるか?

「反日メディア」のデマに惑わされるな

舞の海　6年前に安倍政権が「平和安全法制」の制定を掲げたときに、国会前で反対派が集会を開いて、「戦争ができる国になる」とか「夫や子どもが戦場に送り込まれる」とか叫んでいましたね。成立して施行されている現在、そうなっていますかね。また、そうなりかけているんでしょうか。

江本　そんなの、日本の様子を見ればわかるでしょう。嘘八百めいたスローガンを作って民衆を煽動するのは左翼の常套手段でして、あのときも平和安全法制に「戦争法」というレッテルを貼って国民を惑わしました。言いたいことしか言わないし、聞きたくない話には耳をふさぐ。安全保障の国際的な常識や同盟国との関係なんて無視していますから。

舞の海　ですよね。それに、「いまの日本は戦前の雰囲気に似ている」とかよく聞くのですが、まったくピンときません。

江本　それ、左派系の新聞が盛んに喧伝しているデマです。「戦争に向かっている」と言いたいのでしょうが、なにを指して言っているのか意味不明です。だいたい、戦前の雰囲気って、お前ら当時の雰囲気を肌で感じることができるのかって。戦争を始めるにはやっぱり国全体の民意が絶対に必要で、そういう熱気とか高揚感がなければ政治家の一存で決められるわけがない。それがいま、ありますかって。

舞の海　日本人をビビらせて、萎縮させようとする左派系の仕業ということですね。

江本　朝日新聞のような左派メディアは、かつて国民に戦意を植え付けたという罪悪感が多少なりともあるから、今度はせっせと「反日」に勤しんでいるんですよ。実は中国が後ろで操っていて、「日本に好き勝手はさせないぞ」という意図をもって彼らにそう書かせているのではないかとさえ思うんです。

舞の海　あまり深く考えていないかもしれない？

江本　そう。職業左翼。権力を批判したり、不正を暴いたりすることがメディアの義務だと信じている。それは大いにやればいいのだけれど、問題はそれしかないってこと。この国をどう思っているのか、どうしたいのかわからない。ただ食い扶持のためだけに反権力、左翼を標榜しているだけに見えます。それで新聞が売れて、視聴率が稼げる時代もありましたからね。でも、もうそういう時代ではなくなりつつありますが、それでもまだそんな「過去の栄光」にしがみついているマスコミもある。

舞の海　なんだか、真面目に反応するのがバカらしくなってきますね。

江本　共産党が改憲から護憲に鞍替えしたのを見てもわかるとおり、左派の言い分は本音ではなくご都合主義じゃないのか。そうでも思わないと理解できないんですよ。

舞の海　なるほど。私が憲法を改正してもらいたい本当の理由は、もちろん9条のこともあるけれど、内容以前に日本人の手で、正しい日本語によって日本人らしい憲法を作ってもらいたいからなんです。日本の風土や伝統的な考え方を踏まえて、国民が自国に誇りを持てるような文言にしてもらいたい。これは本心からのものです。

江本　改憲派の政治家は、左翼が流すデマや風評に対してしっかり対抗して、そういう基本的なところで議論を展開していただきたい。

護憲的改憲論が大事

江本　いまでもそうだと思いますが、国会議員をやっていた頃、毎年、議員手帳が送られてきたんです。そこにはスケジュール表はもちろん、議員活動に必要な情報に加えて憲法全文が載っていて、それを読みながらいろいろ考えたんですが、ずっと気になっている条文があるんです。それが憲法12条です。

第十二条。この憲法が国民に保障する自由及び権利は、国民の不断の努力によつて、これを保持しなければならない。又、国民は、これを濫用してはならないのであつて、常に公共の福祉のためにこれを利用する責任を負ふ（第三章　国民の権利と義務）。

一番大事なフレーズは「濫用してはならない」という部分。これ、いったい何を言っているかというと、「国民に自由や権利はあるけれど、それをむやみに使ってはいけないよ」ということ。たとえば、21条で言論をはじめとする表現の自由は保障されているけれど、報道だからといって、「慰安婦報道」などにみられたような捏造など「やりたい放題」はいかんと定めていると解釈できる。事実上の制限がかけられているんです。

舞の海　基本的には表現の自由は保障するけれど、他人のプライバシーや肖像権を侵してはダメということですよね。

江本　それもあります。でも、かなり大雑把な規範ですよね。ここで言う「公共の福祉」とは、国民全体が安心して社会生活を送れるような状態、または権利と権利がぶつかり合うときに、ちょうどいい具合に調整されている状態を指しているんだと思います。国家が個人の自由を押さえつけることはできないが、国民にも社会を乱すような自由を行使する権利はないよ、という意味でしょう。また、これって一種の倫理規定なので、最終的な判断は、それぞれの道徳心や常識に委ねられているんです。

舞の海　そうですね。ただ、その倫理に反することをしたら、罪に問われますよね。

江本　ええ。それは憲法13条で定めている「幸福追求に対する国民の権利」を侵害したことになる。この「権利」も、ちょっと抽象的でわかりにくいんですが、つまり、舞の海さんが言ったプライバシー権や肖像権、それに名誉権などです。これが表現の自由とぶつかり合うんです。だから、吉田某や某新聞のように、ありもしない「慰安婦強制連行」をあったとして偽証したり、それが嘘と分かっても事実だと報じたりするような「言論の自由」や「報道の自由」は本来あってはならなかった。そういう虚報のために「日本国の名誉権」は歪められたわけですからね。

舞の海　どちらの権利が強いのか、それぞれのケースでも違うでしょうし、実にデリケートな問題ですね。

江本　たしかにそうです。憲法学者や法律家でさえ、解釈の仕方で意見が分かれることがありますから。ただし、僕が素人目線で感じているのは、天下の大マスコミがこの憲法12条をないがしろにしているということです。
　慰安婦虚報にしても、昨今はＳＮＳなどで他人を誹謗中傷する投稿や捏造情報を巻き散らす輩が多いので、徐々に規制の度合いが強まっているのは確かです。「プロバイダ責任制限法」や「ヘイトスピーチ規制法」など、たぶん憲法12条に基づいて成立した法律もあります。しかし、大マスコミ、特にテレビの報道ぶりにも酷いものがあるけれど「報道の自由」をタテに言い逃れをしている。

舞の海　最近耳にする「偏向報道」ですね。

江本　そうですよ。放送法4条にも書いてあるように、「政治的には中立に」「報道は事実を曲げない」ようにしなければならないのに、ちゃんと守られていないと感じるのは僕だけでしょうか。彼らは公共の電波を使って立派に「自由」を「濫用」していますよ。同法には「意見が対立している問題については、できるだけ多くの角度から論点を明らかにすること」とも記してあるけれど、コロナ報道なんか、どこの局もそんなこと守っていないでしょ。

舞の海　本当のことを国民は知りたいのですが。

江本　そうですよ。もうおわかりのとおり、これまでの中国武漢発の新型コロナウイルスに関する報道がその典型でしょ。朝から晩まで、ウイルスの恐怖と経済的な不安を煽り立て、政府や自治体のミスをあげつらうだけ。なぜ「そうではない側面」は伝えないのか。これも冒頭で言いましたけれど、なかには、「ウイルスはそれほど怖くない」という意見をデータをもとに示したり、PCR検査の信ぴょう性を否定したりする医師がたくさんいるのに、完全無視じゃないですか。これ、放送法違反であり、ひいては憲法12条に抵触するんじゃないかと思いますよ。

舞の海　国民は様々な意見を聞きたい。

江本　憲法12条は以前から気になっていたんだけれど、この1年以上にわたるコロナの報道を見て、強くそう思うようになりました。だから、憲法は日本人の手できちんと改正するべきですが、守るべきものは守っていかないとならない。護憲的改憲論が大事。それを日々痛感している次第です。

舞の海　私もいまのお話を聞いて、共感するところが多かったです。

暴走するメディア・SNSの「魔女狩り」が日本を滅ぼす

舞の海　ところで、ネット社会では、有名人のスキャンダルや失言、態度に対してSNSで誹謗中傷を繰り返す風潮がありますね。江本さんは「日本人は誰かがイジメられるのを見て楽しんでいる」みたいなことをおっしゃっていましたが、それこそ、白と黒に選別して、黒の側にいる人間を白側が総攻撃して滅ぼそうという心理のような気がします。日本人の心に宿っているはずの礼節が失われつつあるようで、ちょっと怖い気がするんです。

江本　世の中が不寛容になってきましたね。SNSはたしかに便利なコミュニケーションツールなんだけれど、ときおり酷いことが起こります。去年、娯楽番組に出演していた女性がSNSで口汚く罵られて、自殺した事件がありましたね。その一件をきっかけに議論が進み、今年4月には「プロバイダ責任制限法」が改正され、発信者情報が開示されやすくなりました。

舞の海　つまり、法律によってバッシングの取り締まりが強化されたんですね。

江本　ええ。でも、法律を強化しなければならないこと自体が残念です。気に入らない人間を一方的に攻撃して、それが集団心理によってエスカレートする。日本人って、そういう民族だったのかなって。法律で縛らなくても、日本人はマナーの範囲で行儀よく行動する人たちだと思っていました。でも、近ごろ、それは勘違いだったかな、という気がしてきました。

舞の海　SNSは匿名が基本ですから、自分が誰だかバレなければ何を言ってもいいと考えてしまうんでしょう。日本人は「空気」を読んで行動しますし、その「流れ」が大きくなれば、大勢が同調して増幅していきますね。

江本　SNSにおける攻撃性を見ると、「空気」と「同調」というのがいかに恐ろしいか。コロナ禍が続くこの1年余りで、それが確信に変わりましたね。

舞の海　緊急事態宣言が出て、要請レベルでも国民は大人しく従っていてコロナで国民が奴隷のようになっている。真実を伝えようとしている人達もいますが状況は厳しいですね。

江本　ええ。東京五輪に関しても、「中止しろ」という声が広がり始めると、どうしても「開催してほしい」とは言いづらい空気が出来上がりましたよね。

舞の海　水泳の池江璃花子選手に対する「出場辞退の要求」や「五輪に反対してほしい」というメッセージも、その空気が後押ししていたような……。

江本　なかにはずいぶんと酷い中傷もあったようですね。たしかに空気の流れはあったと思いますが、あれは政治活動くさかった。池江選手を使って五輪をパーにして、菅政権の足を引っ張りたい勢力の仕業だったと、僕は見ています。投稿者が誰かわからないようにするために、サブアカウントをつくってすぐ逃げられるようにして、悪口雑言を浴びせる。陰湿で弱い人間のすることです。こういうことを言うと、「政府や組織委員会も五輪の宣伝に池江選手を利用していたじゃないか」と、反論してくるヤツがいる。「じゃあ、正々堂々と名乗ってから言え」と言いたいですけどね。僕と同郷のジャーナリスト（作家）の門田隆将さんが、最近、この本と同じワックから『新・階級闘争論 暴走するメディア・SNS』という本を出していますが、本当に「暴走」していますよ。

「同調圧力」に左右される「世論」の危うさ

舞の海　世論というのは、公平に論じあって形成されていくものだと思うのですが、どうもいまの日本はそうではないような気がします。言いたいことがあるなら、自分が何者であるかをちゃんと明らかにして、議論の場に出てくるべきですよね。

江本　外国人からよくこんなことを指摘されます。「なぜ日本では電車のなかで『お年寄りやカラダの不自由な方に席をお譲り下さい』と、いちいちアナウンスするのか」って。たしかに、それではマナーというよりルールを示されているかのようです。欧米では、誰も見ていなくたって女性の前では男性がドアを開けるし、年寄りが行列に並んでいれば、一番前に連れて行ってあげます。「日本人は礼儀正しい」という考え方は幻想にすぎない、という説もありますね。本来は嫉妬深くて、キレやすい国民性なのだという。本当はどうなんだろうと。日本人は、変に権利意識が強いもんだから、いったん手にした権利を侵害されるとすぐにカミつく。列に割り込まれると、たとえそれが高齢者だろうが、なんかムカついてしまう。

舞の海　日本人のマナーの良さは実を言うと、嫉妬心や権利意識を抑え込もうとする「同調圧力」に依存していると見ることも可能かもしれません。

江本　たしかに……。全部とは言いません。でも、人目のないところでは結構マナーがなっていない人が多いですよ。圧力がないからね。

舞の海　そもそも、なぜ車内に優先席を設けたんでしょうか。「席を譲る」という行為は、日本人には自然にできないから、わざわざそうしたと取られても仕方ない。

江本　なんか自虐的な話になってしまうんですが、日本人は古来ムラ社会で生きてきたから、抜けがけしたヤツに対する嫉妬や攻撃性は相当なものだったでしょう。だから「出る杭」は打たれてきたんです。日本人はそれをどこか自覚しているところがあって、同調圧力を利用することでうまく社会を収めてきたんじゃないかな。考え過ぎでしょうか。

舞の海　うーん。で、杭の数が増えるだけ増えれば、今度はそっちが「主流」になるというわけですね。

江本　そういうことでしょうね。しかし、それで社会が成立してきたのだから、悪いことばかりではないとも思えます。日本人は皆が同質であることを良しとするし、それが強い団結心につながっている。それにとても繊細だから、人間関係においても微妙な個性の違いを感じ取るし、空気を読み取るのがうまい。

「コロナはさざ波」「ゼイタクは素敵だ」と言えない言論封殺を許すな

舞の海　最近のＳＮＳ上でのバッシングやネットトリンチの話に戻りますが、新型コロナウイルスの感染状況について、内閣官房参与を務める高橋洋一・嘉悦大教授が、２０２

1年5月に自分のツイッターで「日本はこの程度の『さざ波』。これで五輪中止とかいうと笑笑」とか「日本の緊急事態宣言といっても、欧米から見れば戒厳令でもなく『屁みたいな』ものでないのかな」と投稿したことに、大きな批判が集まりましたね。炎上したともきいています。参与の辞任に追い込まれてしまった。

江本　髙橋さんに「内閣官房参与」という肩書があるから、菅政権批判の恰好のネタになったのでしょうね。でも、それもひとつの見方でしょう。言論の多様性を日頃大事にする大手新聞などがケシカラン、亡くなった人もいるのに不謹慎な言い方だと批判するのもヘンですよね。「ゼイタクは敵だ」というスローガンが絶対だった戦前戦時中に、「ゼイタクは素敵だ」というようなもので、これもひとつの見解だということで「さざ波」が本当なのかどうかを検証するならともかく、不謹慎で許せないと言論封殺をするのはおかしい。

舞の海　ここまで「同調圧力」が酷くなってきたのは、メディアの変化もあるんじゃないですか。

江本　大いにあります。こうしたネットメディアが特に酷い。ネットの反応を大手マスコミが記事にすることで増幅して「ネットリンチ」を正当化していく。有名人のスキャンダルはもちろん、ツイッターやテレビ番組で過激な発言をしたコメンテーターに批判が殺到しているとのニュースや「誰それのツイートが炎上中」などといった記事を大量に発信しています。また、コロナ禍については、政府の対応に批判的なニュースばかり流す。政府寄りというか、違った角度からのコロナ分析を表明した髙橋さんなんかは魔女狩りというか人非人のような扱いで徹底的にこきおろす。

要するに、「新聞世論」という名の自分たちのマスコミの見解に背くような言論を展開する言論人などには「タカ派」「差別主義者」といったレッテル貼りなどをして叩くわけですよ。それに煽られる形でネット空間に巣くう人々が、窮屈な生活を強いられているストレスを一番わかりやすい政府という「敵」にぶつけたりする。そういうネタのほうがアクセス数を稼げるからですよ。

舞の海　商売だから仕方ないという面もあるでしょうが、行き過ぎると日本社会の「分断」を助長することにつながりますよね。月並みですけれど、もっと節度ある報道をしてもらいたいと思います。

江本　日本には武士道という倫理観があって、いまも武道のなかに宿っているじゃないですか。相手を敬う心、礼儀の基本をもっと日本人は武道から学んだほうがいい。

舞の海　「勝って驕らず、負けて僻まず」――相撲界に入って以来、私はその精神を叩き込まれましたが、それは、うっかりすると日本人は驕ったり僻んだりする性質があるから、「あえて肝に銘じなければならない」ということなのかもしれませんね。

「小泉ワンフレーズ政治」は「勧善懲悪」のドラマ

舞の海　日本人は「空気＝風」に流されやすいという話をしてきました。もともとそういう気質があるとして、それがハッキリ表面に出てきたきっかけは、コロナ禍より以前にあったんじゃないでしょうか。

江本　それは、小泉（純一郎）政権時代からだったと僕は思うんです。2005年、小泉さんは郵政民営化に対してイエスかノーかの二者択一を国民に迫るという、解散・総選挙を行いましたよね（いわゆる『郵政選挙』）。あれがきっかけですよ。

舞の海　小泉さんは「自民党をぶっ壊す」と言って総理大臣になり、「聖域なき構造改革」とか、わかりやすいキャッチフレーズ、ワンフレーズを連発して人気がありました。ただ、郵政民営化と言われても、それが本当に必要なのかどうか、ほとんどの国民は考えてもいなかったんじゃないでしょうか。

江本　興味もなかったでしょうね。郵政民営化については、金融業界や米国政府からの圧力があったとか、政敵の旧橋本派を潰すためだったとか言われていましたが、ずいぶん若い頃からの念願だったことは確かなようです。『郵政省解体論』（光文社）という本を１９９４年に出していますから。まあ、その内容はともかく、僕が言いたいのはその「やり方」ですよ。抵抗勢力という「敵」を作り上げて、言うことを聞かない自民党議員は除名し、その選挙区には「刺客」を送り込んで潰していくという、あの演出。

舞の海　「小泉劇場」とか言われていましたね。国民の大半がその手法に乗せられて、政策なんかそっちのけで盛り上がっていたような気がします。

江本　中身じゃなくて、さっき出たようなワンフレーズにまずメディアが飛びついて、それで世間が「面白い」と感じてお祭り騒ぎになった。当時、僕は頼まれて反対派の候補者の応援演説をしたんだけれど、もう全然手ごたえがなくてね。異様な雰囲気だった。

舞の海　そうでしたね。

江本　当時、僕は聴衆に問いましたよ。「みなさん、郵政民営化４法案とは、どういう内容か知っていますか。文書にするとこんなに分厚い（10㎝以上）んですよ。皆さんがこれ全部読んで、理解したうえで賛成、反対を決めるんですか」って。僕らだって読まないですよ。それを、あの総理大臣は「改革なくして成長なし」なんてひと言（ワンフレーズ）だけ叫んで、民衆を引っ張っていった。

舞の海　引っ張られましたね。

江本　これね、スケールは違うにしても、権力者の手口としてはヒトラーと同じじゃないのかと思いましたよ。演説するときの迫力や言葉の選び方ひとつで、民衆は引き付けられるんですね。それはまるで勧善懲悪のドラマです。このときから、あらゆる事柄を「白か黒か」に分けて、両方が混ざり合うグレーの部分を全部排除するような風潮が日本社会に定着していったんじゃないかな。本来、日本人はいい意味でグレーな世界を大事にしてきたと思うんですよね。

舞の海　小泉さんの手法はよく「ポピュリズム政治」と言われていましたが、これは大衆の心理をうまく操作して、大多数を味方につける戦略的な政治という意味ですよね。

江本　さらに言うと、勝ち負けをはっきりさせて、負け組、つまり少数派の主張には一切耳を貸さず、大衆の支持を笠に着て、やりたい放題やる政治でしょうか。そして、「官から民へ」という旗印を掲げて、それが「自己責任論」へと結びついていく。その流れを見ていて感じたんですよ。「政治って怖いな」と。

舞の海　ちなみに、当時は郵政より重要な争点もあったんじゃないですか。

江本　そうですが、小泉さんのアタマのなかには「郵政民営化」しかなかったんですよ。僕が議員を辞める直前（２００4年）、最後に参議院の決算委員会で質問することになったんです。民主党の国対委員長だった輿石（東）先生に「お前に50分やるから、好きなようにやれ」と言われて、教育問題と首都機能移転について訊ねました。小泉さんも著書でその2点について熱く語っていたのでね。ところが、質問するといきなり鼻で笑われたんですよ。「江本議員、いまはそんな時代じゃないよ。郵政民営化だよ」って。それで終わり。がっかりすると同時に、「この総理大臣、郵政民営化以外アタマにないのか」と思いましたね。

舞の海　拉致被害者を北朝鮮から連れ戻したとき（２００2年9月）には、この人の手腕は凄いな、リーダーシップのある人だなと思ったんですが……。

江本　それはその通りです。取引がうまいし、突破力があった。空気を読む力と作り出す力は抜群。天才的と言ってよい政治家でしたよ。

舞の海　相当な人たらしだったのでしょうね。なんか、そんな感じがしました。

江本　僕もけっして嫌いではなかったですよ。顔を合わせると「元気か」ってよく声をかけてくれました。選挙運動でも一緒になったことがあって、「俺の後について来いよ」と。そうすると、人がたくさん集まるんですよ。田舎の公民館に寄って候補者と壇上に立って、ちょっと挨拶だけして、「はい、エモやんくるから……」って次の会場へむかう。そこで政治の話をしても意味がないことをよくわかっているんです。実に要領がよかった。

「郵政民営化」から受け狙いの「原発ゼロ」へ

舞の海　小泉さんは、その後「原発ゼロ（脱原発）」というワンフレーズを持ち出して、いまも元気にやってらっしゃいます。まだまだ人気があるし、左派の人たちは大喜びですね。環境大臣をやっている息子さん（小泉進次郎）も親に似てパフォーマンスが巧みだ。

江本　7年前（2014年）の都知事選で細川（護熙）さんを担いだときからですね。元首相同士がタッグを組んで話題になった。というより話題を作りました。福島第1原発事故からちょうど10年経った今年3月11日には、なんと鳩山（由紀夫）、菅（直人）のご両人と元首相トリオで脱原発集会を開いていました。「脱原発に右も左もない」とかおっしゃっていましたね。たしかにそうかもしれませんが、だったら首相だったときに言えよと、みんな思ったんじゃないですか。

舞の海　権力の座にいるときは、気が付かなかったってことでしょうか……。あ、そうか、そのときは、郵政民営化しかアタマになかったんですもんね。

江本　そうそう。あの人の口からエネルギー政策なんか聞いたことなかったですよ。基本的に郵政以外は全政策を側近に丸投げしていましたから。そして、福島で事故が発生して、日本中で「原発は怖い」というムードが高まって、その気運に乗ったということなんでしょう。安倍前政権の原発政策に対しても、公然と批判していました。そうやって対立軸をつくって、わかりやすく「敵」を攻撃するスタイルは首相時代と変わっていません。

舞の海　空気を読んだ、とてもわかりやすい。やっぱり、3・11以降は「原発ゼロ」と言えばカッコよく見えますもんね。

江本　「原発ゼロは郵政民営化よりハードルは低い」って言うけど、本当ですかね。ようするに、「正義は我にあり」という姿勢を鮮明に打ち出して、白黒はっきりつけようじゃないか、というわけです。

舞の海　大衆を先導する術に長(た)けた人物であることは間違いないと。

江本　「先導」というより「扇動」ですね。いずれにせよ、小泉さんが示したあの「二者択一」の手法が、ネット全盛のいまの世の中、「白黒はっきりつけるのがいいことだ」という意識につながっていると思うんです。

舞の海　これはベテランの政治記者の方に聞いた話なんですが、自分が権力の座から退いた後に、現役の総理大臣が長く続けたりしていると、どうしても嫉妬心が湧いてくるらしいですね。小泉さんも安倍さんに嫉妬していたんでしょうかね。だから、原発問題ではっきりしない安倍さんに刃を向けたとか。

江本　ジェラシーね。潜在意識にあったのかもしれない。

舞の海　人間の心とは、複雑なものですね。

江本　本当、複雑です。

「1キロオーバー」程度のしょぼい話より大事なことがある

舞の海　日本人はもっとグレーゾーンを大事にして生きてきた、という話の続きで言うと、江本さんが指摘したモリカケや桜を見る会、菅政権になってからの学術会議や贈収賄疑惑（長男の菅正剛氏が、許認可権を握る総務省の幹部4人に違法な接待を重ねていた疑惑）など、あれってそんなに真っ黒な話なのでしょうか。

江本　誤解を恐れずに言うと、あれは「1キロオーバー」程度のしょぼい話です。法定速度より1キロ速く走ったクルマをつかまえて、なにを騒いでいるのかって。さっきも言ったけれど、国民の大半も本音ではそう感じているんじゃないでしょうか。

舞の海　そうですよね。

江本　それと、日本人は熱しやすくて冷めやすい、新しいネタにはすぐ飛びつくけれど、あっという間に飽きてしまう。マスコミはすべての情報を「消費財」と考えているから、チマチマしたネタに固執して、本当に重要な安全保障や憲法改正問題について踏み込んで取り上げない。政権与党もわかりやすいネタがバラまかれたら、単純な野党が食いついて国会の質問時間を浪費するだろうぐらいに考えているんじゃないですかね。

舞の海　日本人には、大事なことは先送りするという習性もありますからね。

江本　そう。だから、とりあえず目先の情報を消費することに躍起になるんでしょう。

舞の海　やっぱり、良くも悪くもマスコミの影響は大きいですから、携わる側としても気をつけたいです。

江本　いま新聞の存在価値がどんどん下がっていますよね。実はこれ、すごく大きな問題だと思うんです。いまはどうも自民党政府寄りの新聞（産経・読売）と国益そっちのけで政府の足を引っ張ることしか考えていないヤケッパチの新聞（朝日・毎日）に二極化しています。

一方、ネットメディアにしても多くは、たいした内容でもないのに、羊頭狗肉の見出しとバッシングの煽りネタだけでもっているようなものじゃないですか。もっと新聞は自分のアタマで考えて、しっかり質の高い情報を提供していただきたい。例えば、ウイグルの強制収容所はどうなっているのかとか日本企業は中国当局と癒着していないかとか、そっちがもっと大事でしょう。

舞の海　以前、飲んでいる席で朝日新聞の記者の方が名刺を持ってやって来たことがあって、挨拶させてほしいと。私ははっきりと「部数落ちていますよね。憲法改正とか自衛隊を国防軍にするとか、中国の軍拡を直視するとか、そういう報道や主張をしたらきっと部数、伸びますよ」って言ったんです。皮肉ですけれど。彼は「いや、会社が……」とか言って帰っていきました。ああ、これはダメだなって。

江本　でも、言うべきことはちゃんと伝えないとね。新聞がダメなら月刊誌にがんばってほしい。「Ｗ・ｉＬＬ」さん、よろしくお願いしますよ。毎月愛読してますから（笑）。

第五章

大相撲と野球の伝統は破壊されるのか？

「蒙古襲来」「黒船来航」に救われた相撲界

江本　政治の話が続いたので、最後に、スポーツの話に戻りますが、僕の現役（阪神）時代には監督が何人も代わったという話をしましたが、大相撲の世界では親方が交代するということはないですよね。

舞の海　それは原則ありません。ご存じのとおり、力士もトレード移籍もなければＦＡもありません。定年になった親方に継承者がいなかったりした場合には部屋が変わることもありますが、もし、自由に行ったり来たりできれば、野球の世界ではありませんが、たぶん資金力のある部屋に有力力士が集中してしまうでしょう。すると、取り組みが成立しなくなってしまいます。これは、今後も変わらないと思います。

江本　とはいえ、やはりプロ野球と同じように、スカウティングが優秀な部屋が隆盛するんでしょうね。

舞の海　そうです。そのためには人脈がモノを言うので、中学卒業後にすぐに入門して部屋を持った親方は現在とても苦労しています。この世界、たたき上げで出世した力士は尊敬されるのですが、スカウトという点では不利です。

江本　というと、エリートコースを歩んできた親方のほうが有利なんだ。

舞の海　ええ。強豪大学の相撲部を出た、しかも人気のある親方がいるなら「この部屋に預けてみるか」となりますから。いまや相撲界は力士も高校や大学出身者が大半を占めていて、そのコネクションを通じて有望株を勧誘するのが常套手段になっているんです。

江本　それから、もはや外国人力士の存在を抜きに大相撲は語れなくなりましたね。高見山関（初の外国籍関取／ハワイ出身／後の東関親方）が活躍した頃は、「もしガイジンが横綱になったら一大事だ」「黒船来航だ」と騒ぐ人もいましたね。小錦さんがあと一歩まで昇った時にもいろいろと言われたものでした。

でも、その後、強い外国人力士が続々と横綱にまで昇りつめて、いまやモンゴル勢が土俵上にいるのは当たり前の光景です。この流れは相撲界にとって果たしてプラスになっているんでしょうか。

舞の海　ハワイ勢に始まって、欧州（エストニア）出身の把瑠都（ばると）や、モンゴル勢に至るまで、それなりに大相撲の隆盛には貢献してくれていると思います。もし、モンゴル勢がいなかったら、たぶん日本人同士で星のつぶし合いをして、図抜けて強い力士は現れなかったかもしれません。

江本　ということは、横綱が何年も不在になっていた可能性もありますね。

舞の海　はい。誕生していなかったでしょう。だから、いまの大相撲を支えているのはモンゴル勢なんです。私はそのことにはまず感謝しています。以前、講演で「蒙古襲来」などの言葉を使ったら、森元首相の「女性差別発言」みたいに、某メディア（週刊金曜日）に悪意のある発言の切り貼りをされて、人種差別主義者呼ばわりされたことがありました。幸い、すぐに「誤報」であることがわかって、誤解は解けました。

江本　ありましたね。酷い捏造記事でした。正反対の内容でしたものね。

舞の海　そうです。私はけっして外国人を排除したほうがいいなんて考えたことはありません。しかし、彼らが強くなりだした平成の初期頃からプロ野球みたいに人数制限が設けられるようになって、現在は一部屋に外国出身者はひとりしか在籍できなくなりました。幕内の上位陣が外国人ばかりになると危惧した協会が規制をし始めました。ただし、帰化すれば、別の外国人をもうひとり入門させられるのですが、一度開けた「パンドラの箱」は元に戻すことはできません。

江本　ルールで規制するのではなく、その状況を覆そうという日本人力士がたくさん現れたらいい話ですよね。

舞の海　結論としてはそういうことだと思います。

「したたかに」「しぶとく」生き残る

江本　プロ野球界は昔から外国人選手を雇って戦力を補強してきましたが、それはもともと野球の本場が米国でしたから、助っ人に頼るという感じだった。だから不自然ではない雰囲気はあった。でも、相撲は日本の伝統や格式を継承してきた「国技」だというので、外国人を受けいれるのはちょっと大変だったでしょう。

舞の海　いや、相撲界には昔から進取の気性を持った親方がたくさんいました。高見山関をハワイから連れてきたのは、4代目高砂親方(第39代横綱・前田山英五郎)です。型破りな方で、休場中に日米野球を観戦して横綱をクビになった(シールズ事件/1949年)かと思えば、GHQや協会を説得して米国へ相撲を広めに行ったり(51年)、女人規制である土俵に女性をあげたり(元女相撲大関・若緑の引退式/57年)、次々に常識を超えた行動をとられました。弟子で初めて横綱に昇進した朝潮（太郎）関は、当時（49年）米国の占領下だった徳之島（奄美群島）から密航して入門したそうです。そういう方だったからこそ、外国人をスカウトしようという発想が浮かんだのでしょう。

江本　弟子の朝潮関は覚えています。大阪でよく活躍した（5度の優勝のうち3度が大阪場所）ので、「大阪太郎」と呼ばれていましたね。

舞の海　はい。5代目高砂親方ですね。現役時代はまだ私は生まれていませんでした。ただ、それよりずっと以前から、時代に合わせて相撲界の人々は生き延びていく知恵を備えていたんです。そのDNAは代々受け継がれてきたはずです。

江本　伝統や格式にとらわれているばっかりじゃないんですね。

舞の海　そう思います。たとえば第二次大戦後、それまで12人いたと言われる「相撲の神様」を、いちいちGHQに説明しても「わかってもらえないだろうから」と、勝手にそのとき3人（建御雷神（たけみかずちのかみ）、戸隠大神（とがくしおおかみ）、野見宿禰（のみのすくね））に減らしちゃったらしいんです。

江本　それはまた、大胆すぎる（笑）。

舞の海　おそらく、終戦直後の混乱期ということもあったからだと思います。協会は1日でも早く本場所の興行を打ちたいと焦っていたのかもしれません。なにしろ当時、柔道や剣道、弓道などの武道は軍国思想につながるという理由でGHQから規制されたのですが、同じ武道でも相撲は例外で早い時期に復活します。おそらく、その間に協会の関係者が交渉段階でさまざまな手段を使っているはずです。その体験をコロナ対策でも応用してほしい。

江本　臨機応変というか、実に柔軟ですよね。

舞の海　そう思います。「はじめに」でコロナ対策を引き合いに「野球界のしたたかさが羨ましい」と言いましたが、かつての協会関係者のほうがさらにしぶとい感じがします。それに比べていまの協会は、なんにしてもマスコミの顔色を窺いながらで、対応が窮屈に見えてしかたありません。「これが大相撲界のやり方なんだ」という信念がほしい。

球場&土俵の「拡張」は是か非か?

江本　相撲界は伝統を重んじながらも時代に合わせて新しい制度を取り入れてきたわけですが、そうすることで生き延び、隆盛してきた経緯があったのですね。

舞の海　はい。江戸時代までは寺社仏閣の新築、修復の寄付を募るために「勧進相撲」

として行われていたのが、徐々に興行として成立するようになったのですが、明治維新によって世の中が一変したときに、相撲は旧来の風習とされて滅びかけたことがあります。それを明治天皇が応援して救ってくれたおかげで存続できたんです。以降、いろいろと改革が行われてきました。

江本　そもそも、年に6場所も興行するようになったのは、相撲の歴史から見たらほんの最近のことじゃないんですか。

舞の海　そうです。昭和33年（1958年）からですので、60年余りしか経っていません。東京と大阪の団体が合併して大日本相撲協会が設立されたのが昭和2年（1927年）ですから、それまではふたつの協会が並立していたわけです。その間に、両国の回向院に旧国技館ができて以来、相撲は「国技」と称されるようになりました。また、一場所が15日制になったのが昭和14年（1939年）なんですが、これは後に「角聖」と呼ばれる横綱・双葉山（定次）関が空前の69連勝を達成した年です。相撲人気に後押しされての制度改革だったわけです。

江本　いろんなことをやってきたわけですね。

舞の海　まだまだありますよ。土俵のサイズもたびたび変更してきました。現在は直径

15尺（4・55ｍ）と決まっていますが、明治・大正の頃は13尺（3・94ｍ）しかなく、力士が大型化したという理由で昭和6年（1931年）に変更されました。戦後間もなく、16尺（4・84ｍ）に広げられたのですが、力士たちから不評で、昭和20年（1945年）秋場所の一場所だけで元に戻されました。

江本　じゃあ、いまは力士の体格が大型化しているんだから、また広げたほうがいいのではないですか。

舞の海　そういう意見もあります。広いほうが小兵力士にとってメリットが大きくなると思います。それに、これは有名な話ですが、昭和27年（1952年）までは土俵の四角に「四本柱」が立っていました。「見えにくい」という理由で撤去され、以来、屋根はワイヤーで吊るされるようになったのですが、その際には「伝統が失われる」「格式が損なわれる」という反対意見も多かったようです。

江本　いまは当たり前のように観ていますが、当時は歴史的な一大事だったんでしょうね。野球場はホームチームの都合で改造されるケースが多いんですよ。甲子園からラッキーゾーンが撤去されて久しいんですが（1991年オフ）、最近になって福岡（ペイペイドーム）や千葉（ZOZOマリンスタジアム）の球場に似たようなゾーンができてフィールドが狭くなりました。ホームランを増やしたほうが観客は喜ぶとかなんとか言っていますが、ピッチャーからしたらたまったもんじゃないし、それで野球がエキサイティングになるわけがない。時代に逆行しているとしか思えません。

「ビデオ判定」は大相撲のほうが早かった

舞の海　たしか、プロ野球でビデオ検証が導入されたのは最近ですよね。

江本　審判の判断でビデオを見るようになったのは10年以上前（２０１０年）ですが、「リクエスト」という制度が始まったのは２０１８年です。まあ、それも米国（チャレンジ制度）の真似をしただけですがね。

舞の海　その点でも大相撲は早かったんですよ。ビデオを導入したのは昭和44年（１９６９年）ですから、もう50年以上前です。おそらく、どんな近代スポーツにも先んじていたと思います。

江本　さすがです。でも、それでは、行司や勝負審判の「権威」がなくなるということにはならないんでしょうか。

舞の海　そうはなりません。ビデオはあくまでも参考意見であって、物言いをつけるのも、最終的に勝敗（または取り直し）を決めるのも勝負審判です。ただ、ビデオを見て柔軟かつ総合的な判断ができますし、それによって力士や観客も納得がいくと思うのです。

江本　勝負している当事者と観客を納得させる……そこがいちばん大事な部分なんでしょうね。人間には誤審はつきものだから、機械（映像確認）で補うというのはたしかにあり得る。

舞の海　はい。興行という観点から見れば当然のことですが、大相撲は特に「お客さん本位」の競技だと思うんです。一言で言うと「勝った、負けた」だけではなく、いかに観客を楽しませるかということに力を入れます。別の言い方をすれば、主催する側と相撲を取る力士、それに観客が一体となってつくりあげる「和」の競技なんです。

江本　ただ勝てばよいというわけじゃない、と。それはすべてのスポーツに共通すると思います。プロ野球にしても、つまらない試合ばかりやっていればファンからソッポを向かれます。でも「和」という感覚はいかにも相撲らしい。

舞の海　少なくとも私は、師匠（9代出羽海親方／元横綱・故佐田の山）からは「お客さんに相撲を見せてやっているんじゃない。見ていただいているんだ」と、口すっぱく言われてきました。ですから、現役中はずっとこの言葉を肝に銘じて土俵にあがっていたんです。負ければもちろん悔しいですが、お客さんが納得してくれるような内容であれば、ひとつの役目を果たせたということになります。

江本　それもプロスポーツ選手ならば持たなきゃいけない共通認識でしょうが、毎試合そうはっきりと観客の存在を最優先しているかといえば、そうとは言い切れませんね。

舞の海　相撲の場合、それが明文化されているんですよ。

江本　えぇ、そうなんですか。

舞の海　はい。日本相撲協会の「施行細則」第7条にこうあります――「協会は、力士の技量を審査するための相撲競技（以下本場所相撲と称する）およびその他の事業を実施する」――つまり、本場所は力士が自らの技量を審査される場であって、それをお客さんに見ていただいている……私はそう書かれているのと同然だと思っています。

江本　優勝を争ったりするのは、目的としては二の次ということですか。

舞の海　本来は、そうです。元々は優勝という制度はありませんでした。ただ、優勝争いもお客さんにとっては楽しみでしょうから、しっかり勝利を目指すのも役割のひとつです。

江本　なんかこう、奥が深いというか、相撲を取る者と観る者の精神的なつながりが欠かせない世界なんですね。

舞の海　力士だって毎日それればかり考えているわけではないですが、この世界にいれば自然と気持ちのなかに根付いていく、また根付かせなければならないんです。お客さんは、取り組みだけを観に来られるわけではありません。もちろん、力士は一番一番が出世に直結しますし、人生をかけて臨むわけですが、お客さんには土俵入りをはじめ力士たちの立ち居振る舞い、行司や呼び出しの所作や着物の色彩、床山さんの技術の証である大銀杏など、相撲の世界と一体になって堪能していただきたいんです。

江本　そうですね。プロスポーツはやっぱり観客と選手（力士）が一緒になって作り上げていく文化ですから、一時的ではあったものの、去年の無観客興行という状態はちょっと異常でしたよね。

舞の海　ええ。テレビで観戦している方々も多かったので、それがせめてもの救いでした。入場制限は徐々に緩和されていたものの、東京で緊急事態宣言が2021年4月25日から5月11日まで出されたので五月場所がまた前半（5月9日〜11日）は無観客試合になりました。残念でしたが、延長されたあとは、若干の観客が入れましたし、まだ開催できただけでもありがたいと思わなくてはいけないと思います。

王さんも鉄拳制裁を一回だけやった？

江本　プロ野球も東京や大阪などの試合はその時期、ところによっては無観客試合を余儀なくされた。緊急事態宣言まではいかなかった地方はまだお客さんが入れたから、去年よりはマシでしたが……。ともあれ、相撲を見ていて、僕がいちばん素晴らしいと感じるのは、勝負における美学があるってことです。それは勝者だけじゃなく、敗者にも見られる。負けてもきちんとそれを受け入れ、礼をして立ち去る。でも、プロ野球選手なんか、特に投手なんか打たれて交代させられたらさっさと帰りますから（苦笑）。

舞の海　でも、野球には野球の「しきたり」があるんじゃないですか。高校野球ではちゃんと試合前と後に整列して互いに礼をしていますよね。

江本　ええ。アマチュア野球はすべて整列して挨拶しますね。でも、プロになったらやらない。たぶん、これも大リーグの真似だと思います。あちらでも高校や大学の試合ではちゃんと挨拶をしますから。

舞の海　相撲はもちろん礼節を重んじますが、それはどのスポーツでも大切なことなんですね。

江本　やっぱり、挨拶は人間関係の基本ですからね。勝負ごとを仕事にしている以上、まずそういう精神を身につけておかないといけない。だから、僕は現役時代、挨拶のできないヤツは許さなかったんですよ。ひとがキャッチボールしている真横を知らん顔して通り過ぎたりする若い選手がいたら、呼び止めて必ずシバいてやりました。「新聞記者の前ではやめておけ」とよく言われたんですが、お構いなしに……。あっ、またこの話題になってしまった（苦笑）。

舞の海　鉄拳制裁ですか。当時は「合法」だったから。最近、王貞治さんの自叙伝『野球にときめいて 王貞治、半生を語る』（中公文庫）を読みました。親から「人に迷惑をかけてはいけない、人のお役に立ちなさい」といつも言われて育ったそうです。また、王さんが高校時代に、完封したりホームランを打ったからといってと大喜びするんじゃない、そんなことをしたら相手はどんなに惨めな思いをするか、負けた相手の気持ちを考えろと兄に注意されて、プロ選手になってもあまり感情をあらわにしないようにしていたそうです。そんな王選手が、一度だけ堀内恒夫さんに鉄拳制裁をしたことがある。堀内さんが宿舎に朝帰りして傍若無人なふるまいをしていたので……と。

江本　そうですか。王さんは800本以上ホームランを打って鉄拳制裁は1回だけ？僕はホームランは7本打ったけど、鉄拳制裁は大学時代からやったのもされたのも入れたら800回はあるかな（苦笑）。

ともあれ、シバかんとわからない、覚えられない人間というのがいるんです。まあ、最近はテレビやラジオで聞かれたら「そんな昔のこと、もう忘れました」とか言ってゴマかしていますが。

舞の海　プロ野球では、いまでも年に1回ぐらい乱闘騒ぎもありますよね。きっかけとして一番多いのは、デッドボールですね。

江本　そう。ときには故意に当てますから、そうするとたいてい騒ぎになります。あれは「やられたら、やり返す」という「挨拶」であり、礼儀知らずな行為をはたらいた相手に対する「仕置き」の場合もある。ホームランを打った後に勝ち誇ったような態度を取ったヤツとか、侮辱するようなことを口走った者には、必ず次の打席でぶつけにいきました、僕らの時代は。特にメジャーでは侮辱行為は許されない。

舞の海　つまり、礼儀知らずなことをしたら、それなりの代償を払わないといけない。

江本　もちろん。本人に反省を促す意味でも、向こうのベンチにわからせるうえでも必要な行為です。そうしないと、球界の秩序が保たれない。

舞の海　なるほど。

江本　それにお客さんも、どこかで「乱闘やらないかな」と楽しみにしているところがあったんですよ。選手もそういう「空気」を感じることがある。張本さんには乱闘の時に「お前、いけよ」と、けしかけられたこともありました。そのくせ、乱闘が始まると後からやって来て「お前ら、やめろ!」と止めに入る。「いいところ」を持っていくんですよ(笑)。

舞の海　八百長じゃないけど、観客を意識した派手な演技をしてみせる、プロレスみたいな部分もあるんですね。

江本　そういうときもあります。試合展開がつまらなくなってきたときなんかは、観客がなにかハプニングを求めることもあるから。

舞の海　乱闘は「プロ野球の華」と言われますもんね。私も子ども時分からワクワクしながら見ていました。真剣勝負の場だから闘争心は絶対に必要ですし、いっぽうで相手に対する敬意も忘れちゃいけない。礼を失した者は罰を受けると。

江本　受けて当然です。いまの時代、「暴力」は徹底的に否定されているけれど、多少の乱闘は未だにプロ野球文化のひとつとして残っています。つまり、単なる暴力ではないってことがちゃんと認識されているんでしょう。

舞の海　「乱闘文化」も、やっぱり大リーグから来たものなんでしょうか。

江本　そうです。米国にはもともと、卑怯な行為や敗者を侮辱する振る舞いを許さないという紳士としての精神文化があります。僕は西部劇が好きで、小学生の頃からよく観ていたからわかるんです。どんな相手に対しても、ガンファイトのときに後ろから撃ったらダメ。もしそんなことをしたら、捕まって縛り首になる。それと同様に、大量リードしている側の選手が送りバントや盗塁を試みることはタブーなんです。

舞の海　すでに試合は大勢が決しているのに、そのうえ精神的にもやり込めるのか。そんなことまでして弱者を貶めたいのか、ということで、やられたほうは怒るんですね。「勝負事はゲタをはくまでわからない」なんて理屈は超越していますね。

江本　余計な理屈は抜きに、激怒します。以前、新庄（剛志）があっちに行った直後、大差でリードしているゲームで盗塁を試みたり、ホームインするときにベースを手でタッチしたりして、顰蹙（ひんしゅく）を買ったことがあります。相手は「コケにされた」と感じたんです。イチローも外角のボールをボックスから足を踏み出して打ちにいって、故意死球を食らった。「相手より有利に戦おうとした」と捉えられたからです。日本人からしたら、「それがどうして?」と思うでしょうが、西洋人たちは許さんのです。

舞の海　わかりますよ。アメリカも、武勇とともに礼節と道徳心を重んじる心があるんですね。

江本　つまり、彼らの歴史に根付いた騎士道精神の表れです。あちらでは「アンリトゥン・ルール」(書かれざるルール)といいます。この点は、僕が米国野球に大いに共感する数少ない部分のひとつなんですよ。

舞の海　何度も言及して恐縮ですが、日本には武士道精神があります。「武士の情け」とは、弱者への思いやり、哀れみを表す言葉ですが、歴史的な経緯や背景は異なっても、そこは日米で共通しているんですね。とても興味深いです。

AI化で消えていく風物詩(乱闘)?

江本　侮辱行為や不敬行為があったときは、ピッチャーはガンガン厳しいコースに投げ込むべきだし、ぶつけられたバッターも挑発されたと感じたらマウンドに向かって行けと言いたい。でも、最近ではすっかり様子が変わってしまったんですよ。

舞の海　乱闘場面もめっきり少なくなったような気がします。

江本　めっきり減りました。

舞の海　みなさん、相手に敬意を抱きながらプレーしているってことですか。

江本　いや、そんなことはありませんよ。以前にも増して余計なガッツポーズや派手なアクションが横行しています。ホームランを打ったらベンチ前で拳を振り上げて雄叫びあげたり、足を広げてパフォーマンスしたりしています。たぶん、やっている本人は無自覚なんでしょうが、やられたピッチャーからしてみたら相当ムカついているはずです。そもそも、打った相手がベースを回っている間は、ピッチャーにとって屈辱の時間なんですよ。そのうえアレをやられたら、僕なら「次の打席ではぶつけたろ」と思いますね。

舞の海　大リーグなら、やっちゃいますね。

江本　絶対に報復されます。だから、そもそもホームラン打った後にパフォーマンスなんかしません。もし、やるとしてもベンチに戻ってからです。

舞の海　じゃあ、日本で乱闘が減ってしまったのは、なぜなんでしょう。

江本　それは、敵味方の境界線がなくなってきたからですよ。オフに違うチームの選手が一緒に自主トレしたり、「侍ジャパン（日本代表）」とかで主力同士がチームメイトになったりするもんだから、いざ公式戦となっても仲間意識が抜けないままプレーするんでしょう。でも、プロは食うか食われるかの戦いなんだから、僕らは「敵方の選手とは口をきくな」と言われていましたが、いまは違う。口をきかなくてもスマホで連絡とったりしていますから、どうしようもない。前に述べたような「仲良しクラブ」化が進んでしまった。

舞の海　とはいえ、相撲もそうですが、野球も、投手と打者は常に敵対する関係で、一球一打、真剣勝負ですよね。しかし、そういうお話を聞くと、ちょっと興ざめします。仲が良かったり、学校の先輩、後輩だったりしても、勝負となれば戦闘モードに切り替えてやってもらいたいですよね。

江本　それがなかなかできていない。ついでに言うと、監督が判定に不服でベンチから飛び出し、審判に詰め寄って口論になるシーンを滅多に見なくなりました。

舞の海　突き飛ばしたり、暴言を吐いたりして、退場を宣告されるケースもたくさんありました。金田（正一）さんや星野（仙一）さんが鬼の形相で迫ってくると、それをまたワクワクして観ていました（笑）。

江本　あれもプロ野球の風物詩のひとつだったんですが……。前述のビデオ判定やリクエスト制度が導入されたおかげですっかり見る機会がなくなった。米国ではロボット審判（球審）の導入も実現に近づいているようですし、いずれ「後追い」の日本にもそのAI化の流れがくるんでしょう。

舞の海　野球も相撲も、近代化するのは結構なことですが、そうやって際限なく機械の手を借りるようになると、その分、人間味がどんどん薄れていくと思います。どこかでストップをかけないといけませんね。

モンゴル横綱は、品格はなくとも気迫・闘争心はあり？

江本　プロ野球に比べて、伝統と格式を重んじる相撲の場合、勝った力士がその瞬間に喜びを爆発させるということはありませんでしたね。

舞の海　私は現役時代、「土俵上で感情は出さない」と教えられて土俵にあがっていました。先ほどから話に出ている「相手への敬意」は、けっして忘れてはならない心構えのひとつです。

江本　かつて朝青龍（第68代横綱）が優勝を決めて土俵を降りる際に両拳を高々と上げたことがありましたね。あれは喜び10割、礼儀はゼロのように見えました。

舞の海　平成21年（2009年）の一月場所と九月場所の時ですね。2度やりました。いずれも横綱・白鵬との優勝決定戦に勝って、嬉しさを抑えきれなかったのでしょう。

江本　ただ、礼儀ゼロはけしからんと思う半面、仕切りのときから気迫がすごくて、この一番にかける思いが伝わってきたのは確かです。その部分だけは認めざるを得ない。

舞の海　そういうところが朝青龍の魅力でもありました。いっぽうで、日頃から礼節に欠ける態度が目立ち、「横綱の品格に欠ける」とも評されていました。相撲ファンの間で、あれほど好き嫌いがはっきり分かれる力士はいなかったと思います。私は2度目のときに「またかよ」と思うと同時に、これがスルーされて許されてしまっては、大相撲の伝統が崩れていくんじゃないかと危惧しました。

江本　逆にあのわかりやすい破天荒ぶりが、見る者に相撲界の伝統を再認識させたのではないですか。実際、その後あれほどのガッツある態度を示す力士は現れていないし。

舞の海　たしかに、そうかもしれません。ただ、あの状況でガッツポーズをするべきではなかった。喜びを爆発させたいなら、せめて支度部屋に戻ってからにしてほしかった。しかし、私が思うに、いちばんの問題は師匠がきちんと朝青龍を指導できていなかった点です。おそらく、入門してから厳しく叱られたこともなく、力士として当然覚えておかなければならない相撲の礼儀がまったく身につかないうちに、あっという間に出世してしまったのでしょう。

江本　なにも躾けられていない「子ども」が、そのまま「大人」になってしまったようなものですね。「純朴」と見るべきか「無知」と言うべきか……。

舞の海　はい。彼はモンゴル相撲の関脇だった父親に「相手のことを、母親を殺した犯人だと思って闘え」と教えられたそうです。それを聞いたとき、「これでは日本人は勝てないな」と思いました。と同時に共感する部分もあって、それぐらい、頭がおかしくなるぐらいの闘争心がないと勝負に勝てないところがあるんです。そんな気迫で向かっていく日本人はそのときもいまも、ひとりもいません。父上は格闘家に不可欠な闘争心を息子に植え付けたかったのでしょう。それは、譬（たと）えはともかく正しい教えだったと思います。しかし、その闘争心を日本の伝統や文化に基づいて表現してほしかった。それを教えるのは、親方をおいて他にいなかったと思うんです。

白鵬に忖度しすぎてはいないか

江本　たしかにね。あれからもう10年以上たちましたが、その後、親方たちは日本人を含めて弟子を厳しく教育するようになったのでしょうか。

舞の海　いや。残念ながらそうとは言えません。

江本　ことガッツポーズに関しては、競技によって受ける印象とか基準などが全然異なるので、一概に「いい」「悪い」と決めつけるわけにはいかない。ただし、相手の立場になったとき、自分がやられたら嫌だというような場面では控えろという話。自分が相手の立場だったらどう思うか考えてみろと。そういう規範を知らない人間には、きちんと上の者が教えて継承していかなきゃいけない。

舞の海　その通りだと思います。そういう意味では、野球や相撲は、騎士道や武士道の精神文化がずっと維持されている競技のひとつなのですよ。たとえば、剣道は一本を取った後にガッツポーズをすると、勝ちが取り消されます。注意もされず、いきなりです。それは、対戦者への敬意を重んじると同時に、逆襲への備えを怠った油断への罰という意味もあるそうです。いずれにせよ、「道」を外れた行為に対する戒めが厳格にルール化されている。勝ち負けよりも大事な価値観がそこにはあるというところは、相撲にも通じる部分です。

江本　勝って嬉しいときは自然とカラダが動くのはしょうがないとは思います。しかし、そこは堪えて礼節を保つことも、勝負する者の「たしなみ」だと思います。

その点、朝青龍は気性が激しくて、感情が表に出過ぎるところはあったけれど、あの闘争心や根性など、たしかに日本人にも見習ってほしい部分はありました。それより、気になるのは白鵬（第69代横綱）ですよ。これまでいろいろ物議をかもす言動がありました。外国人は日本人と異なる価値観を持っているのは当然ですが、大相撲という伝統と文化を重んじる世界に身を投じたのなら、その世界に息づく精神をしっかり学んで、表現してもらいたい。「郷に入っては郷に従え」という考え方は、万国共通の常識だと思うんです。舞の海さんはどう感じていますか。

舞の海　たくさんあったので、一括りにはできませんが、ひとつ言えるのは、彼は、ひたすら「勝つことだけ」を至上の目的にしているという点です。特に立ち合いでしばしば行った「かちあげ」とも言えない「肘打ち」は、見ていて嫌悪感しか湧いてきませんでした。なかには、対戦相手の大けがにつながりかねない一番もあり、危険極まりない行為だったと思います。

江本　あれは、プロレス技の「エルボースマッシュ」ですよね。たしか妙義龍でしたか、ガツンとかまされてKOされましたね。

舞の海　はい。あの取り組みで私は解説をしていました。当然、この技は「かちあげ」ではなく「肘打ち」だと指摘もしました。

そもそも「かちあげ」とは、自分の腕を相手の胸の位置から振り上げ、上体を起こす戦法です。その要領でいくときもありましたが、遠藤戦（令和元年九州場所）などは最初から顔の高さに右肘を持っていき、おまけに左手で顔を押さえて逃げられなくしていました。これは完全に相手を痛めつけるための悪意ある行為です。本人は「勝つための手段」というようなことを言っていましたが、それがまかり通るなら、やられたほうが力士生命にかかわるような事態が起こる可能性もあります。

江本　でも、結局はお咎めなしだったんですよね。

舞の海　そうです。おそらく、ここまでいろいろ逆風のなかにあった大相撲を支えてくれた横綱に対する忖度ではないかと思います。それはファンやマスコミにもあると思います。たしかに、白鵬が今まで頑張ってきたのは事実です。でも、それとこれは別の話です。

江本　考えてみれば、いちばん強いはずの横綱が、下位の力士相手にあのような汚い手を使えば、「見苦しい」と感じる人も多いでしょう。

舞の海　そこが意見の分かれるところなんです。その行為を「品格に欠ける」と捉える人もいれば、「反則ではないのだから、なにがいけないんだ」と考える人もいます。白鵬は「ルール違反じゃないでしょ」とばかりに、ためらうことなく、かちあげでも張り手でも繰り出してきました。それを支持する人もけっこういましたね。

江本　たぶん、相撲をあまりよく知らない若い世代が多いんじゃないかな。「ルール通りなら問題ない」という言い分は、いかにも正論のように聞こえます。でも、相撲とはそういう競技ではないですよね。前述した大リーグでいうところの「アンリトゥン・ルール（書かれざるルール）」が相撲にもあるでしょう?

舞の海　協会が明文として定めた禁手反則には「握り拳で殴ること」「頭髪をつかむこと」など、わずか8項目しかありません。肘打ちや膝蹴り、関節技なども禁じ手として明文化されていない。でも、もし「ルール違反でないなら何をやってもいい」と言うのなら、それこそ飛び膝蹴りをする力士が現れても容認されることになります（苦笑）。

江本　礼儀を重んじる相撲ならではですね。いちいちルールブックに書かなくても、誰もそんな品のないことはしない。

舞の海　入門したときから先輩力士の振る舞いを見続け、師匠に指導されていれば、相撲のなんたるかはわかっているはずですから。

江本　特に横綱は相撲界の最高位なのだから、「勝てば（何をしても）いい」という考え方は改めてもらわないといけませんよね。

舞の海　そうです。横綱は「品格・力量が抜群」であることが昇進の条件となっています。なぜ、「品格」が「成績（勝敗）」と同等に挙げられているのか、それをよく理解していただきたい。昔の横綱、たとえば北の湖さんや千代の富士さんがあのような行為をしたのを見たことがありますか。もし、過去の横綱が「かちあげ」をしたことがあっても、それは正当な技として使っていたはずです。以前の横綱も白鵬のような、かちあげをやっていたと言う人もいますが、昔の映像を見ても顔面を狙うようなかちあげをする人はいません。そもそも、かちあげに顔面を打つような概念はありません。

江本　不当にやられたらやり返すといった力士はいなくなったんですか。

舞の海　見ないですね。

江本　以前はいましたよね。

舞の海　たとえば貴闘力（元関脇／元大嶽親方）。相手が大関、横綱だろうがお構いなしに「張り手」を繰り出していましたね。

江本　じゃあ、いまも貴闘力みたいにガンガンこちらからいけばいいのに。ルールで認められているんだから。

舞の海　はい。ひと昔前なら、「たとえこの一番、負けてもいいから張り返すぞ」と、相手が横綱でもそれぐらいの気概をもって土俵に上がる力士が多かったのですが、いまは違います。下位の力士は「偉大な横綱」に畏れ入ってしまい、失礼がないように向かっていく。そういう空気がここ数年の相撲界には充満しています。

江本　さっき話したように、プロ野球界も全体的に「仲良しクラブ」みたいになって、なかなか闘争心を感じる選手がいなくなりました。朝青龍じゃないけど、「バッターを殺してでも抑えてやろう」という気概がない。インコースをどんどん攻めて、極端なことを言えば「相手が死んでもしょうがない」ぐらいに考えなきゃ真剣勝負とは言えません。いまのバッターは「そんな危ない球を俺に投げるわけない」とタカを括っているから、ヨッコラショと足を上げて打つヤツが多い。プロ野球が「戦国時代」だった頃は、内角ギリギリにきたとき、いつでも逃げられるように足を上げて打つ選手はほとんどいなかった。もう、今どきのピッチャーはなめられてしまって、バッティングフォーム自体が変わってしまったんです。

舞の海　同じ流れを感じます。横綱や大関に対して「なんとかして勝ってやろう」という凄みを感じさせる相撲が少なくなりました。

江本　上位力士に対して、「張り手」や「かちあげ」なんて、とんでもないという雰囲気なんですね。

舞の海　はい。横綱は敬うべき対象で、「神様」みたいに思っているんじゃないかと。それは稽古を見ていても感じます。

江本　でも、勝負事はそれじゃダメですよ。絶対になめられる。特に僕らみたいなヘタクソほど虚勢を張って、「この野郎、打てるもんなら打ってみろ」という強い気持ちで投げていた。そうしないと、必ずやられてしまいます。

舞の海　その一番、一球に命を懸ける。口にすると大げさに聞こえるかもしれませんが、そういう姿を見せることがプロの姿勢だと思いますね。

横綱の「猫だまし」と本塁打王の「スクイズ」は許されるか？

江本　真剣勝負というのは、いろんなアイデアを生みますよね。以前、まだ弱くて、下っ端だった頃の若三杉（第56代横綱・若乃花（2代目）／元間垣親方）に、「手に塩をいっぱい塗りつけて、立ち合いのときに手を叩いて〝塩幕〟を張れば、「猫だまし」（立合いと同時に相手力士の目の前に両手を突き出して掌を合わせて叩くこと。相手の目をつぶらせることを目的とする奇襲戦法の一つ。相手に隙を作らせ、自ら有利な体勢を作るために使われる。普通の立合いではかなわないような、はるかに強い相手に対する一発勝負に使われることが多い）の効果が倍増するんじゃないの」と、アドバイスしたことがあるんです。結局、使わなかったですけど（苦笑）。

舞の海　へぇ、それは誰も考えたことがないと思います。「初っ切り（しょっきり）」でやってもらいましょう（笑）。私も「猫だまし」を何度か使いましたが、あれは意外と効き目があるんですよ。目の前でバチンとやられると、相手は一瞬、ピタッと止まります。

江本　なにかコツはあるんですか。

舞の海　距離ですね。顔から離れたところで叩いても相手はビックリしません。なるべく近づいてからやらないと効果がないです。

江本　それから、舞の海さんは、立ち合いで後ずさりすることがありましたよね。あれにはどういう意図があったんですか。

舞の海　あれは、立ち合いで強烈な張り手を出してくる怖い力士がいたからです。

江本　わかります。旭道山（和泰／元関脇）ですよね。

舞の海　そうです。武蔵丸関（第67代横綱／武蔵川親方）や私の大学・出羽海部屋の先輩でもある久島海関（元前頭／元田子の浦親方・故人）をノックダウンさせた力士です。普通は横から張りにいくものですが、旭道山関の場合は下からくるんです。カラダが小さい私が頭から突っ込んだときに、下からアッパー気味にこられると避けようがない。だから、立ち合いの瞬間にパッと下がるようにしたんです。そうすれば、一発目は阻止できるし、かわした隙に潜り込むこともできるので。

江本　あれは、はっきりと殴りにいってましたもんね。

舞の海　でも、しょっちゅうやったので、さすがに注意されてやめましたね（苦笑）。

江本　そういえば、さっきの「猫だまし」で思い出した。白鵬も一度、見せましたね。

舞の海　栃煌山戦（平成27年十一月場所）ですね。しかも、立ち合いと取り組み中の2度です。

あのときは自己流のファンサービスかなとも思いました。しかし、ああいう奇襲は弱者の専売特許で、私の場合はこれまで勝てなかった相手にどうしても勝ちたくて使ったんです。強い横綱がやるのに相応しいわけがありません。

江本　勝つために、ホームラン王が9回裏にスクイズするような……。

舞の海　そうかもしれませんね。ただ、あのときも「面白かったからいいじゃないか。ダメなら禁じ手にすればよい」という賛成意見を数多く聞きました。そういう反応を思い返すと、横綱という存在の本質が、もはや日本人には理解されなくなってきたのではないか、これは相撲界が岐路に立たされている証拠ではないかと感じます。

「礼節」を無視する力士は親方にはなれない

舞の海　野球に限らずどの競技にも、もっと言えば人間社会には必ず、江本さんが指摘されたような「書かれていないルール」がありますよね。

江本　普通は「礼儀」とか「マナー」といいますね。相撲はスポーツ界のなかで最もその伝統が継承されている競技ですよね。

舞の海　はい。競技にはそれぞれ歴史があるので、個々において異なるマナーがあると思うんです。相撲には相撲の基準があります。

江本　また白鵬の話になってしまうんですが、以前、土俵下で優勝インタビューを受けた後に「万歳三唱」をしたり(平成29年十一月場所)、「三本締め」をやったり(平成31年三月場所)しましたね。あれは見ていて、「そこまでやるか」と思いました。お客さんも困惑していましたよ。

舞の海　自分は天下を取ったのだから、おそらく何をやってもいいのだと思ってしまったのでしょう。「万歳三唱」は、日馬富士の暴行事件について謝罪をして、幕引きを図ったように捉えられました。「三本締め」の理由は「平成最後の本場所」だったから、ということでしたが、神事の儀式から逸脱するタイミングでした。

江本　調子に乗り過ぎたということですかね。それに、「角界のリーダーは自分だぞ」と、誇示しているようにも見えました。

舞の海　先述したように、私は「勝って驕(おご)らず、負けて僻(ひが)まず」という精神こそが相撲の正道であると教えられ、実践してきました。その点から見て、第一人者である力士があのような態度を取ることはその道に外れると思いました。その他にも、横綱としての人品骨柄を疑わざるを得ない発言がたびたびありましたね。

江本　相撲協会もなめられたものですね。

舞の海　朝青龍のときにも言いましたが、それもこれも、彼らが日本に来て相撲界に入門し、出世していく過程にすべてが起因しているに違いありません。それは師匠の教育はもとより、協会、相撲界全体の指導体制です。相撲の歴史や伝統を継承していくうえで見逃すことのできないテーマだと思います。

江本　勝ち続けることで出世はできるし、「お山の大将」にはなれるけれど、相撲の伝統を軽んじる人間にはその世界を継承していく資格はないですよね。白鵬に「一代年寄」を与えるかどうかの議論もあるようですが、答えは自ずと出ると思います。

舞の海　そうですね。ここでも「ルール違反ではないのだからとやかく言うな」という意見があるかもしれません。さらには「人種差別だ」という声もあるようです。しかし、それは論点にならないと思います。「外国人だからダメだ」と言うつもりは毛頭ないですよ。要は、相撲界に脈々と伝わる「礼節」という精神文化にかかわることです。それを無視したら、相撲は相撲ではなくなっていきます。

日本社会は財界もスポーツ業界もリーダー不在?

江本　相撲部屋の事情が昔とは変わってきているという話がありました。今年に入って、後継者がいないという理由で東関部屋が閉鎖されてしまいましたが、やはり部屋を運営していくというのは難しい仕事なんでしょうか。

舞の海　その通りです。東関部屋の場合は、親方（元小結・高見盛）の性格からして難しかったのでしょう。先代（元幕内・潮丸）が若くして亡くなってしまい、2年前に「東関」を襲名したのですが、ずっと「自分は師匠の器ではない」と嫌々引き受けていたようですので、そういう状態では弟子も気の毒ですから、閉鎖という選択をしたんでしょう。部屋の師匠になるには、組織をまとめるリーダーシップ、新弟子を集めるスカウト力、弟子を教育する意欲と実行力、それに経営能力と、すべてが揃わないとうまくいかないものです。

江本　まずは金を集めることが求められるわけですね。

舞の海　はい。代々続いている歴史のある部屋でも、後継者に相応しいと思われていながら、資金力がなくて継げないことがあります。そうなると、能力はともかく、お金を持っていたり、応援してくれるタニマチが大勢いたりする人物に継がせようか、となります。もちろん、ケースバイケースですが。

その点、プロ野球の球団は相撲部屋よりも規模がケタ違いに大きいですから、チームを強くするためにはいろいろな要素が必要でしょうね。

江本　ええ。細かいことを言えばキリがありませんが、少なくとも資金力と優秀なスカウトは絶対条件でしょう。それにベンチワークが加われば万全だと思います。

舞の海　ここのところリーグ優勝を続けている（ソフトバンク）ホークスや（読売）ジャイアンツは、その点、条件が揃っているということですか。

江本　ホークスの場合は資金力とスカウトの力で強くなったんです。とにかく、いい選手を揃えている。素質のある埋もれた人材をうまく見つけて、養成する。たいていの球団は、マスコミで騒がれている選手、甲子園で活躍した高校生に照準を合わせてドラフトに臨むんですが、ここは違います。選手個々の情報を細かく収集したうえで分析し、「この選手はプロで通用する」「こちらは可能性が低い」と、的確に判断を下しているようです。

舞の海　予算も相当潤沢なんでしょう。

江本　そうですね。お金があって何が違うかというと、三軍まで設けて、その選手たちがしっかり練習して試合ができる球場を持てるということです。ただ、施設をつくってもうまくいくとは限りませんが、あの球団は育成のシステムがうまく機能している。これは前にも言いましたが、二軍すらいらない、そんな金はないという球団もいるなかで、相対的に強くなるのは当然でしょうね。

舞の海　阪神タイガースもそうなんですか。

江本　甲子園球場がお客でいっぱいになってくれれば、それでいいと思っています。そういう球団のほうが多いというのが実情です。

舞の海　そうなんですか。じゃあ、資金と育成システムが充実しているチームがこれからも勝ち続けていくわけですね。

江本　それは一概には言えませんよ。ときおり主力選手が揃って好調だったり、助っ人の外国人選手がたまたま大当たりで大活躍したりして、優勝するチームもあります。かつてのバースなんかがいた時の阪神みたいに。でも、長期的に見れば、育成の強いチームがコンスタントに好成績を収めることになります。

舞の海　最近は選手を獲得するのに「育成ドラフト」という方法がありますよね。あれで入団した選手は非正規の契約を結んだみたいなものですか。

江本　まあ、そんな感じです。支配下登録されていないので、一軍の試合には出場できません。見込みがあって、登録されてすぐに昇格する選手もいますよ。ホークスの場合、エースの千賀（滉大）や石川（柊太）、正捕手の甲斐（拓也）らは育成出身。ジャイアンツにも松原（聖弥）という外野手が一軍でレギュラーになっています。特にホークスの場合、育成ドラフトで指名する選手もほぼ戦力として見込める人材ばかりですから、言うなれば正規の指名を2回行っているようなものです。

舞の海　それだけ競争も激しくなるし、強さを維持する土壌ができあがっているということなんですね。

江本　相対的に見て、そうです。僕は独立リーグのチームに携わっていて（四国アイランドリーグ／高知ファイティングドッグス総監督）、ホークスの三軍とも試合をするんですが、毎年、首脳陣が替わるんですよ。「どうして?」って聞くと、能力を見て、ダメならどんどん入れ替えるらしい。そこにも厳しさがあるんです。

舞の海　巨人は阿部（慎之助）選手が引退して、去年から二軍監督になりましたね。あの人事もそういうことなんですか。

江本　そうでしょう。本当に指導者としての能力があるかどうか、まだわかりません。でも、そこをチェックしているようには見えません。原（辰徳）監督の次は阿部が引き継ぐというラインができているから、敷かれたレールの上を歩いているだけに見えます。だから、どんなときも「上から目線」でしょう。失敗すると選手を走らせるなどの強権を発動したり、辛辣なことをメディアに対して言ったりしている。それはちょっと違うんじゃないかな、とも思うんです。

舞の海　「自分は試されている」という意識はないんでしょうか。

江本　ないですよ。スター選手だったという気分が残っているので、「俺の言うことはみんな黙って聞け」という姿勢が垣間見えます。だけど、それはしょうがない部分もあるんです。プロ野球界は実績社会だから、三流選手だったコーチが100回言っても相手にされないところを、元一流選手が口にすれば「この人のアドバイスだから」となる。これはもう、拭い去れない伝統というか慣習です。

名監督は後継者を育てない？

舞の海　2年前に原監督が就任したとたん、それまで長い間（4年間）優勝から遠ざかっていた巨人が復活して、連覇しましたね。監督が代っただけでチームは強くなるものなんだなと、思いました。

江本　特にコーチ人事に関して言うと、原監督の判断が正しかったんですね。実は監督に復帰する前年の秋に、たまたま次期監督とコーチたちが同じホテルに泊まっているところに居合わせたんですよ。いろいろと作戦会議を開いていたんだと思います。世間的には元木（大介／ヘッドコーチ）や宮本（和知／投手チーフコーチ）は「タレントコーチ」と言われて、就任当初は不安視されていましたが、当時、原監督からは「江本さん、あいつら、チャラいとか言われていますが、そんなことは全然ないんです。考え方がしっかりしているんですよ」と聞かされていました。そうしたら、本当に結果を出した。普通の監督なら風評を気にして起用をためらうかもしれないところを、思い切って要職に起用するあたりが、原監督ならではの人選力だと感心しました。

舞の海　個人競技である相撲の場合は、前に言ったように、強くなるのもならないのも、全部その力士の自己責任ですが、野球は団体競技なので、組織全体を強化するにもいろんな側面があって、私には想像もできない部分がたくさんありそうです。

江本　いやいや、さっきホークスの例を出しましたが、あれを他球団が真似したからといって必ず強くなるとも限らないと思うんです。もっと言うと、現場の体制をどうすればいいのか、それを判断して実行できる人材はいまの日本の球団フロントにはほとんどいないでしょう。一時期、大リーグを真似してGM（ゼネラルマネージャー）という役職がもてはやされましたが、それが機能してきたかというとそうでもない。日本ハム（ファイターズ）の吉村（浩）GMがかつて「育成重視」を掲げて高卒の有望選手ばかりスカウトして、結果を残しましたね（2010年代にリーグ優勝2回）。

でも、いまはどうですか。ボロボロじゃないですか。彼のやり方が正しいのであれば、ずっと好成績が続いていなきゃおかしい。それを、きちんと検証もせずに、いいときだけマスコミも含めて周囲がチヤホヤするものだから、球界全体が惑わされて正しい分析ができない。そして、同じ間違いを繰り返すんです。

舞の海　一度うまくいくと、その成功体験にとらわれて、改革や方向転換ができなくなることってありますよね。成功した指導者のもとで育った選手が、将来同じように成功するかと言えば、そうでもないような気がしますし。

江本　それは、なかなかうまくいきません。プロの監督という仕事はいい成績を残さないとすぐにクビになります。だから目の前の試合、そのシーズンを戦い抜くことに集中する。後継者を育てようと考えて就任する監督はいませんから。

舞の海　ただ、長く監督を務めてこられた野村（克也）さんは、そのなかでも多くの人材を育てたと言われていますよね。

江本　野村さんは僕にとっては大きな存在で、プロ野球選手としての道を広げてくれた恩人です。でも、後継者を大勢育てたかと言えば、そうでもない。思うに、古葉竹識さんだけじゃないですか。古葉さんは南海ホークス時代、僕が胴上げ投手になってリーグ優勝したとき（1973年）の守備走塁コーチで、ドン・ブレイザー（ヘッドコーチ／後に阪神タイガース監督など）とともに野村監督の腹心みたいな存在でした。その後、広島カープの監督として球団を初めてリーグ優勝（1975年）に導いたんです。

舞の海　赤ヘル軍団がとても強かった頃の名将ですね。

江本　そうです。その後もチームは3度、日本一に輝きました。やはり、戦術面で野村采配の影響を強く受けていたことは間違いないんです。でも、この2人は年齢がひとつしか違わないし、監督とコーチという関係だったので、師弟関係とはちょっと違う。そう考えると、正統な「教え子」で成功した指導者はいないんじゃないかな。

舞の海　でも、野村監督のもとで育った選手は、皆さん「勉強させてもらいました」と言っていますよね。

江本　勉強はしたかもしれませんが、それを生かして実績を残している指導者はいないでしょう。100冊以上も本を書いて、野球に関する名言をたくさん残したものの、その教えを吸収して大成した監督はいない。ただ、それは野村さんに限りません。名将と言われる監督だからといって、後継者を育ててきたわけではないんです。

舞の海　なるほど。では、原監督はどうでしょう。組織を勝たせる手腕が備わっているのでしょうが、果たしてその才能は継承されていくのか。それが気になります。

江本　選手起用を含めた采配については、現役の監督のなかでは抜群に優れているのは確かでしょう。ただ、それが後世に受け継がれていくかどうかは、その情報を受け取る側の思考力や感性に委ねられている。そこが指導者育成の難しいところです。

舞の海　そうかもしれませんね。リーダーは育てようとして育つものではない。大きな岐路に立っている相撲界にも強い指導者が現れてほしいんですが、なかなか思い通りにはいきません。

江本　それは社会全体に言えることじゃないですか。特にこの20年余りで日本企業の力が右肩下がりになっているのも、経済界を引っ張る強烈なリーダーが不在だったからではないでしょうか。そういう意味で、相撲界やプロ野球界が日本社会の縮図みたいに見えることがあります。

「タニマチ」依存もほどほどに？

江本　相撲の世界には「タニマチ」と呼ばれる人たちがいますよね。贔屓(ひいき)の力士や部屋を支援する篤志家(とくしか)の存在は、いまも大きいんでしょうね。

舞の海　はい。かつて大阪の谷町にいた医師が、力士に無償で治療を施していたことからそう呼ばれるようになりました。お酒や食事をご馳走になり、金一封までいただくこともありますから、よく力士は「ごっつぁん体質」と言われますね。タニマチは宴席や会合に贔屓の力士を連れて行っては親しいところをアピールして、大きな顔ができるわけです。それは、他のプロスポーツや芸能界でも同じですよね。

江本　いまのプロ野球界がどうなっているのか詳しくは知りませんが、どうも後援者の皆さんは「お金持ち」というより「カード持ち」が多いようですから、金一封はもちろん、車代も出ないでしょう。まあ、最近の一流選手はそれこそ唸るぐらい金を持っているから、そんなことをしてもらう必要もない。なにしろブラックカード所有者がいっぱいです。それで家1軒買えるぐらいの。まったく優雅なもんです。

舞の海　江本さんの時代は違っていたんですね。

江本　僕らなんて微々たる給料でしたから、銀座で飲み代払っていたらあっという間になくなってしまいますよ。だから、タチマチの方々は本当にありがたかったです。その頃は皆さん札束を持って飲み食いしていたので、見た目にも豪快でした。いまの金持ちは財布に1万円札が2、3枚しか入っていない。金持ちっぽく見えないんです。

舞の海　やっぱり、現金のほうがありがたいですよね。私は大学時代に輪島（大士／第54代横綱）さんの話とかを聞かされていたので、プロになれるとわかったときはけっこう心がザワつきました。100万円持って出かけると、帰ってきたときに300万になっていたとか。

江本　輪島関の話は、僕も間垣親方（元2代目・若乃花）から聞いたことがありますよ。タニマチから封筒をもらうときに、その厚みによってお辞儀の仕方が自然と変わってしまうらしくて。あるとき、封筒がペラペラだったので「あ、どうも」なんて適当に挨拶して帰ったんだけど、後で開けてみたら1000万円の小切手だったらしい。

舞の海　お辞儀の角度を間違えましたね。

江本　そうなんですよ。で、すぐにそのタニマチのところへ飛んで行ったらしい。

舞の海　小切手っていうのが、スマートでいいですね。現役時代、部屋付きの親方宛てに、ある会社の社長さんがビールを何ケースも送ってくださるんですよ。とてもありがたい話なんですが、飲みきれなくて余ってしまって。

江本　やっぱり、いただいていちばん嬉しいのは現金、もしくは小切手でしょう。

舞の海　そうですね。ただ、私がいた当時の出羽海部屋は師匠（元横綱・佐田の山）がタニマチに何から何までお世話になるのをよしとしない人で、「絶対にたかってはいけない」と釘を刺され、「金に困ったら俺のところへ来い」とよく言われたものです。私としても稽古で汗を流して、夕方から先輩に誘われたり、こちらから声をかけたりして、自分たちのお金で心おきなく飲んで食べるほうが好きでした。そういうスタイルに慣れてしまったんですね。

江本　じゃあ、銀座に遊びに行ったりはできないですね。

舞の海　豪遊はできませんが、たまには行きましたよ。勘定のときに自分で払おうとすると、クラブのママさんから「あら、お相撲さんは誰かにご馳走されるもんじゃないの?」って驚かれましたね。そう思われることがとても残念で、やせ我慢してでも自腹で飲みに行こうと決めていました。だから、お金がたまりませんでした。

江本　そりゃ、全然「ごっつぁん」ではないですね。

舞の海　意地ですよ。師匠から「貸してやる」と言われても、そこはグッとこらえていました。

江本　タニマチになりたい人たちを寄せ付けない、というわけでもないんでしょ。

舞の海　はい。ただし、世話になるにしても「なり方」があると。それは金銭ではなく、知恵を授けてもらうということです。だから、物乞いのような態度でタニマチと接することは禁じられていました。しかし、そういうことが言えたのも、部屋に財力があったからこそでしょう。小さい部屋はそうもいかないので、タニマチからの経済支援は頼みの綱のようなものです。

江本　厳格というか、ある意味、出羽海部屋は普通のお相撲さんと違う暮らしぶりだったんですね。

舞の海　はい。どちらが力士らしいかは一概に言えませんし、タニマチに可愛がられるのも相撲取りの本分だと思います。それに、彼らだって毎日ご馳走になっているわけではありません。私の場合、後輩を10人以上飲みに連れて行って、一晩で100万円以上散財するときもありました。先輩からは「宵越しの金は持つな」とよく言われていましたし、気風（きっぷ）がいいのは力士の美学でもあります。

「キャバクラ嬢」とは「リモート」接触がベター？

江本　いま世の中はカード社会どころか、電子マネーがどんどん普及して、誰も現金を持ち歩かなくなってきました。これは時代の流れとして受け入れるしかないと思っていますが、コロナ禍のせいで、さらにネットツールが幅を利かせるようになり、人と会わなくても情報交換ができるというのは、どうもしっくりこないんですよね。

舞の海　会社や学校はコロナ禍が終わっても、リモート化が定着していくのではないでしょうか。

江本　SNSが普及し始めた頃から、人間関係の在り方が変わってきましたよね。

舞の海　コロナの第1波の頃は、よく「リモート飲み会」が流行っていましたね。あれに慣れてしまって、このままみんな、家で飲んでばかりいたら、この先どうなるのだろうと心配してしまいます。

江本　後輩10人引き連れて飲み歩かなくて済むから、お相撲さんも散財しなくてよくなったんじゃないですか（笑）。

舞の海　それはそうですけれど、力士同士がリモートで飲むなんて、私たちが現役の頃からすると異様に見えます。気風がいい悪い以前の「コミュニケーション文化」に関わる問題です。

江本　ただ、この夏場所前に、緊急事態宣言中にもかかわらず、朝乃山は深夜営業のキャバクラに通っていたことが報じられて休場を余儀なくされた。これはリモートにしておいたらよかったのかもしれないけど、キャバクラ嬢相手にリモートじゃなんの楽しみもない？（苦笑）。

ともあれ、会社員の仕事がテレワーク中心になると、長時間かけての通勤ラッシュによる消耗がなくなり、オフィスへ行かなくて済むというメリットはあるでしょうが、失うこともたくさんあると思うんですよ。予期しない仕事をいきなりふられることもなく、上司に呼び出されたりもせずに、パソコンをカタカタ動かすことに集中できていいかもしれない。でも、その分、人間同士の会話が減っていきますね。リモート会議で十分というけれど、それだけで人の真意がちゃんと伝わるとは思えないし、本当はチームワークが必要なのに、別々にやっていて一体感が生まれるのかな。

舞の海　まさに、コミュニケーションの質が変わってしまいますよね。それでも会社が儲かればそれでいいということでしょうか。

江本　そういう考え方が常識になる日がくるでしょう。いまの状態が長引いて、ネット技術がもっと進化したら、オフィスなんて無用の長物扱いでしょうね。そして、生産性や効率性だけが求められる世の中になっていく。まあ、そのうちＡＩがはびこって、人の仕事の大部分は取って代わられるんでしょうけどね。果たしてそれで、人間は幸せになれるのかどうか、疑問ですね。

舞の海　スポーツ選手はさすがにリモートでプレーするわけにはいきませんが、判定や観戦方法においてデジタル化、ハイテク化が進んでいますよね。野球も審判（球審）がロボットになるかもしれない。特に野球は細かい競技ですから、ピッチャーが投げたときのボールの握りなんかがわかるのは、観る側としては楽しみも増えたと思います。

「ID（インポート・データ）野球」は「いつも、騙す」と訳せ?

江本　投げるほうからしたら楽しくもなんともないですが、まあそれはいいとして、最近気になるのは、セイバーメトリクス（米国野球学会＝SABRと測定基準＝メトリクスを合成した造語）やら、トラックマン（弾道やスピン量の計測器）やらを使ったデータ解析です。元はといえば、これまた米国で、選手の能力を全部データ化したり、ピッチャーが投げたボールの回転数や打ち出し角度やスピードを計ったりして、野球のプレーを「見える化」してきたわけです。日本でも徐々に浸透しています。これは球団が導入して、査定に使ったり戦術に生かしたりする分には勝手にやればいいんですが、わざわざメディアが公表することはないと思うんです。

舞の海　大谷（翔平／ロサンゼルス・エンジェルス）選手の打球がいかに速いか、とか、投げるボールがどれだけ回転数が多いか、とかいう報道をよく耳にします。数字を聞かされても、よく理解できないときもあります。

江本　あれって、観戦するのに必要な情報なんですかね。違うでしょう。物理学に興味があるなどして、知りたい人がいればその情報を取りに行けばいいだけの話でしょう。「大谷の打球速度は190何キロで、大リーグで一番速かった」とか言われても、それにどんな意味があるのか、わかる人はほとんどいませんよ。

舞の海　ちょっと難しい話になっていきますよね。「きっと凄い数字なんだろうな」って想像するぐらいしかできません。

江本　そんなもの、野球好きの普通のおじさん、おばさん、子どもたちにとってどうでもいいことです。それなのに、日本も真似をして「回転数は2500回でした」なんてやっている。誰が興味あるのって。実際、アメリカでは野球離れが進んでいますよ。その最大の原因は、野球に小難しい理屈や分析を加えて、それをマスコミがありがたがって報道してきたからです。

舞の海　スポーツの楽しみ方は人それぞれですから、マニアや好事家(こうずか)は思う存分に専門的な知識を追求していただければいいと思います。ただし、入門編にしてはとっつきにくいですよね。野球の場合、どこか無意識のなかで、「アメリカからやって来たスポーツだから」「元祖はアメリカだから真似しなくては」という意識があるんでしょうか。

江本　ありますね。そして、まだあることが残念ですよ。野球が日本に渡って来てすでに150年経っています。ヨーロッパからテニスやゴルフが伝来するよりも前のことです。そうやって長い年月をかけて、もうすっかり日本に定着しているのだから、日本の野球は「日本ファースト」で考えてもらいたい。米国の、それもほんの一部の人間がやっている、数字やハイテクで野球をいじくることは、野球本来の楽しみ方ではないような気がします。特に、日本人には向かないと思うんですよね。

舞の海　いっぽうで、日本人は緻密にモノゴトを考えて行動するのが得意ですから、細かい情報を駆使して戦うことに長けていますね。野村（克也）監督の「ID野球」はその象徴でした。

江本　それは戦ううえでの知恵と工夫ですよ。野村さんは僕が在籍していた南海時代から「考える野球」を実践していましたよ。データを活用して自分たちの弱点をカバーして、相手のクセや傾向を読み、弱みを突く。投手ミーティングでも、スコアラーが集めた情報を徹底的に教えられました。それが90年代のヤクルト監督時代に「ID（インポート・データ）野球」と名付けられて、持ち上げられたんです。僕はその頭文字を「いつも、騙す」と訳してましたけど（笑）。

舞の海　コンピュータ任せの数字を見せられたわけじゃないと。

江本　そんなハイテク、70年代にあるわけないですから。人の目から得た情報を、頭脳を使って分析するんです。その頃のほうがよっぽどアタマを使っていたと思いますよ。

ありえなかった「江本監督」

舞の海　江本さんはプロ野球界で実績をあげ、優勝もされましたし、解説者として成功し、本（『プロ野球を10倍楽しく見る方法』ほか）がベストセラーになり、政治家になって国会議員まで務められました。野球評論家だけではなくて、政治評論家もできる「資格」がある。これって、凄いことですよね。

江本　いや、まあ政治家としての経験はいちおうありますが……。落選（2004年・大阪府知事選挙等）もしたし。

舞の海　これで監督になって「日本一」になっていたら無敵でしたね。

江本　いやいや、それはないです。というか、監督にはとてもなれません。プロ野球界全体の流れを見ていたら、よくわかります。僕のような存在は球団から見れば「ならず者」のようなもので、本気で監督になりたかったら頭丸めて、土下座でもしないといけない。実績といっても200勝したわけでもなく、もっといい成績を残した人はたくさんいますから、最初から監督になる気はまったくありませんでした。前にも言ったように、解説者にしても現場復帰を目論んでいる人間は厳しいことは言えない。僕が忖度なしでモノが言えてきたのも、ユニフォームを着るつもりが永遠になかったからです。

舞の海　監督を選ぶ際には、ジャイアンツのように既定路線があり、それに沿って任命していくことが多いんですか。

江本　そこはしっかり決めている球団もあれば、曖昧な球団もあります。ただ、共通して問題なのは、選ぶ側の人間が素人ばかりだということ。最終的に決断する人の好き嫌いとか、選手時代にスタープレーヤーだったとか、一流の成績を残したとか、そういう基準でほとんどが決まる。まあ、楽天やオリックスやＤｅＮＡみたいな後発のチームなんかだと、ある程度人気を得るために発足時には監督の知名度も必要でしたが、もうそんなレベルで選ぶ時代じゃない。

舞の海　もっと能力を重視するべきだと。

江本　本当はそうしなきゃいけないんです。ちなみに、大リーグはどうかというと、現在ある30球団のうち、7球団の監督はメジャーでプレーしたことがないんですよ。大谷（翔平）が所属するエンジェルスのジョー・マドン監督もそのひとりです。なかには、マイナーも含めてプロの経験がない監督もいます（マイク・シルト／セントルイス・カーディナルス）。つまり、現役時代の実績なんて関係ありません。

舞の海　プロ野球選手でもなかった人を連れてくるんですか。

江本　たまにそういうこともあります。高校や大学での指導実績が認められて、マイナー組織の監督に抜擢され、それで徐々に場数を踏んでメジャーに「昇格」するんです。アメリカの真似ばっかりしている日本球界のことを僕は批判していますが、こういう正しいことは積極的に取り入れればいいと思います。それなのに、やめておけばいいものばかり追いかけて、こんな真っ当な人材スカウトのやりかたは無視するんだから呆れますよ。

舞の海　監督やコーチには、選手とは違う能力が必要でしょうから、そこを見極めてから起用するのが筋ですよね。相撲界もそうなんですが、さっき言いましたように元横綱や人気力士だった人のほうが人も資金も集まるので、経営という面から見て仕方ないのかなと。そのうえで、しっかり弟子を指導できる人材ならいいのですが……。

江本　プロ野球はほとんどの球団が一軍と二軍しかないので、球団はスターや功労者に対して「二軍コーチになってくれ」とはなかなか言えないんです。「僕は監督しかやりません」と言って、コーチすら断る人間もいます。「お前にそんな能力があるのかよ」と突っ込みたくなる。ジャイアンツの阿部も、一軍への手形を与えられているから二軍監督を引き受けたんじゃないかと思います。

舞の海　指導者を育てるのは本当に難しいことなんだと思いますね。

江本　特にプロスポーツに関しては、指導者になるなら自分の考え方や理論を持っていて当然ですし、何も考えていないタイプにいくら説教しても無駄ですよ。将来、監督になろうと思っている人間は、現役時代から組織づくりをよく観察して研究しておくべきでしょうね。

ハングリー精神は絶滅していない!

舞の海　いっぽうで、アマチュアの場合は「教育的指導」という側面がありますね。

江本　はい。名物監督のなかには、その競技に通じていなくても存在感を示す人がいます。島岡吉郎さん（１９１１〜８９／52年から37年間、明治大学野球部監督を務めた）なんかは応援団出身で、野球経験はゼロでしたからね。

舞の海　この前のマスターズ・トーナメントでアジア人として初めて優勝した松山（英樹）さんを生んだ東北福祉大学ゴルフ部の阿部（靖彦）監督とは食事をご一緒させていただいたことがあるのですが、野球部のご出身と伺いました。とても豪快な方でした。

江本　そう。だから島岡さんもそうだったでしょうし、阿部さんも周囲に優秀なコーチがいて、技術的なことは全部任せているんだと思います。大学の監督には技術的な指導というよりも、これから社会に出ていくうえでの人間教育も必要ですからね。そのへんのバランスがとれた指導者こそが実績を残すのでしょう。

舞の海　はい。私も大学時代、田中英壽監督（当時）にはそういう面で大変お世話になりました。また大相撲の場合は、他のスポーツとはかなり事情が違っていて、入門後も師匠の指導が技術以外でも大きな影響力をもっています。ですから、師匠の人間力が大きくモノを言うのだと思います。

江本　トレードやＦＡなんかないわけですから、なおさらですよね。

舞の海　そうなんです。私はそういう意味で、大学時代といい、力士になってからといい、よい指導者に恵まれて幸せでした。私が引退を決意したとき（平成11年／1999年十一月場所後）のことですが、当時の時津風理事長（元大関・豊山）は引退届を提出しにきた私に向かって「本当にいいのか」「俺が受け取ったら、もう終わりなんだぞ」と、何度も念を押すんです。このまま相撲界に残って親方をやればよかったと、後悔させないために気を遣って下さったんです。お金もないし、年寄名跡に空きがなかったこともあって、結局、相撲協会には残りませんでしたが、そうやって声をかけていただいただけで嬉しかったですね。

江本　そういえば、さっき話に出た、張り手が怖い旭道山（和泰）。僕が国会議員をやっていたときに、いきなり力士を辞めて政治家へ転身しましたね（平成8年／1996年／大島部屋／新進党→新党平和→無所属）。そのときも、相撲協会から手厚い配慮があったと聞いていますよ。

舞の海　はい。当時の理事長は私の師匠でもあった出羽海親方でした。そのとき、理事長は旭道山関の廃業届を受け取らなかったんです。突然、衆議院選挙に立候補すると表明したものですから、当選するかどうかもわかりません。ですから、理事長は心配して

「もし落選したら、戻ってこい」「当選したら受け取ってやる」と言って、届を保留したんですね。それがいいか悪いかは別にして、いまではあっさり受理されるんじゃないでしょうか。

江本　そうなんですね。応援してくれた理事長のためにも、当選してよかった。たった1期で議員は辞めてしまったけれど、彼は「国旗・国歌法案」にも賛成してくれました。

舞の海　選挙当日は夜遅くまでテレビの前にかじりついて、なかなか当確マークが出なくてハラハラし通しで。やっと12時くらいになって当選が決まり、ホッとしました。旭道山さんや私の件はほんの一例でして、いま思えば、当時の親方には情に厚い人が本当に多かったように思います。

江本　中卒のたたき上げで、ハングリー精神をもって出世していく日本人力士が減ってきたと舞の海さんはおっしゃっていましたね。ということは、入門してから親代わりになって面倒を見る必要がなくなってきたということじゃないですか。相撲部屋の師弟関係もドライになってきたというか……。

舞の海　その通りです。なにも知らない15、16歳の少年に相撲の精神を教え、目覚めさせて鍛え上げ、出世させるのは並大抵のことではありませんし、そういう境遇から這い上がった親方でなければ、どう指導していいかわからないのも無理ありません。いまはそういう時代ですが、なかには逆境を跳ね返して強くなりたいと頑張っている力士もいる。相撲界には片親の子たちが結構多くて、「片親会」をつくって、たまに集まったりもしています。彼ら全員が「なにくそ」という強い気持ちで相撲に取り組んでいるかどうかはわかりません。ただ、私は日本人力士からハングリー精神が絶滅したとは思いたくはないんですよ。

「八百長」と「武士の情け」は違う

舞の海　江本さんは高校を卒業してすぐにプロ入りしたら「黒い霧事件に巻き込まれていたかもしれない」とおっしゃっていました。いわゆる八百長事件ですよね。そのとき(1969年)プロ野球界は大騒ぎになったと聞いています。

江本　僕がプロ野球選手になる2年前のことですね。6人が永久追放処分を食らい、全部で20人くらいが出場停止や戒告処分となったんです。正確には敗退行為だけではなく、オートレースの八百長に参加した選手も含まれていました。特に対象者が多かった西鉄ライオンズ(現・西武ライオンズ)は主力がごっそりいなくなって、その後3年連続最下位の末に身売りすることになったんです。

舞の海　球界にとって大きな損失だったんですね。

江本　ええ。特に西鉄の池永(正明)投手は大エースで、2年連続で23勝していましたからね。ただ、疑わしきを罰するというやり方だったので、巻き添えになった選手も多かったんじゃないかな。結局、池永さんは周囲の支援もあって、2005年に「復権」しましたからね。まあ、「時すでに遅し」ですけれど。

舞の海　やはり、いまで言う「反社会的勢力」との関わりですよね。

江本　そうですね。野球賭博が常態化していたフシがありました。僕も現役時代、負けると嫌がらせの電話がかかってきたりしましたよ。「お前、八百長してるやろ」とか。だから、アタマにきて「やらせたいなら1億円持って来い」と怒鳴って、ガチャンと切ったこともあります。そういうことを言われても仕方ない商売なんだなと、覚悟してかからないといけない時代でした。

舞の海　その後は選手が関わる八百長事件は発生していません。

江本　はい。教育を徹底させていますし、待遇もよくなっているので、敗退行為に手を染める選手はもういないでしょう。6年前にジャイアンツの選手が野球賭博に関わり、3名が「無期限失格」になりましたが、あれは敗退行為じゃなくて、チームの勝敗に自分たちがお金を賭けるという、れっきとした犯罪行為でした。

舞の海　実際、わざと負けることって可能なんですか。

江本　いや、ひとりふたりがその気になっても、実際は無理でしょう。今年になってからも九州でスポーツの試合を対象に賭場を開いた連中が逮捕されましたが、選手たちを巻き込むなんて発想はないですよ（2021年3月、佐賀県警が賭場開帳図利の疑いで男2人を逮捕。プロ野球やJリーグなどの試合の勝敗を客に予想させていた）。

舞の海　団体競技は大がかりだから、事実上できっこないですよね。

江本　ヨーロッパではサッカーの試合でよく八百長疑惑が報じられていますよ。ただ、これは賭場が開かれているわけじゃなくて、下部リーグに落ちそうなチームが相手に金を渡して「手を抜いてくれ」と頼むやつです。

舞の海　なるほど、一口に「八百長問題」と言ってもいろいろですね。ご存じの通り、大相撲は10年前（平成23年／2011年2月）に八百長問題（前年の大相撲野球賭博問題の捜査段階で、賭博に関与した力士らから押収した携帯電話のメールから発覚した）で世間を騒がせました。それ以前から週刊誌でたびたびこの問題は取り沙汰されてきましたが、協会がその事実を認めるかたちとなりました。

江本　たしか、その直後、春場所（大阪場所）開催が中止になりましたね。

舞の海　はい。私の認識としては、八百長と疑われる相撲は「無気力相撲」のことを指すと考えています。相撲内容があまりに悪ければ、厳しく批判されるのは当然のことです。実際、私が現役時代は「無気力」と見なされれば除名や引退勧告、それに従わなければ解雇処分になると訓示されていましたから、そう見なされないように気を引き締めて土俵にあがっていました。

江本　それから、よく「星の貸し借り」というフレーズも耳にしましたね。言葉がひとり歩きしているようにも思えたんですが、どうでしょう。

舞の海　いかにも相撲界が日常的にそういうことをしているように報じられて、心外でしたね。たとえば、幕下上位の力士が好成績で終盤を迎えて、十両から陥落しそうな番付の力士と対戦が組まれたときに「貸し借り」があったと、よく言われました。しかし、幕下上位の力士はみな関取になろうと必死です。そこでわざと負けるなんてことは、あり得ない話ですよ。組織的に、大規模な「八百長」が行われていたというのは、一部のマスコミが作り上げたデマです。

江本　僕はこれ、否定するわけじゃないけれど、大勝ちしている力士が負け越しそうな相手に手心を加えるということはありますよね。

舞の海　それを私は「武士の情け」と呼んでいます。「相撲はただ勝てばいいわけじゃない」ということは、江本さんにも理解していただいていると思います。そこには人と人を繋ぐ「人情」という要素が大きく絡んでいて、一見、無気力相撲のように見える取り組みもありますが、それは「阿吽（あうん）の呼吸」で成立する世界です。白黒を厳正に突き詰めていくことや「どんな状況でも勝てばいいじゃないか」という考え方は、相撲の美学に反するし、粋とは言えません。「もののあわれ」を大切にしてきたのです。

江本　なるほど。大相撲独特の世界観ですね。

舞の海　昔、勝てば横綱になれるという一番で相手方が勝つと、そちらにお客さんが罵声を浴びせたといいます。「譲ってやれよ」とか「この人でなし！」なんてヤジも聞こえたそうです。そのように、状況をすべて理解したうえで、勝敗を超越して観戦するのも大相撲の楽しみ方なんです。

江本　そういうことで覚えているのは、あの貴乃花と武蔵丸（光偉／第67代横綱／現・武蔵川親方）の優勝決定戦（平成13年／2001年五月場所）ですよ。小泉（純一郎首相＝当時）さんが「感動した」っていう一番。勝った貴乃花の気迫が凄かったのはもちろんですが、正直言って、まさか武蔵丸が負けるとは想像もできませんでした。

舞の海　あれこそ、まさに人情相撲です。大けが（右膝亜脱臼）をして歩くのもやっとの相手に対して、その弱みをついて勝ちにいかなかった武蔵丸関は本当に立派でした。

江本　もし朝青龍や白鵬だったら、きっと情け無用に圧勝していたでしょう。

舞の海　ええ。勝利至上主義という考え方ですね。それが「面白い」「正当だ」と言うファンもいらっしゃいます。しかし、前にも言いましたが、勝利こそがすべてという価値観は、相撲の精神文化にはそぐわないと、私は思います。

というのも、また白鵬の話で恐縮ですが、5年前（平成28年／2016年）の春場所、優勝のかかった千秋楽での横綱同士の結びの一番。白鵬は立ち合いで右手を伸ばしながら左にスッと跳んでみせた。そのために、完全に虚を突かれて態勢を崩した日馬富士を左手で突き落とし。数秒で勝敗がついた。胸と胸を突き合わせて横綱らしい相撲を見られるかと期待していた観客は、あっけない幕切れとなり、怒りのあまり座布団が乱舞したのを江本さんも覚えてらっしゃると思います。

江本　覚えています。観客はため息をついていましたよ。テレビで観ているこっちも気が抜けました。

舞の海　なぜあのようなことが起こったのか、その理由は、繰り返しになるので言いませんが、そのとき私は「品格はもとより、相撲の美学がこの横綱には備わっていないのだな」と感じました。それこそ、お客さんにとっても、協会にとっても、そして横綱本人にとっても、悲劇でしかありません。優勝インタビューで白鵬は「申し訳ありません」と泣いて謝っていましたが、かえって、なにやら偽善的なムードすら感じましたね。

江本　歴代最多の優勝回数(44回)はもちろん偉大な成績だけれど、それは単なる記録ですからね。横綱という地位に対して、人は数字や実績だけを見て評価しているわけではないってことを、ちゃんとわかってほしかった。そして、何度も言いますが、いまさら相撲の伝統や格式を教えられる立場の人がいなくなったというのも、また悲劇ですよね。休場続きの白鵬が、次の場所でどんな相撲をみせてくれるのか……。

舞の海　いつまでも地位にしがみつくのではなく、横綱にとって、もっとも大切な散り際の美学を持ってほしい。もう遅いかもしれませんが……。

おわりに――「ルールに従う優等生」から「ルールを作る側」になろう

なぜ、日本人は自国のことに自信を持てないのか

舞の海　江本さんとこういう形でお会いして議論するのは初めてでした。大変知的刺激を受けました。

江本　いや、こちらこそ勉強になりました。2021年5月の夏場所も、照ノ富士が二場所連続で優勝。千秋楽では舞の海さんの解説を聴きながら拝見しました。お客さんもそこそこ入っていてよかったですね。

舞の海　おかげさまでなんとかコロナ禍を乗り切っていく形となりました。

江本　プロ野球も夏場所が終わったあとからセパ交流試合が始まり、あとは東京五輪が

どうなるか……。

舞の海　東京五輪が決まって以降、コロナ発生前まで、世界における日本はどんどん人気が向上していて、観光客も飛躍的に増え、いまや「尊敬する国」や「住みたい国」で上位にランクされるようになりましたね。「経済大国」というより「アニメ大国」で「クールジャパン」ともてはやされました。そのいっぽうで、当の日本人は自分たちの国に心から誇りを持っているかというと、そうでもない。とても不安定で、文化的にも重要な国ではないと捉えている割合が大きいようにも思えました。

江本　コロナ対策でも感染者も死者も諸外国に比べて一桁も二桁も少ないのに、安倍・菅政権のコロナ対策は失敗だらけだと決めつける向きが強い。

舞の海　外国からは日本はよくやっているという声のほうが強い。逆に、それほど人気ランクの高くない国でも、自国をポジティブに考えている人が大半を占めています。これって、なんでしょうかね。なぜ、そこまで日本人は自国のことに自信を持てないのか。

江本　それは元来のメンタリティによるところかもしれませんが、特に先の大戦に失敗したせいで、自分で自分のことを信用できなくなったからじゃないですか。

舞の海　我が国に真珠湾攻撃を仕向けたルーズベルトを裁くぞという気概を持ってほし

いけど……。それは、アメリカが憲法と同時に押し付けた自虐史観、東京裁判史観の影響でしょうね。それが、上意下達の文化に慣れてきた国民性とあいまっていまだに劣等意識を引き継いでいる。

江本　教育の効果も絶大でしょう。日本人は「他人に迷惑をかけない」ことを最重要の倫理観として叩き込まれてきましたから、調整能力は長けていても、自己主張は苦手です。先生の言うことをよく聞く子が優等生で、アタマを撫でられて満足してしまう。だから、「出る杭は打たれる」の法則に倣って出ていかないいんですよ。国際社会への発信力も弱い。

舞の海　それが外交にも反映していて、叩かれるのが嫌で中国や他国に対して強いことを言えなくしてしまうのでしょうか。

WBCやIOCのやりたい放題にはさせない日本になろう

江本　ええ。相撲やプロ野球は日本社会の縮図だと言いましたが、スポーツ界の動きを見ても同じだと思いますね。東京五輪のゴタゴタでは、ＩＯＣにやりたい放題を許してなんでもかんでも従うしかなかった。一昨年、マラソンコースが札幌へ変更になったときも、寝耳に水で、小池（百合子都知事）さんは怒っていましたが、そうなる前に言うべきことを言っていたのかと。開催可否に関する方向性もすべてＩＯＣに振り回され通しでした。いくら五輪の主催がＩＯＣだからといって、唯々諾々が過ぎましたよね。

舞の海 野球では、ＷＢＣ（ワールド・ベースボール・クラシック）というイベントがありますよね。それもまた、江本さんによれば、アメリカにいいように操られているということでしたね。

江本 まったくです。あのイベントは、大リーグの選手会の基金が足りなくなったので、なにか稼ぐ方法はないかと考えた末に始まったものです。球団経営は放映権料で潤っているので問題ないけど、年金は別なのでその原資となるアテを探していたわけです。ヤツらはズル賢いですから、日本企業に「野球の世界一を決める国際大会だから」と話をもちかけてスポンサー料をガッポリ手にしようと算段したんです。

舞の海 日本は「グローバル」という言葉に弱いですからね。

江本 国際大会と聞いたら金を出すアホな会社がたくさんあるんですよ。そうしたら、案の定、日本の金をそっくり大リーグに持っていかれる仕組みになっていた。２００９

年の第2回大会では、収益配分の7割近くが彼らの懐に入り、日本の取り分はわずか13%ぐらい。その後も基本的には変わっていません。これをボッタクリと言わずしてなんと言うんですか。

舞の海　日本が優勝したときは、日本の野球ファンは喜び感動していましたが……。

江本　いやいや。君が代を聞いて試合して、「国を背負っている」なんて綺麗ごと言わせて……結局は日本企業と日本のプロ野球を騙して金をむしり取るという、アメリカの戦略にハメられてしまい、感動もなにもあったもんじゃない。そんなアメリカのアメリカによるアメリカのためのWBCに無理やり参加を強要されて怪我してそのシーズンをフイにしたり、不調に陥った選手がたくさんいるんですから。

舞の海　もっと強く大リーグにモノを言えないものなんですか。

江本　前回の大会（第4回／2017年）でようやくボイコットをちらつかせて抗議したんですが、最終的には折れてしまいました。日本人は自国に対してはツベコベ文句を言ったり「口撃」するくせに、外国にはカラキシ弱い。プロ野球で言えば、この対談で述べたように、ルールや球数制限にしてもそうですが、いつまでたっても「三歩下がってアメリカの影を踏まず」じゃ、世界のリーダーにはなれません。本当は、現状のWBCを解体して、日本主導で新たな国際大会を作り上げるくらいの意志を示していくべきなんです。

舞の海 スポーツはもとより、日本という国が舵を切るときには必ず「外圧」があって、しかもそれはアメリカが関与する場合が多かったですよね。明治維新にせよ、戦後も憲法に始まり、安全保障や経済政策、すべてにおいて日本人は主体的にモノゴトを決めてこられなかった。いいかげんに私たちは「ルールに従う優等生」から「ルールを作る側」にならないといけないと思うんです。

江本 その通りです。日本にはまだまだ「スポーツ界の人間がなにを偉そうなことを言っているんだ」っていう風潮があります。

さらに言えば、これは野球に関して特にそうなんだけど、なんでもかんでも「新しさ」や「時代」を絶対視して、モノを考えるのはやめてもらいたい。「古い、新しい」ではなく「正しいか、正しくないか」を基準に判断していかないと、日本は本当に劣化していくと思っています。

舞の海 私も今回の対談で、相撲界や日本のことについて信念にもとづいて話してきました。読んでいただいた方のうち、私たちの主張が正しいと思って下さる方がひとりでも増えていくことを願っています。

江本　日本人の良識を信じたい。それに尽きます。

江本孟紀（えもと たけのり）
野球解説者。元参議院議員。1947年、高知県生まれ。高知商業高校、法政大学、熊谷組（社会人野球）を経て、71年に東映フライヤーズ（現・日本ハム）入団。その年、南海ホークス（現・ソフトバンクホークス）移籍、76年には阪神タイガースに移籍して81年に現役引退。プロ通算成績は113勝126敗19セーブ。通算防御率3.52。92年、参議院議員当選。2001年1月には参議院初代内閣委員長就任。2期12年務めた。現在はサンケイスポーツを中心にプロ野球解説者として活動。2017年秋の叙勲で旭日中綬章受章。著書『プロ野球を10倍楽しく見る方法』『野球の正論』『野球バカは死なず』ほか多数。

舞の海秀平（まいのうみ しゅうへい）
大相撲解説者。1968年、青森県生まれ。日本大学相撲部で活躍。日大卒業後、山形県での高校教師の内定を辞退して角界入りを決意するも、身長が足りずに一度は新弟子検査に不合格。頭にシリコンを入れて2度目の検査で入門を果たした。小柄な体格を駆使して猫だましや八艘跳びなどの多彩な技を繰り出すことから「技のデパート」「平成の牛若丸」の異名を取った。最高位は小結。大相撲の生涯通算成績は385勝418敗27休。幕内通算成績241勝287敗12休。1999年に現役を引退し、2000年から大相撲解説者を務める。著書『なぜ、日本人は横綱になれないのか』『小よく大を制す！ 勝負脳の磨き方』『テレビでは言えない大相撲観戦の極意』ほか多数。

己（おのれ）も国（くに）も自信（じしん）を持（も）たなきゃ！

2021年７月15日　初版発行

著　者　江本孟紀・舞の海秀平

発行者　鈴木　隆一

発行所　ワック株式会社
東京都千代田区五番町４-５　五番町コスモビル　〒102-0076
電話　03-5226-7622
http://web-wac.co.jp/

印刷製本　大日本印刷株式会社

ISBN978-4-89831-836-2